D1093996

Aynı Yıldızın Altında

Pegasus Yayınları: 664
Bestseller Roman: 285

Aynı Yıldızın Altında
John Green
Özgün Adı: The Fault In Our Stars

Editör: Berna Sirman
Sayfa Tasarımı: Cansu Gümüş

Baskı-Cilt: Alioğlu Matbaacılık
Sertifika No: 11946
Orta Mah. Fatin Rüştü Sok. No: 1/3-A
Bayrampaşa/İstanbul
Tel: 0212 612 95 59

12. Baskı: İstanbul, Mart 2015
ISBN: 978-605-343-093-3

Türkçe Yayın Hakları © PEGASUS YAYINLARI, 2013
Copyright © John Green, 2012

Bu kitabın Türkçe yayın hakları Akcalı Telif Hakları Ajansı aracılığıyla Penguin Group (USA) Inc.'in alt yayıncısı Penguin Young Readers Group'un bir dalı olan Dutton Children's Books'tan alınmıştır.

Tüm hakları saklıdır. Bu kitapta yer alan fotoğraf/resim ve metinler Pegasus Yayıncılık Tic. San. Ltd. Şti.'den izin alınmadan fotokopi dâhil, optik, elektronik ya da mekanik herhangi bir yolla kopyalanamaz, çoğaltılamaz, basılamaz, yayımlanamaz.

Bu kitap bir hayal ürünüdür. Eserde geçen isimler, yerler ve olaylar yazarın hayal gücünün ürünüdür ya da hayalî olarak tasarlanmıştır.

Yayıncı Sertifika No: 12177

Pegasus Yayıncılık Tic. San. Ltd. Şti.
Gümüşsuyu Mah. Osmanlı Sk. Alara Han
No: 11/9 Taksim / İSTANBUL
Tel: 0212 244 23 50 (pbx) Faks: 0212 244 23 46
www.pegasusyayinlari.com / info@pegasusyayinlari.com

JOHN GREEN

İngilizceden Çeviren:
Çiçek Eriş

PEGASUS YAYINLARI

ESTHER EARL'E

YAZARIN NOTU

Bu not, yazarın notundan ziyade, birkaç sayfa önce minik puntolarla yazılmış olan bir nota dair yazarın hatırlatması: Bu kitap hayal ürünü. Bunu ben uydurdum.

Bir hikâyenin altında herhangi bir hakikat yatıp yatmadığının çözümlenmeye çalışılmasından ne romanlar ne de okurları yarar görür. Bu yöndeki çabalar, uydurma hikâyelerin önemli olduğu fikrine bir saldırıdır ki bu fikir, türümüzün temel varsayımı sayılır.

Bu konuda işbirliği gösterirseniz memnun olurum.

Su gelgitle yükselirken Hollandalı Lale Adam okyanusa baktı. "Birleştirici, tersleyici, zehirleyici, gizleyici, tecelli edici. Bak nasıl da yükselip alçalıyor, her şeyi beraberinde götürüyor."

"Ne o?" diye sordum.

"Su," dedi Hollandalı. "Tabii bir de vakit."

—PETER VAN HOUTEN, *Görkemli Izdırap*

BİRİNCİ BÖLÜM

On yedinci yılımın kış aylarının sonunda annem depresyonda olduğuma karar verdi; muhtemelen evden nadiren çıktığım, yatakta oldukça fazla vakit harcadığım, aynı kitabı tekrar tekrar okuduğum, seyrek olarak yemek yediğim ve son derece bol olan boş vaktimin oldukça büyük kısmını ölümü düşünerek geçirdiğim için.

Ne zaman kansere dair bir broşüre veya bir internet sayfasına filan göz atsanız, kanserin yan etkilerinden biri olarak depresyonu da listeliyorlar. Fakat aslına bakarsanız depresyon, kanserin yan etkisi değil. Depresyon ölmenin yan etkisi. (Kanser de ölmenin yan etkisi aslında. Hatta aslında hemen hemen her şey öyle.) Fakat annem tedaviye ihtiyacım olduğuna inandığı için beni Düzenli Doktorum Jim'e götürdü ki o da insanı paralize eden ve korkunç bir klinik depresyon içinde yüzdüğüme, ilaçlarımın ayarlanmasının ve haftalık bir Destek Grubu'na katılmamın gerektiğine karar verdi.

Bu Destek Grubu, tümör kaynaklı sıkıntıların farklı evrelerindeki, sürekli değişen bir dizi karakteri bünyesinde barındırıyordu. Karakterler neden sürekli değişiyordu? Ölmenin yan etkisi.

Destek Grubu tabii ki korkunç derecede kasvetliydi. Her çarşamba haç şeklindeki taş bir kilisenin bodrum katında buluşuyorlardı. Haçın tam ortasında, iki kalasın birleştiği, İsa'nın kalbine tekabül eden yerde bir daire oluşturarak oturuyorduk.

Bunu fark etmiştim çünkü Destek Grubu Lideri ve odadaki on sekiz yaşın üstündeki tek insan olan Patrick, her lanet toplantıda İsa'nın kalbinden konu açıyor, genç kanser felaketzedeleri olarak nasıl İsa'nın o kutsal kalbinin tam ortasında oturduğumuzdan filan bahsediyordu.

Tanrı'nın kalbinde olaylar şöyle işliyordu: Altımız, yedimiz ya da onumuz yürüyerek ya da tekerleklerle içeriye giriyor, bayat kurabiyeler ile limonatalardan otlanıyor, dairedeki yerimizi alıyor ve Patrick'in insanı kasvete sürükleyici, azap dolu hayat hikâyesini bininci kere dinliyorduk: Testislerinde nasıl kanser varmış da, nasıl öleceğini düşünmüşlermiş de, ama ölmemiş de işte şu anda buradaymış da... Amerika'nın yüz otuz yedinci en güzel şehrindeki kiliselerden birinin bodrum katında, boşanmış bir yetişkin; video oyunlarına bağımlı, pek arkadaşı olmayan, kansertastik geçmişini sömürerek vasat bir hayat idame ettiren ve kariyer hedeflerini hiçbir şekilde geliştirmeyecek bir yüksek lisans derecesi için çabalayan ve hepimiz gibi, Demokles'in kılıcının, kanserin onca yıl önce testislerinin ikisini de alıp ancak son derece cömert bir ruhun hayat olarak adlandırabileceği kısmını bağışladığı sırada kaçan huzuru ona vermesini bekleyen bir adam.

SİZ DE BÖYLE ŞANSLI OLABİLİRSİNİZ!

Sonra kendimizi tanıtıyorduk: İsim. Yaş. Tanı. Ve o gün nasıl olduğumuz. Ben Hazel, diyordum sıra bana geldiğinde. On altı yaşındayım. Aslında tiroit kanseriyim ama ciğerlerimde, oraya uzun süredir yerleşmiş, hayranlık uyandırıcı bir uzak doku metastazı var ve iyiyim.

Dairedeki herkes konuşunca Patrick her zaman birilerinin bir şeyler paylaşmak isteyip istemediğini soruyordu. Sonra da duygu patlaması başlıyordu. Herkes savaşmaktan, dövüşmekten, kazanmaktan, küçülmekten ve taranmaktan bahsediyordu. Aslında Patrick'e hakkını vermem gerekir çünkü ölümden bahsetmemize de izin veriyordu ama oradakilerin çoğu zaten ölmüyordu. Çoğu, Patrick gibi yetişkin olabilecekti.

(Bu da bu konuda çok fazla rekabet olduğu anlamına geliyordu çünkü herkes sadece kanseri değil, aynı zamanda odadaki diğer insanları da yenmek istiyordu. Yani bunun aslında mantıksız olduğunun farkındayım ama mesela beş yıl yaşamak için yüzde yirmi şansınız olduğunu söylediklerinde matematik işin içine giriyor ve bu sayının beş kişiden birine tekabül ettiğini görüyorsunuz... Bunun üzerine, herhangi bir sağlıklı insanın yapacağı gibi etrafa bakıp, bu piçlerin dördünden daha uzun süre yaşamam gerek, diye düşünüyorsunuz.)

Destek Grubu'nun tek iyi yönü ince uzun suratlı, sarı saçlarını tek gözünün üzerine tarayan ve cılız bir çocuk olan Isaac'ti.

Ve problem gözlerindeydi. Fantastik derecede imkânsız bir göz kanserine yakalanmıştı. Ufakken tek gözü alındığı için gözlerini (hem gerçeğini hem de cam olanı) doğal olamayacak kadar büyük, kafasını sadece size bakan sahte gözü ile gerçek gözünden oluşuyormuş gibi gösteren, şişe dibine benzer bir gözlük takıyordu. Isaac'in grupla bir şeyler paylaştığı nadir zamanlardan anlayabildiğim kadarıyla kanserin yinelemesi, diğer gözünü ölümcül bir tehlike içine sokmuştu.

Isaac'le neredeyse sadece iç geçirerek iletişim kuruyorduk. Birileri ne zaman kansere karşı diyetlerden, köpek balığı yüzgeçlerini filan burnuna çekmekten bahsetse bana bakıyor ve hafifçe iç geçiriyordu. Ben de karşılık olarak mikroskobik bir hareketle başımı sallayıp nefes veriyordum.

Yani Destek Grubu fenaydı ve birkaç hafta sonunda tüm bu olay beni delirtecek kıvama gelmişti. Hatta Augustus Waters'la tanıştığım çarşamba günü, on iki saatlik eski sezon *America's Next Top Model* maratonunun üçüncü ayağında, annemle kanepede otururken Destek Grubu'ndan kurtulabilmek için en iyi performansımı gösterdim.

Ben: "Destek Grubu'na katılmayı reddediyorum."

Annem: "Depresyon semptomlarından biri de aktivitelere duyulan ilgisizlik."

Ben: "Bırakırsan *America's Next Top Model* izleyip durabilirim. O da bir aktivite."

Annem: "Televizyon edilgin bir şey."

Ben: "Of, anne, lütfen."

Annem: "Hazel, sen bir genç kızsın. Artık ufak çocuk değilsin. Arkadaş edinmen, biraz evden çıkman ve hayatını yaşaman lazım."

Ben: "Eğer genç kız olmamı istiyorsan beni Destek Grubu'na yollamazsın. Bana sahte bir kimlik alırsın ki gece kulüplerine gidip votka içip esrar koklayabileyim."

Annem: "Esrar *koklanmaz* bir kere."

Ben: "Gördün mü bak, bana sahte kimlik alsan böyle şeyleri bilirdim."

Annem: "O Destek Grubu'na gideceksin."

Ben: "OOOOOOFFFFFFFF."

Annem: "Hazel, hayatını yaşamayı hak ediyorsun."

Bunun üstüne çenemi kapadım ancak Destek Grubu'na katılmanın *hayat* tanımlamasına nasıl sığdığını anlamayı başaramıyordum. Yine de gitmeyi kabul ettim… *ANTM*'nin kaçıracağım 1.5 bölümünü kaydetme hakkımı müzakere ettikten sonra.

Destek Grubu'na, sadece on sekiz aylık lisansüstü eğitimi olan hemşirelerin, beni egzotik isimli kimyasallarla zehirlemesine izin verme sebebimle aynı sebepten gittim: Annem ile babamı mutlu etmek istiyordum. Bu dünyada on altı yaşındayken kanserin oltasına gelmekten boktan olan tek şey, kanserin oltasına gelen bir çocuğa sahip olmaktı.

Annem arabayı saat 16:56'da kilisenin arkasındaki yola çekti. Vakit öldürmek için oksijen tüpümü kurcaladım.

"Benim taşımamı ister misin?"

"Hayır, gerek yok," dedim. Yeşil renkli silindir tüp birkaç kiloydu ve yanımda çekiştirebilmeme yarayan küçük bir çelik çekçek vardı. Çenemin hemen altında ikiye ayrılan, kulaklarımın arkasından dolanan ve burnumda tekrar bir araya gelen bir kanülle dakikada iki litre oksijen almamı sağlıyordu. Bu mekanizma gerekliydi çünkü ciğerlerim ciğer olma konusunda berbattı.

"Seni seviyorum," dedi annem ben inerken.

"Ben de anne. Altıda görüşürüz."

"Arkadaş edin!" dedi yürüdüğüm sırada indirdiği pencereden.

Asansöre binmek istemedim çünkü asansöre binmek Destek Grubu'nda Son Günler tandanslı bir aktiviteydi, bu yüzden merdivenleri kullandım. Bir kurabiye alıp kâğıt bardağa limonata koyduktan sonra arkamı döndüm.

Bir oğlan bana bakıyordu.

Onu daha önce görmediğime hayli emindim. Uzun boylu, hafif kaslıydı; oturduğu plastik ilkokul sandalyesi altında minicik kalmıştı. Düz ve kısa, kahverengi saçları vardı. Benimle yaşıt görünüyordu, belki bir yaş büyüktü ve sandalyenin kenarına ilişmiş, tek elini siyah kot pantolonunun cebine yarısına kadar sokmuş bir halde, felaket derecede kötü bir pozisyonda oturuyordu.

Başımı çevirdim, bir anda sonsuz sayıdaki eksikliğimin bilincine varmıştım âdeta. Çok eski bir kot pantolon giyiyordum, kendisi bir zamanlar dar olmasına rağmen artık tuhaf tuhaf yerleri sarkıyordu ve artık sevmediğim bir müzik grubunun reklamını yapan sarı bir tişörtüm vardı. Bir de saçım: Tas gibi bir saç kesimim vardı ve saçımı taramaya filan bile üşenmiştim. Ayrıca saçma derecede şişkin yanaklarım vardı... tedavinin yan etkisi. Vücut hatları orantılı ama balon kafalı bir insana benziyordum. Tombul ayak bileklerimden bahsetmeme gerek bile yok. Ama yine de... ona yan yan baktım, gözleri hâlâ üzerimdeydi.

Buna neden göz *teması* dediklerini o anda anladım.

Daireye girip o çocuğun iki sandalye ötesinde oturan Isaac'in yanına geçtim. Tekrar baktım. Hâlâ beni izliyordu.

Bakın, bir şey söylemem lazım. Çocuk fena yakışıklıydı. Yakışıklı olmayan bir çocuk durmaksızın size bakarsa bu en iyi ihtimalle garip ve en kötü ihtimalle de taciz gibi karşılanır. Ama yakışıklı bir çocuk...

Telefonumu çıkarıp saati göstersin diye bir tuşa bastım: 16:59. Daire on iki ila on sekiz yaş grubundaki talihsizlerle dolunca Patrick sükûnet duasıyla toplantıyı başlattı: *Tanrım, değiştiremeyeceğim şeyleri kabul etmem için sükûnet, değiştirebileceklerimi değiştirebilmem için cesaret ve aradaki farkı bilmem için akıl ver.* Çocuk hâlâ bana bakıyordu. Yüzüm kızaracaktı.

Sonunda en uygun stratejinin bakışlarına karşılık vermek olduğuna karar verdim. Ne de olsa Gözünü Dikip Bakma İşi erkeklerin tekelinde değildi. Patrick bininci kez testissizliğinden filan bahsederken ben de çocuğa baktım ve kısa süre içinde olay bakışma yarışına döndü. Bir süre sonra gülümsedi ve sonunda mavi gözlerini başka yöne çevirdi. Tekrar bana baktığında kaşlarımı bir iki kez *kazandım* dercesine kaldırdım.

Omzunu silkti. Patrick devam ediyordu, sonunda kendini tanıtma faslına gelmiştik. "Isaac, bugün sen başlamak ister misin? Zor zamanlar geçirdiğini biliyorum."

"Tabii," dedi Isaac. "Ben Isaac. On yedi yaşındayım. Birkaç hafta sonra ameliyat olmam gerekiyor gibi görünüyor, sonra kör olacağım. Hani şikâyet filan ettiğimden değil de, yani kör olmak bayağı kötü. Gerçi kız arkadaşım yardımcı oluyor. Bir de Augustus gibi arkadaşlar." Artık bir ismi olan oğlana doğru başını eğdi. "Öyle işte," diye devam etti Isaac. İç içe geçirdiği ellerine bakıyordu. "Yapacak bir şey yok."

"Senin için buradayız, Isaac," dedi Patrick. "Hadi, Isaac sesinizi duysun." Bunun üstüne monoton bir sesle, "Senin için buradayız, Isaac," dedik.

Sırada Michael vardı. On iki yaşındaydı. Lösemiydi. Hep lösemi hastası olmuştu. O da iyiydi. (Ya da öyle olduğunu söylüyordu. Asansöre binmişti.)

Lida on altı yaşındaydı, yakışıklı çocuğun gözüne kestirebileceği kadar hoştu. Toplantılara düzenli gelenlerdendi, daha önce varlığından haberdar dahi olmadığım apandis kanserinde uzun süreli remisyon dönemindeydi. Destek Grubu'na katıldığım her seferde olduğu gibi, güçlü hissettiğini söyledi ki oksijen püskürten kanülüm burun deliklerimi gıdıklarken bu bana böbürlenmek gibi geliyordu.

Sıra ona gelmeden önce beş kişi daha konuştu. Ona vardığında hafifçe gülümsedi. Sesi kısık, alçak perdeli ve ölümüne seksiydi. "Adım Augustus Waters," dedi. "On yedi yaşındayım.

Bir buçuk yıl önce biraz osteosarkoma yakalandım, bugün de buraya Isaac'in isteği üzerine geldim."

"Peki nasıl hissediyorsun?" diye sordu Patrick.

"Ah, harika." Dudağının bir ucunu kaldırarak gülümsedi Augustus Waters. "Sadece yukarı çıkan bir hız trenindeyim, dostum."

Bir saat çabucak geçti: Verilen savaşlar hikâye edildi, kaybedilmesi kesin görünen cenklerin arasında muharebeler kazanıldı; umuda tutunuldu; aileler takdir edildi, aileler kınandı; arkadaşların bir türlü anlamadığında karar kılındı; gözyaşları döküldü; gönüller ferahlatıldı. Ne Augustus Waters ne de ben, Patrick, "Augustus, grupla korkularını paylaşmak ister misin?" diyene kadar konuştuk.

"Korkularımı mı?"

"Evet."

"Unutulmaktan korkuyorum," dedi bir an bile duraksamadan. "Hani şu deyimdeki, karanlıktan korkan kör adam gibi."

"Bu söz için kötü bir zamanlama," dedi Isaac gülümseyerek.

"Düşüncesizlik mi yaptım?" diye sordu Augustus. "Diğer insanların hislerine karşı kör olabiliyorum."

Isaac gülüyordu ama Patrick terbiye edici parmağını kaldırıp, "Lütfen Augustus," dedi. "*Sana* ve *senin* mücadelelerine dönelim. Unutulmaktan korkuyorum demiştin."

"Demiştim," diye yanıtladı Augustus.

Patrick'in kafası karışmış gibi görünüyordu. "Birileri buna dair bir şey söylemek ister mi?"

Üç yıldır doğru düzgün okula gitmiyordum. Annem ile babam en iyi iki arkadaşım olmuştu. En iyi üçüncü arkadaşım varlığımdan habersiz bir yazardı. Oldukça utangaçtım... öyle elini kaldıracak tiplerden sayılmazdım.

Yine de bir kerecik de olsa konuşmaya karar verdim. Elimi azıcık kaldırınca mutluluğu gözlerinden okunan Patrick hemen, "Hazel!" dedi. Benim açıldığımı sanmış olmalıydı. Grubun Bir Parçası olmaya başladığımı.

Augustus Waters'a baktım, o da bana bakıyordu. Gözleri o kadar maviydi ki âdeta şeffaftı. "Öyle bir zaman gelecek ki," dedim, "hepimiz ölmüş olacağız. Hepimiz. İnsanların var olduğunu veya türümüzün herhangi bir şey yaptığını hatırlayabilecek tek bir insan evladının bile kalmadığı bir zaman gelecek. Sizi beni bırakın, Aristoteles veya Kleopatra'yı bile hatırlayan kimse kalmayacak. Yaptığımız, inşa ettiğimiz, yazdığımız, düşündüğümüz ve keşfettiğimiz her şey unutulacak ve tüm bunlar," elimle herkesi kapsayacak bir hareket yaptım, "boşa olacak. Belki o zaman yakınlardadır, belki de milyonlarca yıl uzakta ama güneşin çökmesinden sağ kurtulsak bile sonsuza kadar yaşamayacağız. Organizmalar bilinç kazanmadan önce de vakit vardı, sonra da olacak. Eğer unutulmanın kaçınılmazlığı seni endişelendiriyorsa bunu görmezden gelmeye çalışmanı öneririm. İnan bana diğer herkes böyle yapıyor."

Bunu daha önce bahsettiğim üçüncü en iyi arkadaşım, *Görkemli Izdırap*'ın münzevi yazarı Peter Van Houten'den öğrenmiştim. Kitap benim için bir kutsal kitaba en yakın şeydi. Peter Van Houten karşıma çıkan ve (a) ölmenin nasıl bir şey olduğunu anlıyormuş gibi görünen ve (b) ölmemiş olan tek insandı.

Konuşmamı bitirdikten sonra yaşanan uzun sessizlik sırasında Augustus'un yüzüne kocaman bir gülümseme yayıldığını gördüm; bana bakarken seksi görünmeye çalışan çocuğun o yamuk gülümsemesi değil, yüzüne sığmayan, gerçek bir gülümseme. "Vay be," dedi Augustus kısık sesle. "Sen neymişsin öyle."

Destek Grubu'nun sonuna kadar ikimiz de başka şey söylemedik. En sonunda hepimizin el ele tutuşması gerekiyordu, Patrick de bir dua okumaya başladı. "İsa Mesih, burada kalbinde, *kelimenin gerçek anlamıyla kalbinde*, kansere karşı savaşanlar olarak toplandık. Sen, sadece sen, bizi kendimizi tanıdığımız kadar iyi tanıyorsun. Sınandığımız zamanlarda bize hayata ve ışığa doğru rehberlik et. Isaac'in gözleri, Michael ve Jamie'nin kanı, Augustus'un kemikleri, Hazel'ın ciğerleri ve James'in gırtlağı için dua ediyoruz. Bize şifa vereceğine ve sevgini hissedebileceğimize ve tüm idrakleri aşan huzuruna dua ediyoruz. Ve tanıdığımız, sevdiğimiz ve senin yuvana gitmiş kalbimizdekileri hatırlıyoruz: Maria ve Kade ve Joseph ve Haley ve Abigail ve Angelina ve Taylor ve Gabriel ve..."

Uzun bir listeydi. Dünyada çok fazla ölü insan vardı. Patrick mırıldanmaya devam edip liste ezberlenemeyecek kadar uzun olduğu için isimleri kâğıttan okurken gözlerimi kapatıp dini bütün bir insan gibi düşünmeye çalıştım ama aslında kendi ismimin o listeye girdiği, herkesin dinlemeyi çoktan bıraktığı o son kısma sokulduğu günü hayal ediyordum.

Patrick bitirdiğinde şu aptal BUGÜN HAYATIMIZI EN İYİ ŞEKİLDE YAŞAYACAĞIZ mantrasını söyledik ve bitti. Augustus Waters sandalyeden kalkıp bana doğru yürüdü. Sadece gülümsemesi değil, yürüyüşü de yamuktu. Aslında tepemde kule gibi yükseliyordu ama gözlerine bakarken boynumu kaldırmayayım diye uzakta durdu. "İsmin ne?" diye sordu.

"Hazel."

"Hayır yani adın soyadın."

"Şey, Hazel Grace Lancaster." Tam başka bir şey daha diyecekti ki Isaac geldi. "Bir saniye," dedi Augustus tek parmağını kaldırıp ona dönerken. "Anlattığından çok daha beterdi."

"Tatsız bir şey olduğunu söylemiştim."

"Niye geliyorsun ki?"

"Bilmem. Yardımı dokunuyor desem?"

Augustus duymayacağımı düşünerek ona doğru eğildi. "Düzenli gelenlerden mi?" Isaac'in ne dediğini duyamadım ama Augustus, "Vay be," diye karşılık verdi. Isaac'in omuzlarını kavrayıp yana doğru yarım adım attı. "Hazel'a klinikten bahsetsene."

Isaac masaya tek eliyle yaslanıp devasa gözünü bana dikti. "Bu sabah kliniğe gittim ve cerraha, kör olacağıma sağır olmayı tercih edeceğimi filan söylüyordum. O da bana, 'Bu işler öyle olmuyor,' dedi, ben de, 'Yani evet öyle olmadığının farkındayım, hani seçme şansım olsa kör olacağıma sağır olmayı tercih ederim diyorum o kadar... ki öyle bir şansım olmadığının da farkındayım,' falan dedim. Sonra da, 'Göz kanserimin beni sağır etmeyeceğini açıkladığınız için teşekkür ederim, sizin gibi dev bir entelektüel beni ameliyat etme alçakgönüllülüğünde bulunduğu için kendimi çok şanslı hissediyorum,' dedim."

"Mükemmel bir adammış," dedim. "Sırf kendisiyle tanışabilmek için göz kanseri olmaya çalışacağım."

"Kolay gelsin. Neyse, gitmem lazım. Monica beni bekliyor. Hazır yapabiliyorken bol bol ona bakmam lazım."

"Yarın Kontrgerilla Harekâtı'na tamamsın, değil mi?" diye sordu Augustus.

"Kesinlikle." Isaac dönüp merdivenlerden yukarı koştu, her adımda iki basamak atlıyordu.

Augustus Waters bana döndü. "Kelimenin gerçek anlamıyla," dedi.

"Kelimenin gerçek anlamıyla mı?" diye sordum.

"Kelimenin gerçek anlamıyla İsa'nın kalbindeyiz," dedi. "Ben bir kilisenin bodrum katında olduğumuzu sanıyordum ama aslında İsa'nın kalbindeymişiz."

"Birisi İsa'ya söylese iyi olur," dedim. "Yani kalbinde kanserli çocuklar tutmak tehlikeli bir şey olmalı."

"Ona söylerdim," dedi Augustus, "ama kelimenin gerçek anlamıyla kalbinde sıkışıp kaldığım için beni duyması olanaksız." Güldüm. Benden gözlerini ayırmadan başını salladı.

"Ne var?"

"Yok bir şey," dedi.

"Bana niye öyle bakıyorsun?"

Augustus hafifçe tebessüm etti. "Çünkü güzelsin. Güzel insanlara bakmaktan keyif alıyorum ve bir süre önce varoluşun basit zevklerinden kendimi alıkoymayacağıma dair bir karara varmıştım." Garip bir sessizlik oldu. Augustus devam etmeye çalıştı: "Yani leziz bir şekilde dile getirdiğin şu tüm her şeyin unutulmayla filan sona ereceği olayı göz önünde bulundurulursa."

Öksürüğü andıran bir sesle hıhladım ya da iç çektim ya da nefes verdim ve ardından konuşmaya çalıştım. "Ben güzel değili..."

"Natalie Portman'a benziyorsun. *V for Vendetta*'daki Natalie Portman gibisin."

"Hiç izlemedim."

"Gerçekten mi?" diye sordu. "Otoriteden hoşlanmayan, kısacık saçlı muhteşem bir kız, bela olduğunu bildiği bir erkeğe kapılmaktan kendini alıkoyamaz. Âdeta senin otobiyografin."

Her hecesi flört kokuyordu. Dürüst olmam gerekirse galiba beni tahrik ediyordu. Erkeklerin beni tahrik edebildiğini bile bilmiyordum... gerçek hayatta filan yani.

Yanımızdan daha küçük bir kız geçti. "Nasılsın, Alisa?" diye sordu Augustus. Kız gülümseyip, "Selam, Augustus," diye mırıldandı. "Memorial sakinleri," diye açıkladı. Memorial büyük araştırma hastanesinin adıydı. "Sen nereye gidiyorsun?"

"Çocuk Hastanesi," dedim ama sesim tahmin ettiğimden kısık çıkmıştı. Başıyla onayladı. Sohbet sona ermiş gibi görünüyordu. "Peki," dedim bizi Kelimenin Gerçek Anlamıyla İsa'nın Kalbi'nden çıkaran basamakları başımla işaret ederek. Çekçeğimi yanıma alıp yürümeye başladım. O da yanımda topallıyordu. "Gelecek sefere görüşürüz belki," dedim.

"İzlemen lazım," dedi. "*V for Vendetta*'yı yani."

"Peki," dedim. "Bakarım."

"Hayır. Benimle. Benim evde," dedi. "Şimdi."

Durdum. "Seni tanımıyorum bile, Augustus Waters. Baltalı katil olabilirsin."

Başıyla onayladı. "Gerçekten haklısın, Hazel Grace." Yanımdan geçti; omuzları yeşil polo yakalı gömleğini dolduruyordu, sırtı dimdikti, protez olduğunu anlayabildiğim bacağının üstünde kendinden emin ve dengeli yürürken adımları hafifçe sağa kayıyordu. Osteosarkom kimi zaman sizi hizaya getirmek için bir uzvunuzu alıyordu. Sonra, sizden hoşlanırsa geri kalanı da götürüyordu.

Peşinden yukarı kata çıktım, yavaş yavaş çıkarken geride kalmıştım çünkü basamaklar pek ciğerlerimin uzmanlık alanı sayılmazdı.

Sonra İsa'nın kalbinden otoparka çıktık, ilkbahar havası mükemmelin soğuk tarafına düşüyordu, öğleden sonra ışığı can yakacak kadar mükemmeldi.

Annem henüz gelmemişti ki bu garipti çünkü annem neredeyse hep beni beklerdi. Etrafa bakındım ve uzun boylu, kıvrımlı hatlara sahip, esmer bir kızın Isaac'i kilisenin taş duvarına yaslayıp hayli sertçe öptüğünü gördüm. Bana o kadar yakındılar ki dudaklarının çıkardığı acayip sesleri ve Isaac'in, "Sonsuza dek," dediğini, kızın da karşılık olarak, "Sonsuza dek," diye mırıldandığını duyabiliyordum.

Yanımda duran Augustus bir anda, "Ortalık yerde sevişmeye gerçekten inanıyorlar," diye fısıldadı.

"Sonsuza dek muhabbeti ne?" Şapırtı sesleri arttı.

"Sonsuza dek, onların olayı. Birbirlerini *sonsuza dek* seveceklermiş filan. Abartısız bir tahminle, geçen sene birbirlerine *sonsuza dek* lafını dört milyon kere mesajla yolladıklarını söyleyebilirim."

İki araba daha gelip Michael ve Alisa'yı götürdü. Artık sadece Augustus ile ben kalmıştık, bir ibadet yerine dayanmamışlar gibi olabildiğine hızla devam eden Isaac ile Monica'yı seyrediyorduk. Isaac'in eli kızın tişörtünün üstünden uzanarak memesini kavradı, avuç içi olduğu yerde dururken parmakları hareket ediyordu. Bunun güzel bir his olup olmadığını merak ettim. Olabilirmiş gibi görünmüyordu ama kör olacağı gerekçesiyle Isaac'i hoş görmeye karar verdim. Hâlâ açlık filan varken hisler de ziyafet çekmeliydi.

"Hastaneye son kez gittiğini düşünsene," dedim sessizce. "Bir arabaya bineceğin son seferi mesela."

Augustus bana bakmadan, "Ortamı katlediyorsun, Hazel Grace," dedi. "Genç âşıkların tantanalarla dolu garipliklerini gözlemlemeye çalışıyorum burada."

"Bence memesini acıtıyor," dedim.

"Evet, onu tahrik etmeye mi çalışıyor yoksa meme muayenesi mi yapıyor anlamak zor." Sonra Augustus Waters cebinden, çıkarabileceği onca şey varken, bir sigara paketi çıkardı. Paketi açıp dudaklarının arasına bir sigara koydu.

"Sen *ciddi misin*?" dedim. "Sence bu havalı bir şey filan mı? Ah, Tanrım, *her şeyi* berbat ettin."

"Hangi her şeyi?" diye sordu bana dönüp. Yakmadığı sigara ağzının gülümsemeyen tarafından sarkıyordu.

"Tipsiz, aptal veya gözle görülebilir herhangi bir sebepten çekilmez olmayan bir çocuğun sürekli bana baktığı, kelimenin gerçek anlamıyla lafının yanlış kullanımlarını dile getirdiği, beni aktrislere benzettiği ve evinde film izlemeyi teklif ettiği her şey. Ama tabii ki her zaman bir *hamartia* olması gerekiyor ve seninki de bu ve Tanrım, LANET OLASICA BİR KANSERE yakalanmış olmana rağmen DAHA DA FAZLA KANSER olabilmek karşılığında bir şirkete para veriyorsun. Aman Tanrım. Seni temin ederim, nefes alamamak KORKUNÇ. Gerçekten moral bozucu. *Gerçekten.*"

"*Hamartia* mı?" diye sordu sigara hâlâ ağzındayken. Çenesini kasmasına sebep oluyordu. Felaket güzel bir çene yapısı vardı, ne yazık ki.

"Ölümcül bir kusur demek," diye açıkladım arkamı dönerken. Augustus Waters'ı ardımda bırakarak kaldırım kenarına doğru yürüdüm ve sokağın başından bir araba motoru sesi duydum. Annemdi. Benim arkadaş filan edinmemi bekliyor olmalıydı.

İçimde garip bir hayal kırıklığı ve öfke karışımının yükseldiğini hissediyordum. Bu hissin aslında ne olduğunu bile bilmiyordum, tek bildiğim çok *fazla* olduğu ve Augustus Waters'a vurmak, bir de ciğerlerimi ciğerlikte beceriksiz olmayan ciğerlerle değiştirmek istediğimdi. Kaldırımın tam kenarında Converse'imle dikiliyordum, oksijen tüpü pranga gibi çekçeğimle yanımda duruyordu ve annem arabayla geldiği sırada bir elin benimkini tuttuğunu hissettim.

Elimi hızla çekip kurtardım ama yine de ona döndüm.

"Yakmadığın sürece seni öldüremezler," dedi, annem yanımda durduğu sırada. "Ve ben bir tane bile yakmadım. Bu bir metafor, tamam mı? Öldürücü şeyi dudaklarının arasına kadar sokuyorsun ama ona öldürücü olabilecek gücü vermiyorsun."

"Metafor yani," dedim şüpheyle. Annem arabayı rölantiye almıştı.

"Metafor," dedi.

"Davranışlarını metaforik yankılarına göre seçiyorsun..."

"Ah, evet." Gülümsedi. O kocaman, şapşal, gerçek gülümseme... "Metaforlara gerçekten inanıyorum, Hazel Grace."

Arabaya döndüm. Camı tıklattım. Cam aşağı indi. "Augustus Waters'la film izlemeye gidiyorum," dedim. "*ANTM* maratonunun sonraki bölümlerini benim için kaydet lütfen."

İKİNCİ BÖLÜM

Augustus Waters korkunç araba kullanıyordu. Arabayı ister durdursun ister hareket ettirsin, her şey ZINK diye muazzam hareketlerle gerçekleşiyordu. Ne zaman frene bassa Toyota cipin emniyet kemerine yükleniyordum, ne zaman gaza bassa boynum geriye çarpıyordu. Kaygılanabilirdim, neticede tuhaf bir çocuğun arabasında oturmuş, evine gidiyordum ve işe yaramaz ciğerlerimin istenmeyen yakınlaşmaları savuşturmada işleri karmaşıklaştıracağının fazlasıyla farkındaydım ama arabayı o kadar büyük bir şaşkınlık uyandıracak derecede kötü kullanıyordu ki bundan başka hiçbir şey düşünemiyordum.

Augustus konuşmadan önce tam bir sessizlik içinde, herhalde yaklaşık bir kilometre yol gitmiştik. "Ehliyet sınavından üç kez kaldım."

"Ciddi olamazsın."

Güldü. "Benim emektar protezcikle basınç hissedemiyorum ve sol ayakla araba kullanmayı da bir türlü başaramadım. Doktorlar çoğu engellinin sorunsuz araba kullanabildiğini söylüyor ama… öyle işte. Ben yapamıyorum. Neyse, dördüncü kez ehliyet sınavına girdim ve şu anki gibi kullandım." Yaklaşık yarım kilometre ötede ışık kırmızıya döndü. Augustus frene abanıp beni emniyet kemerinin üçgen kollarına fırlattı. "Özür dilerim. Yumuşak hareket etmeye çalışıyorum, yemin ederim. Her neyse, sınavın sonunda yine kalacağımı düşünüyordum ki hoca bana, 'Sürüş şeklin hoş değil ama teknik açıdan güvensiz de sayılmaz,' filan dedi."

"Katıldığımı söyleyemeyeceğim," diye karşılık verdim. "Kanser Avantası seziyorum." Kanser Avantaları normal çocukların alamadığı ama kanserli çocukların alabildiği ufak şeylerdi: idolleştirilen sporcuların imzaladığı basket topları, geciktirilen ev ödevlerinden kaytarmak, hak edilmeyen ehliyetler falan filan.

"Evet," dedi. Işık yeşile döndü. Sıkı sıkı tutundum. Augustus gazı kökledi.

"Bacaklarını kullanamayan insanlar için elle kontrol yöntemleri de var biliyorsun," dedim.

"Evet," dedi. "Belki bir gün." Öyle bir iç geçirdi ki o *bir günün* varlığından emin olup olmadığını merak ettim. Osteosarkomun genellikle tedavi edilebildiğini biliyordum ama yine de...

Birisinin ortalama hayatta kalma beklentilerini tam olarak *sormadan* belirleyebilmenin birkaç yolu vardı. Klasik, "Okula devam ediyor musun?" yöntemini denedim. Ebeveynler eğer belli bir noktada nalları dikmenizi bekliyorsa genel olarak sizi okuldan alıyorlardı.

"Evet," dedi. "North Central'a gidiyorum. Ama bir yıl geri kaldım. İkinci sınıftayım. Sen?"

Yalan söylemeyi düşündüm. Ne de olsa kimse bir cesetten hoşlanmazdı. Ama neticede gerçeği söyledim. "Annemle babam beni üç yıl önce okuldan aldı."

"Üç *yıl* mı?" diye sordu şaşkınlıkla.

Augustus'a mucizemi ana hatlarıyla anlattım: On üç yaşında 4. evre tiroit kanseri tanısı konmuştu. (Ona tanının, ilk reglimden üç ay sonra konduğunu söylemedim. Şey gibiydi: Tebrikler! Kadın oldun. Şimdi öl.) Söylendiğine göre tedavisi yoktu.

Radikal boyun disseksiyonu diye bir ameliyat geçirmiştim ki kendisi de en fazla ismi kadar hoş bir şeydi. Sonra radyoterapi. Ardından ciğerlerimdeki tümörler için biraz kemoterapi denemişlerdi. Tümörler küçüldü, sonra tekrar büyüdü. O sırada on dört yaşındaydım. Ciğerlerim suyla dolmaya başladı. Oldukça ölgün görünüyordum, ellerim ile ayaklarım balon gibi şişmişti; tenim çatlıyordu; dudaklarım sürekli maviydi. Nefes alamadığınız gerçeğinden dehşete sürüklenmenizi engelleyen bir ilaç vardı ve bir düzineden fazla ilaçla birlikte bu da bir PICC kateteriyle damarlarımda yüksek miktarlarda dolanıyordu. Ama buna rağmen boğulmanın belli bir nahoşluğu var tabii, özellikle de aylarca sürünce. En sonunda akciğer iltihabıyla yoğun bakıma kaldırıldım ve annem yatağımın yanında eğilip, "Hazır mısın, bir tanem?" diye sordu, ben de ona hazır olduğumu söyledim, babam çoktan parçalanmış olduğu için artık çatlayamayan bir sesle beni sevdiğini söyleyip durdu, ben de ona onu sevdiğimi söyledim ve herkes nefesini tutuyordu ve ben nefes alamıyordum ve ciğerlerim çaresizce çabalıyor, nefes almak için boğuşuyor, hava alabilecekleri bir pozisyon bulabilmek için beni yataktan kaldırmaya çalışıyordu ve ben çaresizliklerinden o kadar utanıyor ve bir türlü *bırakmadıkları* için halimden o kadar nefret ediyordum ki anneme sorun olmadığını, iyi olduğumu, her şeyin iyi olacağını söylediğimi hatırlıyorum. Babam o kadar çok hıçkırmamaya çalışıyordu ki hıçkırdığında, ki bunu düzenli olarak yapıyordu, deprem oluyor sanırdınız. Bir de uyanık olmamayı dilediğimi hatırlıyorum.

Herkes işimin bitik olduğunu düşünüyordu ama Kanser Doktorum Maria ciğerlerimdeki sıvının bir kısmını çıkarmayı başardı ve kısa süre sonra akciğer iltihabı için verdikleri antibiyotikler işe yaramaya başladı.

Uyandım ve beni Kanseristan Cumhuriyeti'nde İşe Yaramamaları'yla ünlü olan deneysel araştırmalardan birine eklediler. İlacın adı Palanksifor'du, moleküllerin kanser hücrelerine yapışarak hücrelerin büyümesini engellemesi için tasarlanmıştı. İnsanların yüzde yetmişinde işe yaramıyordu. Ama bende işe yaradı. Tümörler küçüldü.

Ve küçük kaldılar. Yaşasın Palanksifor! Son on sekiz ay içinde metastazlar neredeyse hiç büyümedi ve ciğerlikte berbat olan ama damla damla oksijen ve günlük Palanksifor dozuyla süresiz olarak çabalayan ciğerlerle beni baş başa bıraktı.

Aslına bakılırsa Kanser Mucizem bana azıcık vakit kazandırmıştı. (O azıcığın ne kadar süreceğini bilmiyordum sadece.)

Ama Augustus Waters'a bunu anlatırken olabilecek en umut verici senaryoyu çizdim, mucizenin mucizeviliğini süsleyip durdum.

"O zaman okula geri dönmelisin," dedi.

"Aslında *dönemiyorum,*" diye açıklamaya giriştim, "çünkü çoktan GED'ye[1] girdim. Bu yüzden MCC'de derslere giriyorum." Ön lisans dersleri aldığım üniversite buydu.

"Üniversiteli bir kız," dedi başını sallayarak. "Bu, sofistike auranı açıklıyor." Sırıttı. Kolunu dürttüm. Teninin altındaki o gergin ve muhteşem kası hissedebiliyordum.

Tekerlekleri acı acı bağırtarak iki buçuk metrelik bir duvarla ayrılmış yola döndük. Evi soldaki ilk binaydı. İki katlıydı. Garaj yolunda aniden durduk.

Peşinden gittim. Girişteki ahşap levhada el yazısıyla *Kalp Neredeyse Yuva Oradadır* kelimeleri göze çarpıyordu ve tüm evin böyle gözlemlerle bezendiği ortaya çıktı. *İyi Dostları Bulmak Zor, Unutmak İmkânsızdır* yazıyordu palto askısının üstünde. *Gerçek Sevgi Zor Zamanlardan Doğar* diye vaatte bulunuyordu antika eşyalarla döşenmiş oturma odasındaki üstü işlenmiş kırlent. Augustus onları okuduğumu gördü. "Bizimkiler bunlara Teşvikler diyor," diye açıkladı. "Her yerdeler."

Annesi ile babası ona Gus diyordu. Mutfakta *enchilada* yapıyorlardı (lavabonun yanındaki vitrayda tombik harflerle *Aile Ebedîdir* yazıyordu). Annesi tortillaların içine tavukları koyuyor, babası da burup cam tepsinin içine diziyordu. Gelişime çok

---

1 ABD'de liseyi bitirmek yerine, isteğe bağlı olarak girilebilen ve sınava giren kişinin lise eğitimini tamamlamış olduğunu kanıtlayan bir tür test. (ç.n.)

şaşırmış gibi durmuyorlardı ki bu da mantıksız sayılmazdı: Augustus'un kendimi özel hissettirmiş olması, gerçekten özel olduğum anlamına gelmiyordu. Belki de her akşam film seyrettirmek ve ellemek için farklı bir kızı eve atıyordu.

"Bu Hazel Grace," dedi tanıştırmak için.

"Sadece Hazel," dedim.

"Nasılsın, Hazel?" diye sordu babası. Uzun boyluydu, neredeyse Gus kadar uzundu ve ebeveyn yaşındaki insanların genelde olmadığı kadar inceydi.

"Fena değil."

"Isaac'in Destek Grubu nasıldı?"

"Harikaydı," dedi Gus.

"Amma sinir bozucusun," dedi annesi. "Hazel, sen keyif aldın mı?"

Vereceğim yanıtın Augustus'u mu yoksa annesi ile babasını mı mutlu etmesi gerektiğini düşünürken bir an duraksadım. En sonunda, "Gelenlerin çoğu hoş insanlar," dedim.

"Gus'ın tedavisiyle ilgili zorlu yollardan geçerken Memorial'daki aileler de aynen böyleydi," dedi babası. "Herkes çok kibardı. Ayrıca güçlüydüler. En karanlık günlerde Tanrı hayatına en iyi insanları sokuyor."

"Çabuk bana bir yastık ve iplik verin, bunun Teşvik olması lazım," dedi Augustus, babası biraz rahatsız olmuş gibiydi ama Gus kolunu ona dolayıp, "Şaka yapıyorum, baba," dedi. "Teşvikleri seviyorum. Gerçekten. Ama ergen olduğum için itiraf edemiyorum." Babası gözlerini devirdi.

"Yemeğe kalıyorsun, değil mi?" diye sordu annesi. Minyon, esmer ve hafifçe çekingendi.

"Olabilir," dedim. "Saat onda evde olmam lazım. Ayrıca şey... et yemiyorum ama?.."

"Sorun değil. Bazılarını vejetaryenleştiririz."

"Hayvanlar çok mu sevimli yoksa?" diye sordu Gus.

"Sorumlu olduğum ölümleri minimize etmek istiyorum," dedim.

Gus karşılık vermek için ağzını açtı ama konuşmadı.

Annesi sessizliği doldurdu. "Bence bu harika bir şey."

Bir süre daha konuştuk; *enchilada*'ların nasıl Ünlü Waters *Enchilada*'ları olduğundan ve Kaçırılmaması Gereken yiyecekler olmasından ve Gus'ın da saat onda evde olması gerektiğinden ve çocuklarına saat ondan *başka* bir saatte eve gelme zorunluluğu koyan ailelere doğal olarak güven duyamadıklarından ve okula gidip gitmediğimden -Augustus, "Üniversite öğrencisi," diye araya girdi- ve nasıl havanın mart ayı için inanılmaz derecede güzel olduğundan ve ilkbaharda her şeyin nasıl yeşerdiğinden bahsettiler ve bir kez bile oksijenime veya bana konan tanıya dair soru sormadılar ki bu da tuhaf ve muhteşem bir şeydi ve ardından Augustus, "Hazel'la *V for Vendetta* izleyeceğiz, böylece o da filmdeki ikizini, iki binlerin ortasındaki Natalie Portman'ı görebilecek," dedi.

"Salondaki televizyonda istediğiniz gibi izleyebilirsiniz," dedi babası memnuniyetle.

"Sanırım bodrumda izleyeceğiz."

Babası güldü. "İyi deneme. Salonda izleyeceksiniz."

"Ama Hazel Grace'e bodrumu göstermek istiyorum," dedi Augustus.

"Sadece Hazel," dedim.

"O zaman Sadece Hazel'a bodrumu göster," dedi babası. "Sonra da üst kata çıkıp filmi salonda izleyin."

Augustus yanaklarını şişirdi, bacaklarının üstünde dengesini buldu ve kalçasını çevirip protez bacağını öne doğru attı. "İyi," diye mırıldandı.

Halı kaplı basamaklardan bodrum katındaki kocaman yatak odasına indik. Göz hizamdaki bir raf tüm odayı dolaşıyordu ve üstü basketbol yadigârlarıyla ağzına kadar doluydu: altın renkli plastik adamların tam atış yaparken veya top sürerken veya görülmeyen bir potaya turnikeye çıkarken görüldüğü düzinelerce kupa. Pek çok imzalı top ve ayakkabı da vardı.

"Eskiden basket oynuyordum," diye açıkladı.

"Bayağı iyiymişsin galiba."

"Kötü değildim ama ayakkabılar ile toplar hep Kanser Avantası." Bir sürü DVD ve video oyununun uzaktan piramide benzetilebilecek bir yığın halinde durduğu televizyona doğru yürüdü. Belini bükerek eğilip *V for Vendetta*'yı kaptı. "Tipik bir Indianalı çocuktum," dedi. "Eski üçlük atma geleneğine yeniden hayat vermekten başka derdim yoktu, bir gün serbest atış yapıyordum, North Central'ın spor salonunda faul çizgisinde durmuş, top sepetinden aldığım topları atıyordum ki bir anda sferik bir objeyi toroid biçimindeki bir objenin içinden neden metodik bir şekilde geçirdiğimi anlayamadım. Bundan daha aptalca bir şey olamazmış gibi geliyordu.

"Küçük bebeklerin silindirik bir tahtayı dairesel bir deliğin içine koymalarını ve nasıl yapılacağını keşfedince bunu aylarca tekrar tekrar yapmalarını ve basketbolun da aynı eylemin biraz daha aerobik bir versiyonundan ibaret olduğunu düşündüm. Her neyse, çok uzun bir süre serbest atışlarımı potaya sokmaya devam ettim. Art arda seksen tane attım, kendi rekorum buydu ama devam ettikçe kendimi daha çok iki yaşında bir çocuk gibi hissediyordum. Sonra nedense engelli koşu yarışçılarını düşündüm. İyi misin?"

Dağınık yatağının köşesine oturmuştum. İmalı bir hareket yapmaya filan çalışmıyordum, sadece çok fazla ayakta durunca yorulmuştum. Önce oturma odasında dikilmiştim, sonra merdivenlerden inmiştim, sonra yine ayakta durmuştum ki bu benim için çok fazla ayakta durmak anlamına geliyordu ve bayılmak filan istemiyordum. Bayılma konusunda biraz Victoria dönemi kadınları gibiydim. "İyiyim," dedim. "Seni dinliyordum. Engelli koşu yarışçıları mı?"

"Evet, engelli koşu yarışçıları. Nedenini bile bilmiyorum. Engelli koşularda yarıştıklarını ve yollarına konmuş olan şu tamamen keyfî objelerin üstünden atladıklarını düşünmeye başladım. Ve engelli koşu yarışçılarının hiç, *şu engellerden kurtulabilsek bu iş daha hızlı olurdu*, diye düşünüp düşünmediklerini merak ettim."

"Bu, tanıdan önce miydi?" diye sordum.

"Şey, evet, o da var tabii." Dudağının bir ucuyla gülümsedi. "Varoluşsallıkla yüklü serbest atış günü, tesadüf eseri iki bacaklılığımın da son günüydü. O gün ile ameliyatın yapılacağı gün arasında sadece bir hafta sonu vardı. Isaac'in neler yaşadığına dair kendi minik pencerem."

Başımı salladım. Augustus Waters'tan hoşlanmıştım. Ondan gerçekten, gerçekten, gerçekten hoşlanmıştım. Öyküsünün bir başkasıyla sonlanmasından hoşlanmıştım. *Varoluşsallıkla yüklü* serbest atışlar yapmasından hoşlanmıştım. Hafif Yamuk Gülümsemeler Departmanı'nda kadrolu bir profesör olmasından ve Tenimi Daha Çok Ten Gibi Hissetmemi Sağlayan Bir Sese Sahip Olma Departmanı'nda çalışmasından hoşlanmıştım. Ayrıca iki isminin olmasından da hoşlanmıştım. İki isimli insanları hep sevmiştim çünkü onlara ne diyeceğinize dair bir karara varmanız gerekiyordu: Gus mı Augustus mu? Ben ise hep sadece Hazel'dım, tek anlamlı Hazel.

"Kardeşin var mı?" diye sordum.

"Ne?" dedi dikkati dağılmış gibi.

"Çocukların oyun oynamasından bahsetmiştin ya."

"Ha, evet, hayır. Üvey kız kardeşlerimin çocukları var. Ama kardeşlerim daha büyük. Daha çok şey, BABA, JULIE VE MARTHA KAÇ YAŞINDA?"

"Yirmi sekiz!"

"Yirmi sekiz filanlar. Şikago'da yaşıyorlar. İkisi de çok havalı avukat tiplerle evli. Ya da bankacı. Bilmiyorum tam. Senin kardeşin var mı?"

Başımı iki yana salladım. "Peki, senin hikâyen ne?" diye sordu güvenli bir mesafe bırakarak yanıma otururken.

"Sana anlattım ya. Bana koydukları tanı..."

"Hayır hayır, kanser hikâyen değil. *Senin* hikâyen. İlgi alanların, hobilerin, tutkuların, tuhaf fetişlerin, filan falan."

"Şey..."

"Hastalıkları haline gelen insanlardan olduğunu söyleme bana. Öyle çok insan tanıyorum. İç karartıcı bir şey. Neticede kanser, işlerini büyütmenin peşinde. İnsanları ele geçirmenin. Ama sen onun, zamanından önce başarıya ulaşmasına izin vermemişsindir herhalde."

Belki de izin vermiş olduğumu fark ettim. Kendimi Augustus Waters'a nasıl sunacağımı, hangi coşkulara sarılmam gerektiğini düşünmekle boğuşuyordum ki süregiden sessizlikte, çok da ilginç olmadığımı keşfettim. "Hiç olağanüstü sayılmam."

"Bunu kesinlikle reddediyorum. Sevdiğin bir şeyler düşün. Aklına ilk gelen şeyi."

"Eee. Okumak?"

"Ne okursun?"

"Her şeyi. İğrenç romanslardan gösterişçi kurgulara ve şiirlere kadar ne olursa."

"Şiir de yazıyor musun?"

"Hayır. Yazmıyorum."

"Gördün mü!" Augustus neredeyse haykırıyordu. "Hazel Grace, şiir okumayı yazmaya tercih eden Amerika'daki tek ergensin. Bu da bana çok şey anlatıyor. Bir sürü çok muhteşem kitap okuyorsun, değil mi?"

"Bilmem, öyledir herhalde."

"En sevdiğin hangisi?"

"Şey..."

En sevdiğim kitap açık ara *Görkemli Izdırap*'tı ama insanlara bundan bahsetmeyi sevmiyordum. Kimi zaman bir kitap okursunuz ve o kitap içinizi tuhaf bir tür coşkunlukla doldurur ve paramparça olmuş dünyanın, hayatta olan tüm insanlar o kitabı okumadan tekrar bir araya gelmeyeceğini hissedersiniz. Kimi zaman da insanlara söyleyemediğiniz *Görkemli Izdırap* gibi kitaplar vardır, öyle özel ve nadir ve *sizin* olan kitaplardır ki sevginizi ilan etmek ihanetmiş gibi hissettirir.

Kitap öyle harika bir şey de değildi; sadece yazar Peter Van Houten beni garip ve imkânsız bir şekilde anlayabiliyormuş gibiydi o kadar. *Görkemli Izdırap, benim* kitabımdı; tıpkı bedenimin benim bedenim, düşüncelerimin kendi düşüncelerim olması gibi.

Buna rağmen Augustus'a söyledim. "En sevdiğim kitap galiba *Görkemli Izdırap.*"

"İçinde zombiler var mı?" diye sordu.

"Hayır," dedim.

"Stormtrooper'lar var mı?"

Başımı salladım. "Öyle bir kitap değil."

Gülümsedi. "İçinde stormtrooper'ların olmadığı, o sıkıcı isimli, korkunç kitabı okuyacağım," diye söz verdiği anda ona kitaptan bahsetmemem gerektiğini hissettim. Augustus komodininin önünde duran kitap yığınına yöneldi. Bir kitap ile kalem aldı. İlk sayfasına bir şeyler yazarken, "Karşılığında tek istediğim, en sevdiğim video oyununun romanlaştırılmış bu harikulade ve akılda kalıcı versiyonunu okuman," dedi. Kitabı bana doğru kaldırdı, ismi *Şafağın Bedeli*'ydi. Gülüp elinden aldım. Kitap elden ele geçerken parmaklarımız birbirine değdi, hemen ardından elimi tuttu. "Soğuk," dedi parmağını solgun bileğime bastırırken.

"Soğuktan çok oksijensiz," dedim.

"Benimle tıbbi konuşmana bayılıyorum," dedi. Sonra beni de yanında çekerek ayağa kalktı ve merdivenlere gelene kadar elimi bırakmadı.

Aramızda birkaç santim kanepe bırakarak filmi izledik. Tam liseli triplerine girip elimi tutmasının sorun olmayacağını gösterecek şekilde kolumu ortamıza doğru uzattım ama denemedi bile. Filmin ilk saati biterken Augustus'un annesi ile babası gelip *enchilada*'ları getirdi, kanepede yedik ve gerçekten lezzetliydiler.

Film maskeli bir kahramanın Natalie Portman için kahramanca ölmesiyle ilgiliydi ki o da oldukça belalı ve güzeldi ve yüzü steroitlerle şişmiş yüzüme hiç benzemiyordu.

Jenerik akarken, "Bayağı iyi, değil mi?" dedi.

"Bayağı iyi," dedim ancak aslında değildi. Erkek filmi gibiydi. Erkeklerin neden erkek filmlerini sevmemizi beklediğini anlamıyorum. Biz onların kız filmlerini sevmesini beklemiyoruz. "Eve gitmem lazım. Sabah dersim var," dedim.

Augustus anahtarlarını ararken oturmaya devam ettim. Annesi yanıma oturup, "O yazıya bayılıyorum, sence de güzel değil mi?" dedi. Galiba televizyonun üstünde duran ve aynı zamanda bir melek resmi olan Teşvik'e bakıyordum. *Acı Olmadan Mutluluğun Değerini Bilemeyiz* yazıyordu.

(Bu, Izdıraba Dair Düşünme temasındaki eski argümanlardan biriydi ve aptallığı ile entelektüel yoksunluğu yüzyıllar öncesine dayanıyor olabilirdi ama brokolinin varlığının çikolatanın tadını hiçbir şekilde etkilemediğini söylemeye gerek bile yoktu.) "Evet," dedim. "Çok hoş bir düşünce."

Ben Augustus'un arabasını kullanırken o da yanımda oturdu. The Hectic Glow[2] diye bir grubun, sevdiği birkaç şarkısını dinletti, şarkılar iyiydi ama onları daha önceden bilmediğim için bana, ona geldiği kadar iyi gelmiyordu. Bacağına ya da daha doğrusu bacağının eskiden olduğu yere bakıp duruyordum ve takma bacağının nasıl göründüğünü hayal etmeye çalışıyordum. Umursamak istemiyordum ama yine de birazcık umursuyordum. O da muhtemelen oksijenimi umursuyordu. Hastalık iticiydi. Bunu uzun zaman önce öğrenmiştim ve Augustus'un da öğrendiğini tahmin ediyordum.

Arabayı evimin önüne çekerken Augustus radyoyu kapattı. Ortam ciddileşti. Muhtemelen beni öpmeyi düşünüyordu, ben de onu öpmeyi düşünüyordum. İsteyip istemediğimi merak ediyordum. Erkeklerle öpüşmüştüm ama üstünden biraz vakit geçmişti. Mucize öncesi.

Arabayı durdurdum ve ona baktım. Gerçekten güzeldi. Erkeklerin güzel olmaması gerektiğini biliyordum ama güzeldi işte.

"Hazel Grace," dedi, ismim dilinde yeni ve daha güzeldi. "Seninle tanışmak benim için büyük bir zevkti."

---

2 Vücut ısısının artmasıyla, yüzde oluşan pembeliği betimlemesinin yanı sıra Henry David Thoreau'nun tüberkülozdan bahsederken kullandığı ve "hummalı pırıltı" olarak çevrilebilecek bir sözdür. (ç.n.)

"Benim için de, Bay Waters," dedim. Ona bakmaya çekiniyordum. Su mavisi gözlerinin yoğunluğuyla boy ölçüşemezdim.

"Seninle tekrar görüşebilir miyiz?" diye sordu. Sesinde sevimli bir gerginlik vardı.

Gülümsedim. "Tabii."

"Yarın olur mu?"

"Sabırlı ol, çekirge," diye nasihat verdim. "Aşırı istekli görünmek istemezsin."

"Evet, zaten o yüzden yarın dedim," dedi. "Seni bu akşam yine görmek istiyorum ama *tüm gece ve yarının büyük kısmını* beklemeye razıyım." Gözlerimi devirdim. "*Ciddiyim,*" dedi.

"Beni tanımıyorsun bile," dedim. Konsolda duran kitabı aldım. "Bunu bitirdiğimde seni arasam olmaz mı?"

"Ama cep telefonu numaram sende yok," dedi.

"Kitabın içine yazdığından şüpheleniyorum."

O şapşal gülümseme yüzüne yayılıverdi. "Bir de birbirimizi tanımıyoruz diyorsun."

ÜÇÜNCÜ BÖLÜM

O gece, oldukça geç saate kadar kalıp *Şafağın Bedeli*'ni okudum. (Spoiler uyarısı: Şafağın bedeli kan.) Bir *Görkemli Izdırap* değildi ama başkahraman Başçavuş Max Mayhem sayabildiğim kadarıyla 284 sayfada en az 118 kişi öldürmesine rağmen hayli sevilebilir bir karakterdi.

Bu yüzden o perşembe sabahı geç kalktım. Annemin prensibi beni hiçbir zaman uyandırmamaktı çünkü Profesyonel Hasta İnsan'ın iş gereksinimlerinden biri de çok uyumaktı, bu nedenle omzumda ellerini hissettiğimde sıçrayarak uyanınca kafam karışmıştı.

"Neredeyse on oldu," dedi.

"Uyku kanserle savaşır," dedim. "Gece geç saate kadar kitap okudum."

"Ne kitapmış ama," dedi yatağın yanına eğilip beni büyük, dörtgen şeklindeki oksijen konsantratöründen çözerken. Buna Philip diyordum çünkü tam bir Philip gibi duruyordu.

Annem beni portatif bir tüpe bağladı ve dersim olduğunu hatırlattı. "Onu sana o çocuk mu verdi?" diye sordu bir anda.

"*Onu* derken mantar hastalığını mı kastediyorsun?"

"Sana ne desem bilmiyorum," dedi annem. "Kitaptan bahsediyorum, Hazel."

"Evet, kitabı o verdi."

"Ondan hoşlandığın belli," dedi sanki bu gözlemde bulunmak için eşsiz bir annelik içgüdüsü gerekiyormuş gibi kaşlarını kaldırarak. Omzumu silktim. "Destek Grubu zaman kaybı değil demiştim."

"Tüm o süre boyunca dışarıda mı bekledin?"

"Evet. Bazı evrak işlerim vardı. Her neyse, günle yüzleşme vakti, genç bayan."

"Anne. Uyku. Kanser. Savaş."

"Biliyorum hayatım ama derse gitmen gerekiyor. Ayrıca bugün günlerden ne?.." Annemin memnuniyeti sesinden o kadar belli oluyordu ki.

"Perşembe mi?"

"Gerçekten unuttun mu?"

"Olabilir?"

"Bugün 29 Mart Perşembe!" diye haykırdı yüzünde kaçıkça bir gülümsemeyle.

"Günü bildiğin için gerçekten heyecanlısın!" diye haykırdım ben de.

"HAZEL! BUGÜN SENİN OTUZ ÜÇÜNCÜ YARIM DOĞUM GÜNÜN!"

"Yaaaaaaaa!" dedim. Annemin kutlama takıntısı vardı. AĞAÇ DİKME GÜNÜ! AĞAÇLARA SARILIP PASTA YİYELİM! KOLOMB YERLİLERE ÇİÇEK HASTALIĞI TAŞIDI; BU OLAYI ANMAK İÇİN PİKNİK YAPMALIYIZ! vesaire. "Nice yarım otuz üç yaşlara o zaman," dedim.

"Bu özel günde ne yapmak istersin?"

"Dersten sonra eve gelip arka arkaya *Top Chef* izleme dünya rekorunu kırmak?"

Annem yatağımın üstündeki rafa uzanıp Mavicik'i aldı; bu oyuncak ayı bir yaşımdan, yani arkadaşlarını renklerinden esinlenerek isimlendirmenin sosyal açıdan kabul gördüğü bir dönemden beri bendeydi.

"Film izlemek istemez misin, mesela Kaitlyn veya Matt'le?" Arkadaşlarımdan bahsediyordu.

Fena fikir değildi. "Olur," dedim. "Kaitlyn'e mesaj atarım, okuldan sonra alışveriş merkezine filan gitmek istiyor mu diye sorarım."

Annem gülümseyip ayıcığı karnına bastırdı. "Alışveriş merkezine gitmek hâlâ havalı bir şey mi?" diye sordu.

"Neyin havalı olup neyin olmadığını bilmemekle gurur duyuyorum," diye yanıtladım.

Kaitlyn'e mesaj attım, duş aldım, giyindim ve annem beni arabayla okula götürdü. Ders Amerikan Edebiyatı'ydı, Frederick Douglass'la ilgili konu, neredeyse boş bir oditoryumda işleniyordu ve uyumamak çok zordu. Doksan dakikalık dersin kırk beşinci dakikasında Kaitlyn mesaj attı.

Mükemmelito. Yarım doğum günün kutlu olsun. 15:32'de Castleton'da?

Kaitlyn'in dakikasına kadar planlanması gereken, dolu bir sosyal hayatı vardı.

Tamamdır. Restoran meydanında olacağım.

Annem beni okuldan sonra alışveriş merkezinin hemen yanındaki kitabevine götürdü. *Şafağın Bedeli*'nin ilk iki devam kitabı olan *Geceyarısı Şafakları* ile *Mayhem'e Ağıt*'ı aldım, sonra da devasa restoran meydanına yürüyüp diyet kola aldım. Saat 15:21'di.

Kitap okurken içeriye kurulmuş korsan gemisi şekilli oyun alanında oynayan çocukları izledim. Tünel gibi bir şey vardı, iki çocuk tekrar tekrar içinden sürünüp geçiyor ve hiç yorulmuyormuş gibi görünüyorlardı, bu da Augustus Waters'ı ve varoluşsallık yüklü serbest atışlarını düşünmeme sebep oldu.

Annem de restoran meydanındaydı; tek başına, onu göremeyeceğimi sandığı bir köşede oturuyor, peynirli bonfileli sandviç yiyor, evraklarla uğraşıyordu. Muhtemelen tıbbi konularla ilgiliydi. Evrak işi sonsuzdu.

Tam 15:32'de Kaitlyn'in, Wok House'un yanından kendinden emin adımlarla geçtiğini gördüm. Elimi kaldırdığım anda beni gördü, bembeyaz ve yeni düzelttirdiği dişleri ortaya çıktı ve bana doğru yürümeye başladı.

Üstünde dizine kadar gelen, beline tam oturan kurşuni paltosu ve yüzünü kaplayan güneş gözlüğü vardı. Bana sarılmak için eğilirken gözlüğünü başının üstüne kaldırdı.

"Hayatım," dedi hafif bir İngiliz aksanıyla. "Nasılsın?" İnsanlar bu aksanı tuhaf ya da itici bulmuyordu. Kaitlyn, Indianapolis'te yaşayan on altı yaşındaki bir bedenin içine sıkışmış, son derece sofistike ve yirmi beş yaşında bir İngiliz sosyete kızıydı sadece. Herkes bunu kabulleniyordu.

"İyiyim. Sen?"

"Hiç bilmiyorum. O kola diyet mi?" Başımla onaylayıp kolayı ona uzattım. Pipetten bir yudum aldı. "Bugünlerde okulda olmanı ne kadar çok istiyorum bilemezsin. Bazı çocuklar öyle *çıtır* görünmeye başladı ki."

"Öyle mi? Kim mesela?" diye sordum. İlk ve ortaokula birlikte gittiğim beş erkeğin adını saydı ama hiçbirini gözümün önüne getiremiyordum.

"Bir süredir Derek Wellington'la çıkıyorum," dedi, "ama çok sürmeyecek. Çok *çocuksu*. Aman beni boş ver. Hazelistan'da neler oluyor?"

"Pek bir şey yok," dedim.

"Sağlığın yerinde mi?"

"Aynı işte."

"Palanksifor!" diye tezahürat yaptı gülümseyerek. "Yani sonsuza kadar yaşayabileceksin, değil mi?"

"Sonsuza kadar değil muhtemelen," dedim.

"Neyse işte," dedi. "Yeni ne var ne yok?"

Benim de bir çocukla görüştüğümü ya da en azından birlikte film izlediğimizi söylemeyi düşündüm; sırf benim kadar dağınık, tuhaf ve gelişmemiş görünen birinin kısa bir anlığına da olsa bir erkeğin ilgisini çekebilmiş olmasının onu hem şaşırtacağını hem de hayran bırakacağını bildiğim için. Ama böbürleneceğim çok bir şey olmadığından omzumu silkmekle yetindim.

"Tanrı aşkına bu da ne?" diye sordu Kaitlyn kitabı göstererek.

"Ah, bilimkurgu. Şimdilerde buna sardım gibi bir şey. Bir seri."

"Telaşlandım. Alışveriş mi yapsak?"

Bir ayakkabıcıya girdik. Alışveriş yaparken Kaitlyn sürekli benim için ucu açık ayakkabılar seçip, "Bu *sende* çok şirin durur," diyordu ki bu da bana -sanki ayak parmakları ruha açılan pencerelermiş gibi- Kaitlyn'in ikinci ayak parmağının çok uzun olduğunu düşündüğü için ayaklarından nefret etmesi sebebiyle hiç önü açık ayakkabı giymediğini hatırlatmıştı. Bu yüzden ten rengine çok uygun bir sandalet gösterdiğimde bana, "Evet ama..." filan dedi ki bu "ama" kısmı, *ama iğrenç ikinci parmağımı herkese ifşa edecek* anlamına geliyordu. "Kaitlyn, ayak parmağına özgü dismorfisi olan tek insansın," dediğimde bana, "O da ne?" diye sordu.

"Hani aynaya baktığında gördüğün şey gerçekte olan şey değildir ya işte o."

"Hıı. Ah bak," dedi. "Buna ne dersin?" Elinde bir çift sevimli ama çarpıcı olmayan, bantlı ayakkabı tutuyordu, başımla onayladım, uygun boyunu buldu ve ayağına geçirip ileri geri yürümeye, dize kadarki aynalarda ayaklarını seyretmeye başladı. Sonra bir çift uzun topuklu hayat kadını ayakkabısı gösterip, "Bunlarla yürümek mümkün mü?" diye sordu. "Yani ben giysem herhalde *ölürüm* de..." derken durdu ve bana özür dilercesine baktı, sanki ölen insana ölümden bahsetmek suçmuş gibi. "Denesene," diye devam etti rahatsızlık verici durumu örtbas etmeye çalışarak.

"Giyersem daha önce ölürüm," dedim.

Bir şeyler almış olmak için bir tane şıpıdık terlik seçtim, sonra da ayakkabı raflarının karşısındaki koltuğa geçip Kaitlyn'in raflar arasında dolaşıp ancak profesyonel satranç oyuncularıyla bağdaştırılabilecek bir konsantrasyonla alışveriş yapışını seyrettim. Aslında *Geceyarısı Şafakları*'nı çıkarıp okumak istiyordum ama bunun kaba bir davranış olacağını bildiğim için Kaitlyn'i izlemekle yetindim. Ara sıra yakaladığı burnu kapalı avlarını tutup bana getiriyor ve "Bu nasıl?" diye soruyordu, ben de ayakkabıya dair zekice bir yorum yapmaya çalışıyordum. En sonunda üç ayakkabı aldı, ben şıpıdık terlikleri aldım, tam çıkarken, "Anthropologie'ye gidelim mi?" diye sordu.

"Aslında eve gitsem iyi olur," dedim. "Biraz yoruldum."

"Tamam o zaman," dedi. "Daha sık görüşmeliyiz, hayatım." Ellerini omuzlarıma koydu, iki yanağımdan öptü ve dar kalçalarını sağa sola sallayarak gitti.

Fakat eve gitmedim. Anneme beni altıda almasını söylemiştim ve hâlâ alışveriş merkezinde ya da otoparkta olduğunu tahmin etmeme rağmen sonraki iki saati tek başıma geçirmek istiyordum.

Annemi seviyordum elbette fakat ebedî yakınlığı kimi zaman tuhaf bir şekilde tedirgin olmama sebep oluyordu. Kaitlyn'i de seviyordum. Gerçekten seviyordum. Ama yaşıtlarımla tam zamanlı ve doğru dürüst bir okulsal etkileşimden üç yıldır uzak kaldığım için aramızda köprü kurulamayacak bir mesafe olduğunu hissediyordum. Okul arkadaşlarım kanseri atlatmam konusunda sanırım bana yardımcı olmaya çalışıyorlardı fakat en sonunda başaramayacaklarını keşfetmişlerdi. Her şeyden önce *atlatmak* diye bir şey söz konusu değildi.

Bu yüzden yıllar içinde Kaitlyn'in veya diğer arkadaşlarımın yanından sık sık yorgunluk ve ağrıyı sebep göstererek ayrılma alışkanlığı edinmiştim. Aslında canım hep yanıyordu. Normal bir insan gibi nefes alamamak, ciğerlerime ciğer olduklarını biteviye hatırlatmak, oksijen yetmezliğinin ta derinlerden vuran o tırmalayıcı sızısını kabullenmeye zorlanmak her zaman acı veriyordu. Yani pek yalan söylüyor sayılmazdım. Sadece gerçeklerden gerçek seçiyordum.

Bir Irish Gifts mağazası, Fountain Pen Emporium ve basketbol kepi satan bir dükkânla çevrili bir bank bulup oturdum, burası Kaitlyn'in bile alışveriş yapmaya gelmeyeceği bir köşeydi. *Geceyarısı Şafakları*'nı okumaya başladım.

Cümle başına düşen ceset oranı 1:1'di ve kafamı kaldırmadan okudum. Başçavuş Max Mayhem'i teknik açıdan bir karaktere sahip olmamasına rağmen sevmiştim ama en çok sevdiğim şey maceralarının *sürekli devam etmesiydi.* Hep daha fazla öldürülecek kötü insan ve kurtarılacak iyi insanlar vardı. Eskileri kazanılmadan yeni savaşlar verilmeye başlanıyordu. Çocukluğumdan bu yana böyle gerçek bir seri okumamıştım ve tekrar sonsuz bir kurguda yaşamak heyecan vericiydi.

Geceyarısı Şafakları'nın sonuna yirmi sayfa kala Mayhem'in durumu hiç iç açıcı görünmemeye başladı çünkü Düşman'ın elinden -sarışın, Amerikalı- bir rehineyi kurtarmaya çalışırken tam on yedi kez vurulmuştu. Ama okuyucu olarak umutsuzluğa kapılmadım. Savaş onsuz da devam edecekti. Yardımcıları Uzman Er Manny Loco ve Er Jasper Jacks ile diğerlerinin başrolü oynadığı devam kitapları olacaktı.

Kitabı tam bitirmek üzereyken örgülü, küçük bir kız gelip önümde durdu ve "Burnunda ne var?" diye sordu.

Ben de, "Buna kanül diyorlar," dedim. "Borulardan oksijen geliyor ve nefes almama yardımcı oluyor." Annesi hızla yanımıza gelip azarlarcasına, "Jackie," dedi. "Yo yo, sorun yok," dedim çünkü gerçekten sorun yoktu, sonra Jackie, "Benim nefes almama da yardımcı olur mu?" diye sordu.

"Bilmem. Deneyelim," dedim. Kanülü burnumdan çıkardıktan sonra, Jackie'nin burnuna takıp nefes almasına yardımcı oldum. "Gıdıklıyor," dedi.

"Öyle, değil mi?"

"Galiba daha rahat nefes alıyorum," dedi.

"Ya?"

"Evet."

"Keşke sana kanülümü verebilseydim ama ona ihtiyacım var." Şimdiden yokluğunu hissetmeye başlamıştım. Jackie kanülü bana uzatırken nefes almaya odaklandım. Tişörtümle uçlarını çabucak sildim, kulaklarımın arkasından boruları birleştirdim ve uçlarını burnuma taktım.

"Denettiğin için teşekkürler," dedi.

"Rica ederim."

Annesi tekrar, "Jackie," deyince gitmesine izin verdim.

Başçavuş Max Mayhem'in, ülkesine verebileceği sadece tek bir hayatı olmasından pişmanlık duyduğu kitaba döndüm ama o küçük kızı ve ondan ne kadar hoşlandığımı düşünüp duruyordum.

Kaitlyn'le ilgili bir diğer konu da galiba onunla konuşmanın asla normal hissettirmeyecek olmasıydı. Normal sosyal ilişkiler sürdürürmüş gibi yapmak bunaltıcıydı çünkü hayatımın sonuna kadar konuşacağım herkesin, etrafımda rahatsız ve ne yapacağını bilemez halde dolaşacağı gün gibi ortadaydı... tabii her şeyden habersiz Jackie gibi çocuklar dışında.

Her neyse. Yalnız olmayı gerçekten seviyordum. Zavallı Başçavuş Max Mayhem'le yalnız kalmayı da ki kendisi... on yedi kurşun yarasından sonra *hayatta kalmayacaktı* herhalde artık, değil mi?

(Spoiler uyarısı: Hayatta kalıyor.)

DÖRDÜNCÜ BÖLÜM

O gece biraz erken yattım, bir şort ve tişört giydikten sonra dünyadaki en sevdiğim yerlerden biri olan üstü yastıklarla dolu çift kişilik yatağımdaki nevresimlerin altına kıvrılıverdim. Sonra da milyonuncu defa *Görkemli Izdırap*'ı okumaya başladım.

Görkemli Izdırap, hikâyeyi anlatan Anna isimli bir kız ve lale takıntısı olan tek gözlü bahçıvan annesi hakkında ve Anna nadir görülen bir kan kanserine yakalanana kadar Kaliforniya'daki minik bir kasabada sıradan bir alt-orta sınıf hayatı yaşıyorlar.

Ama bu bir *kanser kitabı* değil çünkü kanser kitapları çok sıkıcı oluyor. Kanser kitaplarında kanserli bir tip kanserle savaşabilmek için para toplayan bir vakıf filan kurar mesela, tamam mı? Ve bu vakfa bağlılık, kanserli tipe insanlığın özündeki iyiliği hatırlatır, sevildiğini hissetmesini sağlar ve kanseri tedavi edecek bir miras bıraktığı için yüreklenir. Ama *Görkemli Izdırap*'taki Anna, kanser vakfı kuran bir kanserli olmanın biraz narsistçe olduğuna karar veriyor ve Kolerayı Tedavi Etmek İsteyen Kanserliler Vakfı diye bir vakıf kuruyor.

Ayrıca Anna bu konuda diğerlerinin aslında olmadığı kadar dürüst: Kitap boyunca kendisinden *yan etki* diye bahsediyor ki bu son derece doğru. Kanserli çocuklar aslında dünyada yaşamın çeşitlenmesini mümkün kılan amansız mutasyonun yan etkileri. Kitapta anlatılan hikâye ilerledikçe Anna da giderek daha fazla hasta oluyor, tedaviler ve hastalık onu öldürmek için yarışıyor ve annesi, Anna'nın Hollandalı Lale Adam adını taktığı Hollandalı bir lale tüccarına âşık oluyor. Hollandalı Lale Adam'ın çok parası ve kanseri tedavi etmeye dair eksantrik fikirleri var ama Anna bu adamın bir sahtekâr olabileceğini ve muhtemelen Hollandalı bile olmadığını düşünüyor ve muhtemelen Hollandalı adam ile annesi tam evlenecekken ve Anna tam buğday çimi ve düşük dozlarda arsenik içeren çılgınca bir yeni tedaviye başlayacakken kitap tam bir cümlenin ortasında

Bunun son derece *edebî* bir karar olduğunu filan biliyorum, ayrıca kitabı bu kadar çok sevmemin sebeplerinden biri de muhtemelen buydu ama biten bir kitap da fena olmazdı hani. Ve kitap bitmeyecekse bile en azından Başçavuş Max Mayhem'in müfrezesinin maceraları gibi ebediyen devam etmeliydi.

Anna öldüğü veya yazamayacak kadar hastalandığı için hikâyenin sonlanmadığını ve bu cümle ortasında bitme olayının, hayatın aslında nasıl sona erdiğini filan yansıttığını anlayabiliyordum ancak hikâyede Anna dışında da karakterler vardı ve onların başından neler geçtiğini asla öğrenemeyecek olmam bana hiç adilane gelmiyordu. Yayımcısı vasıtasıyla Peter Van

Houten'e bir düzine mektup yazıp hikâyenin sonundan sonra neler olduğuna dair yanıt vermesini istemiştim. Hollandalı Lale Adam sahtekâr mıydı, Anna'nın annesi onunla evleniyor muydu, Anna'nın -annesinin nefret ettiği- aptal hamsterine ne oluyordu, Anna'nın arkadaşları liseden mezun olabiliyor muydu filan falan. Ama hiçbir mektubuma yanıt vermemişti.

Görkemli Izdırap, Peter Van Houten'in yazdığı tek kitaptı ve herkesin ona dair bildiği tek şey kitabı basıldıktan sonra Amerika'dan Hollanda'ya taşınıp münzevi hayatı yaşamaya başladığıydı. Hollanda'da geçen bir devam kitabı üstünde çalıştığına inanmak istiyordum, belki Anna'nın annesi ile Hollandalı Lale Adam oraya taşınacak ve yeni bir hayat kurmaya çalışacaklardı. Fakat *Görkemli Izdırap* çıkalı on yıl olmuştu ve Van Houten bir blog yazısı bile yazmamıştı. Sonsuza kadar bekleyemezdim.

O gece tekrar okurken Augustus Waters'ın da aynı kelimeleri okuduğunu hayal ettim. Beğenecek miydi yoksa kasıntı bulup bir kenara mı atacaktı? Sonra *Şafağın Bedeli*'ni okuduktan sonra onu arayacağıma söz verdiğimi hatırladım ve künye sayfasındaki numarasını bulup mesaj attım.

Şafağın Bedeli eleştirisi: Çok fazla ceset. Çok az sıfat.
GI nasıl?

Bir dakika sonra cevap verdi:

Kitap bittikten sonra ARAYACAKTIN, mesaj atmayacaktın diye hatırlıyorum.

Bunun üstüne aradım.

"Hazel Grace," dedi açar açmaz.

"Okudun mu?"

"Bitirmedim. Kitap altı yüz elli bir sayfa ve sadece yirmi dört saatim vardı."

"Kaçıncı sayfadasın?"

"Dört yüz elli üç."

"Ve?"

"Bitirene kadar yorum yapmayacağım. Ancak sana *Şafağın Bedeli*'ni verdiğim için biraz utandığımı söylemem lazım."

"Utanmana gerek yok. *Mayhem'e Ağıt*'a geçtim."

"Seriye parlak bir ek. Neyse, peki, lale herif sahtekâr mı? Onunla ilgili içimde kötü bir his var."

"Spoiler vermeyeceğim," dedim.

"Eğer tam bir centilmen olduğu ortaya çıkmazsa gözlerini oyacağım."

"Demek beğendin."

"Yorum yapmıyorum! Ne zaman görüşeceğiz?"

"*Görkemli Izdırap* bitene kadar buluşmayacağız." Cilve yapmak keyifliydi gerçekten.

"İyisi mi telefonu kapatıp okumaya devam edeyim."

"En iyisi," dedim ve telefon tek kelime daha edilmeden kapandı.

Flörtleşme olayında yeniydim ama hoşuma gitmişti.

Ertesi sabah MCC'de 20. Yüzyıl Amerikan Şiiri dersim vardı. Dersi yaşlı bir kadın veriyordu ve doksan dakika boyunca Sylvia Plath'tan bahsedip tek bir Sylvia Plath alıntısı yapmamayı başarabiliyordu.

Dersten çıktığımda binanın önünde annemin dikildiğini gördüm.

"Burada durup beni mi bekledin?" diye sordum çekçek ile tüpü arabaya koymama yardım etmek için yanıma gelirken.

"Hayır, kuru temizlemeciden giysileri aldım ve postaneye gittim."

"Eee, sonra?"

"Yanımda kitap vardı," dedi.

"Bir de doğru dürüst hayatımı yaşamıyorum diye *bana* söyleniyorsun." Gülümsedim, o da gülümsemeye çalıştı ama zorlama olduğu az da olsa belli oluyordu. Hemen ardından, "Film izlemek ister misin?" diye sordum.

"Tabii. İzlemek istediğin bir şey var mı?"

"Gidip ilk başlayan hangisiyse onu izleyelim derim." Kapımı kapadı ve sürücü koltuğuna geçti. Castleton'daki sinema salonuna gidip konuşan kemirgenlerin olduğu 3-D bir film izledik. Biraz komikti aslında.

Filmden çıktığımda Augustus'tan dört mesaj geldiğini gördüm:

Son yirmi sayfanın koptuğunu filan söyle.

Hazel Grace, kitabın sonuna gelmediğimi söyle!

AMAN TANRIM EVLENİYORLAR MI EVLENMİYORLAR MI AMAN TANRIM BU NE BÖYLE

Anna ölüyor ve bu yüzden bitiyor değil mi? ÇOK HAİNCE. Müsait olduğunda ara. Umarım iyisindir.

Eve gelince arka bahçeye çıktım ve paslanmakta olan bahçe sandalyesine oturup onu aradım. Bulutlu, tipik bir Indiana günüydü: Sizi içeri tıkan günlerden. Arka bahçenin büyük kısmını çocukluğumdan kalma, bir hayli su emmiş ve acınası görünen salıncağım kaplıyordu.

Augustus üçüncü çalışta açtı. "Hazel Grace," dedi.

"*Görkemli Izdırap*'ı okumanın tatlı eziyetine hoş gel..." Hattın öteki ucunda korkunç bir ağlama sesi duyduğumda durdum. "İyi misin?" diye sordum.

"Ben harikayım," diye yanıtladı Augustus. "Ancak Isaac'le birlikteyim ve kendisi dekompensasyon halinde." Daha çok feryat duyuldu. Yaralı bir hayvanın ölüm çığlıkları gibiydi. Gus, Isaac'le konuşmaya başladı. "Dostum. Dostum. Destek Grubu Hazel işi daha mı beter yapar daha mı iyi? Isaac. Hemen. Bana.

Odaklan." Bir saniye sonra Gus bana, "Benim evde yirmi dakika sonra filan buluşalım mı?" diye sordu.

"Tabii," deyip telefonu kapadım.

Eğer düz bir hat üstünde gidebilseniz benim evimden Augustus'un evine gitmek beş dakika filan alırdı ama düz bir hat üstünde gidebilmeniz mümkün değildi çünkü aramızda Holliday Park vardı.

Coğrafi bir külfet olmasına rağmen Holliday Park'ı gerçekten seviyordum. Çocukken babamla White Nehri'nde oynardık; muhteşem bir anımız vardı, beni havaya ve kendisinden uzağa doğru fırlatırdı ve havada uçarken kollarımı uzatırdım ve o da kollarını uzatırdı ve ikimiz de kollarımızın birbirine değmeyeceğini ve beni kimsenin tutamayacağını anlardık ve ikimizin de muhteşem bir şekilde ödü kopardı ve kolum bacağım havadayken suya gömülürdüm ve sonra da hiç yaralanmamış bir halde nefes alabilmek için suyun yüzeyine çıkardım ve akıntı beni tekrar babama taşırken *tekrar baba, tekrar hadi tekrar* derdim.

Isaac'in olduğunu düşündüğüm eski bir siyah Toyota sedanın yanına park ettim. Oksijen tüpümü peşime takıp kapıya doğru yürüdüm. Kapıyı çaldım. Gus'ın babası açtı.

"Sadece Hazel," dedi. "Seni görmek ne güzel."

"Augustus gelmemi söylemişti ama?.."

"Evet, Isaac'le birlikte bodrumdalar," dediği anda aşağıdan bir feryat duyuldu. "Bu Isaac," dedi ve hafifçe başını salladı. "Isaac'in annesinin bir yere gitmesi gerekti. Bu ses..." dedi ama cümlesini tamamlamadı. "Her neyse, aşağı inmek istiyorsun sanırım. Ben şu, şeyi, tüpü taşıyayım mı?" diye sordu.

"Yo, sorun değil. Ama teşekkürler, Bay Waters."

"Bana Mark diyebilirsin."

Aşağıya inmekten biraz ürküyordum. İnsanların perişan bir halde ulumasını dinlemek keyifli vakit geçirme tanımıma pek uymuyor neticede. Ama yine de gittim.

"Hazel Grace," dedi Augustus ayak seslerimi duyduğunda. "Isaac, Destek Grubu'ndan Hazel aşağı iniyor. Hazel, ufak bir hatırlatma: Isaac bir sinir krizi geçiriyor."

Augustus ile Isaac arkaya yatık deri koltuklara oturmuş, devasa bir televizyona bakıyorlardı. Ekran solda Isaac'in ve sağda Augustus'un baktığı açı olmak üzere ikiye bölünmüştü. Bombalanmış modern bir şehirde savaşan askerlerdi. Ortamı *Şafağın Bedeli*'nden hatırlamıştım. Yanlarına giderken sıradışı bir şey görmedim: Sadece iki kişi dev bir televizyonun ışığında oturmuş, insanları öldürüyormuş gibi davranıyordu.

Ancak yanlarına vardığımda Isaac'in suratını görebildim. Kızarmış yanaklarından arkası kesilmeksizin yaşlar akıyordu, yüzü bir acı maskesine dönüşmüştü. Ekrana gözlerini dikmişti, bana bakmıyordu bile ve bir taraftan uluyor, bir taraftan da elindeki joysticke vuruyordu. "Nasılsın, Hazel?" diye sordu Augustus.

"İyiyim," dedim. "Isaac?" Karşılık gelmedi. Varlığımın farkında olduğuna dair en ufak bir işaret yoktu. Sadece yüzünden akan yaşlar siyah tişörtüne damlıyordu.

Augustus kısa bir an ekrandan başını çevirip bana baktı. "Çok hoş görünüyorsun." Kimbilir ne zamandır bende olan "hemen dizin üstünde" tarzı elbisemi giymiştim. "Kızlar sadece resmî etkinliklerde elbise giyebileceklerini düşünüyor ama ben, *sinir krizi geçiren bir çocuğu, hem de görme yetisiyle bağı son derece ince olan bir çocuğu görmeye gideceğim ve onun için bir elbise giyeceğim*, diyen kadınları seviyorum."

"Ama buna rağmen," dedim, "Isaac bana dönüp bakmıyor bile. Monica'ya fena âşık sanırım." Cümlem felaket bir hıçkırık krizine sebep oldu.

"Biraz hassas bir konu," diye açıkladı Augustus. "Isaac, seni bilemem ama içime etrafımızı çeviriyorlarmış gibi bir his doğuyor." Sonra bana döndü. "Isaac ve Monica'nın artık ilişiği kalmadı ama kendisi bu konuda konuşmak istemiyor. Sadece ağlamak ve Kontrgerilla Harekâtı 2: Şafağın Bedeli oynamak istiyor."

"Gayet mantıklı," dedim.

"Isaac, pozisyonumuza dair endişelerim giderek artıyor. Eğer sen de kabul edersen, sen şu elektrik santraline git, ben de seni koruyayım." Isaac ne idüğü belirsiz binaya doğru koşarken Augustus arkasından koşarak makineli tüfeğiyle ortalığa ateş açmaya başladı.

"Her neyse," dedi Augustus bana, "onunla *konuşmaktan* zarar çıkmaz. Eğer bilgece kadın tavsiyelerin varsa..."

"Aslında bence verdiği tepki gayet yerinde," dedim Isaac ateş açarak bir pikabın yanmış şasisinin arkasından başını uzatan bir düşmanı öldürdüğü sırada.

Augustus ekrana bakarak başını salladı. "Acı hissedilmeyi talep eder," dedi ki bu, *Görkemli Izdırap*'tan bir replikti. "Arkamızda kimse olmadığına emin misin?" diye sordu Isaac'e. Birkaç saniye sonra kafalarının etrafında izli mermiler uçuşmaya başladı. "Of, lanet olsun Isaac," dedi Augustus. "Seni bu büyük zafiyet anında eleştirmek istemiyorum ama etrafımızı çevirmelerine izin verdin, şimdi de teröristler ile okul arasında hiçbir engel kalmadı." Isaac'in karakteri ateş hattına doğru, dar bir sokak arasında bir o yana bir bu yana çark ederek koşuyordu. "Köprünün üstüne çıkıp geri dönebilirsiniz," dedim *Şafağın Bedeli* sayesinde öğrendiğim taktikle.

Augustus iç geçirdi. "Ne yazık ki matemli yardımcımın tartışmalı stratejileri yüzünden köprü çoktan direnişçilerin eline düştü."

"Benim mi?" dedi Isaac soluk soluğa. "Benim mi?! Lanet olası elektrik santraline gidelim diyen sendin."

Gus bir saniyeliğine kafasını ekrandan yana çevirdi ve Isaac'e o yamuk gülümsemesiyle baktı. "Konuşabildiğini biliyordum, dostum," dedi. "Hadi artık gidip biraz kurmaca çocuk kurtaralım."

İkisi birlikte sokak arasından koşup doğru zamanlarda ateş açıp gerektiğinde saklanarak tek katlı, tek odalı okul binasına kadar gittiler. Sokağın karşısındaki bir duvarın arkasına çömelip tek tek düşmanları öldürdüler.

"Neden okula girmek istiyorlar?" diye sordum.

"Çocukları rehin almak istiyorlar," diye yanıtladı Augustus. Joystickin üstüne kapanmış, tuşlara vurup duruyordu, kolları gergindi, damarları belirginleşmişti. Isaac ekrana doğru eğilmişti, joystick ince parmaklarının arasında dans edip duruyordu. "Vur vur vur," dedi Augustus. Teröristler dalgalar halinde gelmeye devam ederken tek tek hepsini biçtiler; atışları şaşırtıcı derecede keskindi, okulu vurmak istemiyorlarsa böyle olması gerekiyordu zaten.

"El bombası! El bombası!" diye haykırdı Augustus, bir cisim ekran boyunca yay çizip okula giden yola çarptıktan sonra sekip kapıya doğru yuvarlanırken.

Isaac hayal kırıklığıyla joysticki fırlattı. "Pislikler rehin alamayınca çocukları öldürüp bizim yaptığımızı iddia ediyorlar."

"Koru beni!" dedi Augustus duvarın arkasından fırlayıp okula doğru koşarken. Isaac joysticki tekrar eline alıp ateş etmeye başladı ve Augustus üstüne mermiler yağarken önce bir kez, ardından tekrar vurulmasına rağmen koşmaya devam etti. "MAX MAYHEM'İ ÖLDÜREMEZSİNİZ!" diye bağırıyordu ve fırtına gibi bir tuş kombinasyonunun ardından el bombasının üstüne atladı ve bomba, altında patladı. Parçalanan vücudunun gayzer gibi havaya saçılmasının ardından ekran kırmızıya boyandı. Derinden bir ses, "GÖREV BAŞARISIZ" dedi ama Augustus ekrandaki kalıntılarına bakıp gülümserken tam tersini düşünüyor gibi görünüyordu. Cebine uzanıp bir sigara çıkardı ve dişlerinin arasına koydu. "Çocukları kurtardım," dedi.

"Geçici olarak," dedim.

"Tüm kurtuluşlar geçicidir," diye karşılık verdi Augustus. "Onlara bir dakika kazandırdım. Belki o bir dakika onlara bir saat daha kazandıracak, o bir saat de bir sene. Kimse onlara sonsuzluğu vadedemez, Hazel Grace, ama benim hayatım onlara bir dakika kazandırdı. Ve bu bir hiç değil."

"Tamam, sakin ol," dedim. "Burada piksellerden bahsediyoruz."

Oyunun gerçek olabileceğine inanıyormuş gibi omzunu silkti. Isaac tekrar feryat etmeye başlamıştı. Augustus hızla ona döndü. "Görevi tekrar edelim mi Onbaşım?"

Isaac başını iki yana salladı. Bana bakmak için Augustus'un yanından eğildi ve son derece gergin ses telleriyle, "Daha sonra yapmak istemedi," dedi.

"Kör bir çocuğu terk etmek mi istemedi?" dedim. Başıyla onayladı, gözyaşları yaştan ziyade sessiz bir metronom gibi düzenli ve durmaksızın akıyordu.

"Bunu kaldıramazmış," dedi bana. "Ben kör oluyorum ve kaldıramayan *o*."

Kaldırma kelimesini ve kaldırılan tüm kaldırılamayan şeyleri düşünüyordum. "Üzgünüm," dedim.

Koluyla sırılsıklam yüzünü sildi. Gözlüğünün ardındaki gözleri o kadar büyük görünüyordu ki yüzündeki diğer her şey sanki kayboluyor ve geriye sadece bana bakan bu bedensiz, havada süzülen, biri gerçek biri cam iki göz kalıyor gibiydi. "Kabul edilir gibi değil," dedi. "Kesinlikle kabul edilir gibi değil."

"Aslına bakarsan," dedim, "bunu kaldıramayacağı muhtemelen doğru. Sen de kaldıramayacaksın ama onun bunu kaldırması *gerekmiyorken* senin böyle bir zorunluluğun var."

"Ona bugün 'sonsuza dek' deyip durdum, 'sonsuza dek sonsuza dek', o da bir şeyler geveleyip karşılık vermedi. Hani sanki gidiciymişim gibi. 'Sonsuza dek' bir sözdü! Sözünden nasıl dönersin ki?"

"Bazen insanlar söz verirken, bu sözün ne anlama geldiğini anlamıyor," dedim.

Isaac hızla bana baktı. "Olabilir. Ama yine de sözünü tutarsın. Aşk böyle bir şey. Aşk her halükârda sözünü tutmak demek. Gerçek aşka inanmıyor musun?"

Karşılık vermedim. Verebilecek bir karşılığım yoktu. Ama gerçek aşk *gerçekten* varsa, bunun ona dair oldukça iyi bir betimleme olduğunu düşünüyordum.

"Ben gerçek aşka inanıyorum," dedi Isaac. "Ve onu seviyorum. Ve o da söz vermişti. Bana *sonsuza dek diye söz vermişti.*" Ayağa kalkıp bana doğru bir adım attı. Ben de bana sarılmak filan istediğini düşünüp ayağa kalktım ama hemen ardından sanki ilk başta neden ayağa kalktığını hatırlayamıyormuş gibi arkasını döndü, Augustus'la aynı anda yüzüne hiddetli bir ifade yerleştiğini gördük.

"Isaac," dedi Gus.

"Ne?"

"Biraz şey... çift anlamlı konuşmamı mazur gör dostum ama gözlerinde biraz endişe verici bir şey var."

Isaac aniden, demin oturduğu koltuğa feci bir tekme atınca koltuk, Gus'ın yatağına doğru devrildi. "İşte başladık," dedi Augustus. Isaac koltuğun peşinden gidip tekrar tekme attı. "Evet," dedi Augustus. "Hakla onu. Koltuğun canına oku!" Isaac, koltuk Gus'ın yatağına çarpana kadar tekrar tekrar tekme attı, ardından yastıklardan birini kapıp yatak ile yatağın üstündeki kupa rafının arasındaki duvara vurmaya başladı.

Augustus sigarası hâlâ dudaklarının arasında, bana bakıp yarım ağızla gülümsedi. "O kitabı aklımdan çıkaramıyorum."

"Öyle oluyor."

"Diğer karakterlerin başına ne geldiğini yazmıyor, değil mi?"

"Hayır," dedim. Isaac hâlâ yastıkla duvarı boğmaya çalışıyordu. "Amsterdam'a taşınmış, bu yüzden içinde Hollandalı Lale Adam'ın olduğu bir devam kitabı yazdığını düşünmüştüm ama hiçbir şey yayımlanmadı. Hiçbir röportaj vermiyor. İnternete de girmiyor sanırım. Karakterlerin başına ne geldiğini soran bir sürü mektup yazdım ama yanıtlamıyor. Öyle işte..." Konuşmaktan vazgeçmiştim çünkü Augustus dinliyormuş gibi görünmüyordu. Bunun yerine gözlerini kısmış, Isaac'e bakıyordu.

"Bir saniye," diye mırıldandı bana. Isaac'in yanına gidip omuzlarını kavradı. "Dostum, yastıklar kırılmıyor. Kırılacak bir şeyler dene."

Isaac yatağın üstündeki rafta duran basketbol kupasına uzandı, sanki izin beklermiş gibi başının üstünde tuttu. "Evet," dedi Augustus. "Evet!" Kupa yere çarptığında plastik basketbolcunun kolu elinde tuttuğu topla birlikte koptu. Isaac kupanın üstünde tepinmeye başladı. "İşte böyle!" dedi Augustus. "Hakla onu!"

Sonra bana döndü. "Babama aslında basketboldan nefret ettiğimi söylemek için bir yol arıyordum ve sanırım buldum." Kupalar birbiri ardına yere fırlatıldı; Isaac her birinin üstünde tepiniyor ve çığlık atıyor, Augustus ile ben de birkaç metre ötesinde durup bu deliliğe şahitlik ediyorduk. Zavallı plastik basketbolcuların ezilip parçalanmış bedenleri halıyı kaplamıştı, bir yanda kopmuş bir el topu tutuyor, öte yanda bedensiz bacaklar sayı yapmak üzere havada süzülüyordu. Isaac kupalara saldırmaya, üstlerinde zıplamaya, nefes nefese çığlık atmaya devam etti ve en sonunda kan ter içinde, kupaların sivri uçlu kalıntılarının üstüne yığıldı.

Augustus yanına gidip yüzüne baktı. "Daha iyi misin?" diye sordu.

"Hayır," diye mırıldandı Isaac göğsü inip kalkarken.

"Acının olayı bu," dedi Augustus ve ardından bana baktı. "Acı hissedilmeyi talep eder."

BEŞİNCİ BÖLÜM

Augustus'la sonraki hafta hiç konuşmadım. Onu Kırılan Kupalar Gecesi'nde aramıştım, yani geleneklere göre arama sırası ondaydı. Ama aramamıştı. Gerçi ben de Özel Sarı Elbisemi giyip tüm gün terli ellerimle telefonuma sarılmıyor, gözlerimi ayırmaksızın telefona dikip yolunu gözlediğim centilmenimin bu lakabın gereklerini yerine getirmesini filan beklemiyordum. Hayatıma devam ettim: Kaitlyn ve (sevimli olmasına rağmen ne yazık ki Augustusvari olmayan) erkek arkadaşı bir ikindi vakti kahve içmeye geldiler; günlük Palanksifor dozlarımı yuttum; MCC'de üç sabah derse girdim; her akşam anne ve babamla akşam yemeği yedim.

Pazar akşamı yeşil biberli ve brokolili pizza yedik. Mutfaktaki yuvarlak masada otururken telefonum çalmaya başladı ama kim olduğuna bakmama izin yoktu çünkü akşam yemeği esnasında telefon yok isimli katı bir kuralımız vardı.

Bu yüzden annem ile babam Papua Yeni Gine'de olan depremden bahsederken yemeğimi yemeye devam ettim. Papua Yeni Gine'deki Barış Gönüllüleri'nde tanıştıkları için orada yaşanan her olayda, korkunç bir olay olsa dahi, sanki yerleşik hayata geçmiş koca koca yaratıklar değillermiş de tekrar bir zamanlarki genç ve idealist, kendilerine yeten ve güçlü kuvvetli insanlarmış gibi davranmaya başlıyorlar ve öylesine kendilerinden geçiyorlardı ki ben şimdiye kadar hiç yapmadığım kadar hızlı yemek yiyip tabağımdakileri nefesimi kesecek bir hız ve vahşilikle ağzıma tıkarken bana bakmıyorlardı bile ve doğal olarak bu eylem ciğerlerimin, seviyesi giderek artan bir sıvı havuzunda yüzüyormuş gibi hissettirmesine sebebiyet vererek beni endişelendiriyordu. Bu fikri aklımdan çıkarmaya çalıştım. İki hafta sonra PET taraması için randevu almıştık. Eğer bir sorun varsa yakın zamanda öğrenecektim. O zamana kadar endişelenerek elime hiçbir şey geçmeyecekti.

Ama yine de endişeleniyordum. Bir insan olmayı seviyordum. Böyle devam etmesini istiyordum. Endişe de ölmenin yan etkilerindendi.

En sonunda bitirip, "Kalkabilir miyim?" dedim, Gine altyapısının güçlü ve zayıf yanlarını konuşurlarken duraksamadılar bile. Mutfak tezgâhının üstünde duran çantamdan telefonumu çıkarıp son arayanlara baktım. *Augustus Waters.*

Arka kapıdan alacakaranlığa çıktım. Salıncağı gördüm ve oraya kadar yürüyüp onunla konuşurken sallanmayı düşündüm ama *yemek yiyerek* yorulduğum için gözüme biraz uzak göründü.

Bunun yerine verandanın kenarındaki çimlere oturup tanıdığım tek takımyıldız olan Avcı'ya bakarak onu aradım.

"Hazel Grace," dedi.

"Selam," dedim. "Nasılsın?"

"Harika," dedi. "Seni neredeyse dakika başı aramak istedim ama *Görkemli Izdırap*'a istinaden tutarlı bir düşünce oluşturana kadar bekledim." ("İstinaden" demişti. Gerçekten demişti. Ah şu çocuk.)

"Ve?" dedim.

"Bence, şey gibi. Okurken sürekli şey gibi hissettim, şey gibi."

"Şey gibi?" dedim dalga geçercesine.

"Hani sanki bir hediyeymiş gibi," dedi. "Sanki bana önemli bir şey vermişsin gibi."

"Ya," dedim sessizce.

"Dandik bir söz," dedi. "Kusura bakma."

"Yo," dedim. "Özür dileme."

"Ama bitmiyor."

"Evet?.."

"Tam bir işkence. Gayet iyi anlıyorum, şey, sanki kız ölmüş gibi filan."

"Evet, bence de öyle," dedim.

"Peki. Her şey iyi hoş da bence yazar ile okur arasında yazılı olmayan bir sözleşme var ve kitabını bitirmemek bence bu sözleşmeyi bozuyor."

"Emin değilim," dedim Peter Van Houten'i savunmaya geçerek. "Bazı açılardan kitabı sevme sebeplerimden biri bu. Ölümü gerçekçi bir şekilde betimliyor. Hayatın ortasında, bir cümlenin ortasında ölüveriyorsun. Ama herkese neler olduğunu o kadar çok... Tanrım, o kadar çok öğrenmek istiyorum ki.

Yazdığım mektuplarda da bunu sorup durdum. Ama kendisi hiç cevap vermedi."

"Evet. İnzivaya çekildi demiştin, değil mi?"

"Aynen."

"Kendisini bulmak mümkün değil yani."

"Aynen."

"Kesinlikle ulaşılmaz birisi," dedi Augustus.

"Ne yazık ki öyle," dedim.

"'Sayın Bay Waters,'" dedi. "'6 Nisan tarihinde Amerika Birleşik Devletleri'nden, Bayan Vliegenthart aracılığıyla tarafıma ulaştırılan elektronik mektubunuza teşekkür etmek için yazıyorum ki muzafferce dijitalleştirilmiş çağdaşlığımızda coğrafyanın varlığı da buraya kadarmış.'"

"Augustus, ne saçmalıyorsun?"

"Bir asistanı varmış," dedi Augustus. "Lidewij Vliegenthart. Ben de onu buldum. E-mail attım. O da e-maili Peter Van Houten'e göndermiş. O da kadının e-mail hesabından cevap verdi."

"Peki, peki. Devam et."

"'Atalarımızın şanlı geleneğini devam ettirecek şekilde mürekkep ve kâğıtla cevap veriyorum ve Bayan Vliegenthart da bunun 1'lere ve 0'lara transkripsiyonunu yapıyor ki metin son dönemde türümüzü tuzağına düşüren o yavan ağda seyahat etsin, bu sebepten vuku bulabilecek her türlü hatadan veya noksanlıktan ötürü özür diliyorum.

"'Neslinizin genç erkekleri ile kadınlarının emrine amade eğlence âlemleri göz önünde bulundurulduğunda herhangi bir yerde herhangi bir insanın minik kitabımı okumak için gerekli olan saatleri ayırmasına minnettar kalırım. Ancak hem *Görkemli Izdırap* hakkında sarf ettiğiniz nazik sözler hem de kitabın, sizden alıntı yapacak olursam sizin için "çok şey ifade ettiğini" bana söyleyebilmek adına vakit ayırdığınız için size özellikle müteşekkirim.

"'Ancak bu yorum beni meraka gark etti: *İfade etti* demekle ne ifade ediyorsunuz? Mücadelemizin neticede beyhude oluşu göz önünde bulundurulursa sanatın verdiği o geçici anlam sarsıntısı değerli midir? Yoksa tek değer, vakti olabildiğince rahat geçirmekte midir? Bir hikâye neye öykünmelidir, Augustus? Çalan bir alarma mı? Orduya katılma çağrısına mı? Morfin almaya mı? Elbette evrene dair tüm sorgularda olduğu gibi bu sorgulama da kaçınılmaz olarak insan olmanın ne ifade ettiğini ve –yerdiğine hiç şüphe duymadığım endişe dolu on altılıklardan alıntı yapacak olursam– *hiçbir anlamı olup olmadığını* sormamıza indirgeniyor.

"'Korkarım ki yok, dostum. Ve yazdıklarımla devam eden münasebetinden yeteri kadar teşvik alamayacağını düşünüyorum. Ama soruna cevap vereyim: Hayır, başka bir şey yazmadım, yazmayacağım da. Okurlarla düşüncelerimi paylaşmaya devam etmemden ne onların ne de benim yarar göreceğimize inanıyorum. Cömert mektubun için tekrar teşekkür ederim.

"'Sevgilerimle, Lidewij Vliegenthart aracılığıyla Peter Van Houten.'"

"Vay canına," dedim. "Bunları sen mi uydurdun?"

"Hazel Grace, cılız entelektüel kapasitemle Peter Van Houten'den gelen ve 'muzafferce dijitalleştirilmiş çağdaşlığımızda' gibi betimlemeler içeren bir mektup uydurabilmem mümkün mü?"

"Değil," diye kabullendim. "E-mail adresini alabilir miyim?"

"Tabii," dedi sanki dünyadaki en muhteşem hediyeyi vermiyormuş gibi.

Sonraki iki saatimi Peter Van Houten'e e-mail yazarak geçirdim. Silip tekrardan her yazışımda kötüleşiyor gibiydi ama kendimi durduramıyordum.

Sayın Peter Van Houten
(Lidewij Vliegenthart),

Adım Hazel Grace Lancaster. *Görkemli Izdırap*'ı benim tavsiyem üzerine okuyan arkadaşım Augustus Waters bu adresten bir e-mail aldı. Augustus'un bu e-mail adresini benimle paylaşmasında umarım sakınca yoktur.

Bay Van Houten, Augustus'a yolladığınız e-mailden anlayabildiğim kadarıyla başka kitap yayımlamayı planlamıyorsunuz. Bir açıdan hayal kırıklığına uğradım ama rahatladım da: Bir sonraki kitabınızın, ilkinin fevkaladeliğine ulaşıp ulaşmayacağından endişelenmem asla gerekmeyecek. Üç yıldır 4. evre kanserle yaşıyorum ve *Görkemli Izdırap*'ta her şeyi doğru yakaladığınızı söyleyebilirim. En azından beni doğru yakalamışsınız. Kitabınız ben daha hissetmeden ne hissettiğimi söyleyebilen bir yapıya sahip ve kitabı onlarca kez okudum.

Ancak romanın sonundan sonra ne olduğuna dair birkaç soruma yanıt vermenizin bir mahzuru olur mu diye merak ediyordum. Anna öldüğünden ya da yazmaya devam edemeyecek kadar hastalandığından kitabın bittiğini anlıyorum ama Anna'nın annesine ne olduğunu gerçekten öğrenmek istiyorum. Hollandalı Lale Adam'la evlendi mi, başka bir çocuk doğurdu mu veya W. Temple 917 Numara'da yaşamaya devam etti mi vs. Ayrıca Hollandalı Lale Adam sahtekâr mı yoksa onları gerçekten seviyor mu? Anna'nın arkadaşlarına, özellikle de Claire ve Jake'e ne oluyor? Birliktelikleri devam ediyor mu? Son olarak -bunun okurlarınızın hep sormasını umduğunuz derin ve düşünceli bir soru olduğunu biliyorum- Hamster Sisyphos'a ne oluyor? Bu sorular yıllardır aklımdan çıkmıyor ve cevaplarını almak için ne kadar zamanım kaldığını bilmiyorum.

Bunların önemli edebî sorular olmadığını ve kitabınızın önemli edebî sorularla dolu olduğunu biliyorum fakat cevaplarını gerçekten öğrenmek istiyorum.

Ayrıca elbette başka bir şey yazmaya karar verirseniz, yayımlatmasanız bile okumayı çok isterim. Aslına bakarsanız alışveriş listelerinizi bile okuyabilirim.

Hayranlık ve sevgiyle,

Hazel Grace Lancaster

(yaş 16)

Yolladıktan sonra Augustus'u aradım ve *Görkemli Izdırap*'tan bahsederek geç saatlere kadar oturduk ve ona Van Houten'in kitabın isminde kullandığı Emily Dickinson şiirini okudum ve Augustus, okurken sesimin hoş bir tınıya büründüğünü ve cümle sonlarında çok uzun duraksamadığımı ve altıncı *Şafağın Bedeli* kitabı *Kan Takdiri*'nin bir şiirden alıntıyla başladığını söyledi. Kitabı bulması bir dakika sürdü ama en sonunda alıntıyı okudu. "'Hayatın parçalandı diyelim. En son iyi öpücüğün / Seneler öncesinden kalma.'"

"Fena değil," dedim. "Biraz gösterişçi. Max Mayhem duysa 'boktan hanım evladı' derdi bence."

"Evet, hem de dişlerini sıka sıka. Tanrım, Mayhem bu kitaplarda sürekli dişlerini sıkıyor. Tüm bu kavga dövüşten sağ çıkarsa çok fena çene eklemi ağrısı çekecek." Bir saniye sonra, "En son iyi öpücüğün ne zamandı?" diye sordu.

Düşünmeye başladım. Öpüşmelerim –ki hepsi tanı öncesindeydi– rahatsızlık verici ve vıcık vıcıktı, ayrıca bir şekilde hep yetişkincilik oynayan çocuklarmışız gibi hissettirmişti. Ama üstünden vakit geçmişti. "Seneler önce," dedim sonunda. "Ya senin?"

"Eski kız arkadaşım Caroline Mathers'la birkaç kez iyi öpüşmüşlüğüm var."

"Seneler önce mi?"

"Sonuncusunun üstünden bir yıl bile geçmedi."

"Ne oldu?"

"Öpüşürken mi?"

"Hayır, Caroline'la aranızda."

"Hımm," dedi. Bir saniye sonra devam etti. "Caroline artık birey olma durumundan muzdarip değil."

"Ya," dedim.

"Evet," dedi.

"Üzgünüm," dedim. Elbette çok sayıda ölü insan biliyordum. Ama hiçbiriyle çıkmamıştım. Hayal bile edemiyordum aslında.

"Senin suçun değil, Hazel Grace. Hepimiz yan etkiyiz, değil mi?"

"'Bilinç denilen gemiye yapışan kabuklu midyeleriz,'" dedim *Görkemli Izdırap*'tan alıntı yaparak.

"Peki," dedi. "Artık uyumam lazım. Neredeyse bir oldu."

"Peki," dedim.

"Peki," dedi.

Kıkırdayıp, "Peki," dedim. Sonra hat sessizleşti ama kapanmadı. Âdeta odamda benimle birlikteymiş gibi hissediyordum ama bir bakıma daha iyiydi; sanki ben odamda, o odasında değilmiş de sadece telefonla ziyaret edilebilen, görünmez ve belli belirsiz bir üçüncü mekândaymışız gibiydi.

"Peki," dedi sonsuzluk kadar uzun gelen bir süre sonra. "Belki *peki* bizim *sonsuza dek*'imiz olur."

"Peki," dedim.

En sonunda kapatan Augustus oldu.

Peter Van Houten, Augustus'un e-mailine dört saat sonra yanıt vermişti ama iki gün sonra bana hâlâ bir yanıt gelmemişti. Augustus bunun sebebinin benim e-mailimin daha iyi olduğuna ve daha dikkatli bir yanıt verilmesini gerektirdiğine, Van Houten'in sorularıma yanıt vermekle meşgul olduğuna ve dâhiyane cümleler yazmanın vakit aldığına dair beni temin etmişti. Ama yine de endişeleniyordum.

Çarşamba günü Aptallar İçin Amerikan Şiiri 101 dersi sırasında Augustus'tan bir mesaj geldi:

Isaac ameliyattan çıktı. İyi geçmiş. Resmen KBY.

KBY "kanser bulgusu yok" anlamına geliyordu. İkinci mesaj birkaç saniye sonra geldi.

Yani kör demeye çalışıyorum. Bu talihsizlik tabii.

O gün öğleden sonra annem arabayı bana vermeye razı oldu, böylece Isaac'i görmeye Memorial'a gidebilecektim.

Beşinci kattaki odasını buldum, kapı açık olmasına rağmen kapıyı tıklattım ve bir kadın sesi, "Girin," dedi. Isaac'in gözlerindeki bandajlara bir şeyler yapan bir hemşireydi. "Selam, Isaac," dedim.

O da, "Mon?" diye sordu.

"Ah, hayır. Pardon. Ben, şey, ben Hazel. Eee, Destek Grubu Hazel. Kırılan Kupalar Gecesi Hazel."

"Ya," dedi. "Herkes duyularımın, görüşümün yerini tutacak kadar gelişeceğini söylüyor ama HENÜZ OLMADIĞI ORTADA. Selam, Destek Grubu Hazel. Buraya gel de ellerimle yüzünü yoklayarak ruhunun derinliklerini, gözleri gören bir insanınkinden daha iyi algılayabileyim."

"Şaka yapıyor," dedi hemşire.

"Evet," dedim. "Fark ettim."

Yatağa doğru yürüdüm. Bir sandalye çekip oturdum ve elini tuttum. "Selam," dedim.

"Selam," dedi o da. Sonra bir süre hiçbir şey söylemedik.

"Nasılsın?" diye sordum.

"İşte," dedi. "Bilmiyorum."

"Neyi bilmiyorsun?" diye sordum. Eline baktım çünkü bandajlı yüzüne bakmak istemiyordum. Isaac tırnaklarını kemirmişti ve tırnak kenarlarındaki etler hafifçe kanamıştı.

"Ziyarete bile gelmedi," dedi. "Yani on dört aydır birlikteyiz, tamam mı. On dört ay çok uzun bir zaman. Tanrım, canım yanıyor." Elimi bırakıp ağrı pompasına uzandı, damarlara narkotik basmak için kullanılan bir aletti.

Bandajı değiştiren hemşire sonunda geri çekildi. "Sadece bir gün oldu, Isaac," dedi hafiften küçümseyerek. "İyileşmek için kendine zaman tanı. Ayrıca her şeyi göz önünde tutarsan on dört ay o kadar da uzun değil. Daha yolun başındasın, hayatım. Bak görürsün."

Hemşire dışarı çıkınca Isaac, "Gitti mi?" diye sordu.

Başımla onayladım, sonra bunu göremeyeceğini fark ettim. "Evet," dedim.

"*Bak görürsün* mü? Cidden mi? Cidden böyle mi dedi?"

"İyi Bir Hemşirede Bulunması Gereken Özellikler. Başla," dedim.

"1. Engellerine dair kelime oyunu yapmaması," dedi Isaac.

"2. İlk seferde kan alabilmesi," dedim.

"Bak o gerçekten önemli. Lanet kolumla mı uğraşıyorsun, dart mı oynuyorsun. 3. Küçümseyici konuşmaması."

"Nasılsın, bitanem?" diye sordum tiksinç bir sesle. "Şimdi sana bi iğne batıracağım. Accıcık canın yanabilir."

"Benim ugucucuğum hasta mı olmuş?" dedi. Sonra devam etti. "Çoğu iyi aslında. Sadece buradan kurtulmak istiyorum, o kadar."

"Buradan derken, hastaneden mi?"

"O da var," dedi. Dudakları gerildi. Acı çektiğini görebiliyordum. "Dürüst olayım, gözümden çok, fena halde Monica'yı düşünüyorum. Manyak mıyım? Manyağım değil mi?"

"Biraz manyaksın," diye kabullendim.

"Ama gerçek aşka inanıyorum, tamam mı. Herkesin gözü olacak ya da kimse hasta olmayacak filan diye bir şey yok ama herkes gerçek aşkı *tatmalı* ve bu, hayatın ne kadar sürüyorsa o kadar sürmeli."

"Evet," dedim.

"Bazen keşke tüm bu olay olmasaydı diyorum. Tüm bu kanser olayı." Daha yavaş konuşmaya başlamıştı. İlaçlar işe yarıyordu.

"Üzgünüm," dedim.

"Daha önce de Gus geldi. Uyandığımda yanımdaydı. Okuldan izin almış. Bana..." Başını hafifçe yana çevirdi. "Daha iyi," dedi kısık sesle.

"Acı mı?" diye sordum. Hafifçe başını salladı.

"İyi," dedim. Sonra tam bir cadı olduğumdan, "Gus hakkında bir şey mi diyecektin?" diye sordum. Ama sızmıştı.

Minik, penceresiz hediye dükkânına indim ve kasanın ardında bir taburede oturan dermansız gönüllüye hangi çiçeklerin daha yoğun koktuğunu sordum.

"Hepsi aynı kokuyor. Üstlerine Super Scent sıkılıyor," dedi.

"Gerçekten mi?"

"Evet, üstlerine püskürtülüyor."

Solundaki dolabı açtım ve bir gül buketini kokladım, sonra da karanfillere doğru eğildim. Aynı kokuyorlardı, hem de buram buram. Karanfiller daha ucuz olduğu için bir düzine sarı karanfil aldım. On dört dolar tuttu. Odaya geri döndüm; annesi yanındaydı, elini tutuyordu. Gençti ve gerçekten güzeldi.

Bana cevaplandırılamaz sorulardan biri gibi gelen, kapsamı gayet geniş bir soru sordu: "Arkadaşı mısın?"

"Şey, evet," dedim. "Destek Grubu'ndayım. Bunları ona getirdim."

Buketi alıp kucağına koydu. "Monica'yı tanıyor muydun?" diye sordu.

Başımı iki yana salladım.

"Isaac şu an uyuyor," dedi.

"Evet. Biraz önce bandajlarını filan yaparlarken azıcık konuşmuştuk."

"O sırada yanından ayrılmak istememiştim ama Graham'ı okuldan almam gerekiyordu," dedi.

"Fena değildi," dedim. Başını salladı. "Bırakayım da uyusun." Tekrar başını salladı. Yanlarından ayrıldım.

Ertesi sabah erkenden uyanıp ilk iş olarak e-mailimi kontrol ettim.

lidewij.vliegenthart@gmail.com sonunda yanıt vermişti.

Bayan Lancaster,

Ne yazık ki boş umutlara bel bağlıyorsunuz ancak umut da genelde böyle bir şeydir zaten. Sorularınıza cevap vermem mümkün değil, en azından yazarak, çünkü böylesi cevaplar *Görkemli Izdırap*'a bir devam niteliği taşır ve siz de bunları yayımlayabilir veya neslinizin beyni yerine geçen iletişim ağında paylaşabilirsiniz. Telefon da bir seçenek fakat konuşmamızı kaydedebilirsiniz. Size güvenmediğimden değil ama size güvenmiyorum. Heyhat, sevgili Hazel, sorularını ancak yüz yüze yanıtlayabilirim ve sen oradayken ben buradayım.

Bunu belirttiğime göre Bayan Vliegenthart aracılığıyla kurduğun beklenmedik irtibatın beni memnun ettiğini itiraf edebilirim. Senin için faydalı bir şey yaptığımı bilmek fevkalade, her ne kadar kitap, bambaşka bir insan tarafından yazılmış gibi hissetmemi sağlayacak kadar geçmişte kalmış olsa da. (O kitabın yazarı çok ince, kırılgan ve nispeten optimistti!)

Fakat olur da Amsterdam'a gelirsen lütfen bana uğra. Genelde evde oluyorum. Alışveriş listelerime bakmana bile izin verebilirim.

Sevgilerimle,

Peter Van Houten

(Lidewij Vliegenthart vasıtasıyla)

"NE?!" diye bağırdım. "BU NASIL HAYAT!?"

Annem içeri koştu. "Ne oldu?"

"*Yok bir şey,*" dedim.

Yine de endişelenen annem eğilip düzgün bir şekilde oksijen verdiğinden emin olmak için Philip'i kontrol etti. Peter Van Houten'le güneşli bir kafede oturduğumuzu, masaya dayadığı dirseklerinin üstünde bana doğru eğilip yıllardır düşündüğüm karakterlerin başından neler geçtiğine dair gerçekleri başka kimse duymasın diye yumuşacık bir sesle söylediğini hayal ettim. Sorularımı *ancak yüz yüze* yanıtlayabileceğini söylemiş, ardından da *beni Amsterdam'a davet etmişti.* Bunu anneme söyledim ve "Gitmem gerek," dedim.

"Hazel, seni seviyorum ve senin için her şeyi yapacağımı biliyorsun ama bizim... bizim uluslararası yolculuk yapacak kadar paramız yok ve tüm aletleri oraya taşıma masrafı... Canım, bu pek..."

"Evet," dedim araya girerek. Böyle bir şey düşünmekle bile aptallık yaptığımı fark etmiştim. "Kafana takma." Ama endişeli görünüyordu.

"Senin için gerçekten önemli, değil mi?" diye sordu tek eli bacağımın üstünde otururken.

"Onun haricinde neler olduğunu bilen tek insan olmak harika olurdu," dedim.

"Harika olurdu," dedi. "Babanla konuşacağım."

"Hayır, konuşma," dedim. "Ciddiyim, lütfen buna para harcamayın. Başka bir şey düşünürüm."

Annem ile babamın parasının olmamasının sebebinin ben olduğum kafama dank etti. Palanksifor masraflarıyla aile birikimlerini kurutmuştum ve annem çalışamıyordu çünkü tam zamanlı Tepemde Dikilme mesleği edinmişti. Onları daha da büyük bir borca sokmak istemiyordum.

Augustus'u aramak istediğimi söyledim çünkü onu odadan çıkarmak istiyordum; hüzün dolu "kızımın hayallerini gerçekleştiremiyorum" ifadesine dayanamıyordum.

Merhaba demek yerine Augustus Waters stiliyle mektubu okudum.

"Vay canına," dedi.

"Aynen," dedim. "Amsterdam'a nasıl gidebilirim ki?"

"Dilek hakkın var mı?" diye sordu, hasta çocuklara tek bir dilek hakkı veren Dilek Cini Vakfı denen organizasyonu kastederek.

"Hayır," dedim. "Dileğimi Mucize Öncesi'nde kullandım."

"Ne yaptın?"

İç geçirdim. "On üç yaşındaydım," dedim.

"Disney deme sakın," dedi.

Karşılık vermedim.

"Disney World'e gittim deme."

Karşılık vermedim.

"Hazel GRACE!" diye bağırdı. "Tek dilek hakkını ailenle Disney World'e gitmek için kullandığını *sakın* söyleme!"

"Bir de Epcot Center[3] vardı," diye mırıldandım.

"Aman Tanrım," dedi Augustus. "Bu kadar klişe dilekleri olan bir kıza âşık olduğuma inanamıyorum."

"*On üç* yaşındaydım," dedim tekrar ama tabii ki tek düşünebildiğim *âşık âşık âşık âşık âşık* oldu. Gururum okşanmıştı ama konuyu hemen değiştirdim. "Okulda filan olman gerekmiyor mu senin?"

"Isaac'le takılabilmek için okulu astım ama uyuduğu için avluda geometri çalışıyorum."

"Nasıl oldu?" diye sordum.

"Engelinin ciddiyetiyle yüzleşmeye mi hazır değil yoksa Monica'nın kendisini terk etmesine gerçekten daha mı fazla kafayı takıyor anlayamıyorum ama başka konuda konuşmuyor."

"Peki," dedim. "Hastanede daha ne kadar kalacak?"

"Birkaç gün. Sonra rehabilitasyona mı ne başlayacakmış ama sanırım evde uyuyabilecek."

"Fena," dedim.

"Annesini gördüm. Kaçmam lazım."

"Peki," dedim.

"Peki," dedi. Yamuk gülümsemesini âdeta görebiliyordum.

Cumartesi günü bizimkilerle birlikte Broad Ripple Kasabası'ndaki pazara gittik. Güneşli bir gündü, Indiana için nisan ayında

3 Disney World'ün teknoloji ve uzay konularına odaklanan tema parkı. (ç.n.)

nadir görülen bir durumdu ve hava sıcaklığı gerekçe olarak gösterilebilecek kadar yüksek olmamasına rağmen pazarda herkes kısa kollu giymişti. Indianalılar olarak yaza dair aşırı derecede iyimserdik. Annemle tulum giymiş bir keçi sabuncusunun karşısındaki bankta oturuyorduk; adam gelip geçen herkese tek tek, evet, bunlar benim keçilerimden, hayır, keçi sabunu keçi gibi kokmuyor gibi açıklamalar yapmak zorunda kalıyordu.

Telefonum çaldı. "Kim?" diye sordu annem, ben telefona bakamadan.

"Bilmiyorum," dedim. Arayan Gus'tı gerçi.

"Şu an evde misin?" diye sordu.

"Şey, hayır," dedim.

"Tuzak soruydu. Yanıtını biliyordum çünkü şu an ben senin evindeyim."

"Ya. Şey. Sanırım biz de yavaştan döneceğiz."

"Harika. Görüşürüz."

Garaj yoluna girdiğimizde Augustus Waters ön basamaklarda oturuyordu. Parlak turuncu renkte bir lale buketi tutuyordu ve polar ceketinin içinde Indiana Pacers kazağı vardı, hiç uyumlu bir giysi seçimi değildi fakat onun üstünde iyi duruyordu. Sundurmadan destek alarak ayağa kalktı, laleleri bana verdi ve "Piknik yapalım mı?" diye sordu. Çiçekleri aldıktan sonra başımla onayladım.

Babam arkamdan gelip Gus'ın elini sıktı.

"Rik Smits[4] kazağı mı o?" diye sordu babam.

"Evet, öyle."

Babamın, "Ah, o adama bayılıyordum," demesiyle katılmamın mümkün olmadığı (ve katılmak istemediğim) bir basketbol sohbetine daldılar, ben de lalelerimi içeri götürdüm.

"Çiçeklerini vazoya koyalım mı?" diye sordu annem yüzünde kocaman bir gülümsemeyle.

"Yo, gerek yok," dedim. Eğer vazoya koyup salona götürürsem o zaman çiçekler herkesin olacaktı. Onların benim olmasını istiyordum.

Odama gittim ama üstümü değiştirmedim. Saçımı taradım, dişlerimi fırçaladım ve ruj sürüp azıcık parfüm sıktım. Çiçeklere bakıp duruyordum. *Saldırgan* bir turunculukları vardı, neredeyse güzel olamayacak kadar turuncuydular. Vazom filan yoktu, o yüzden diş fırçamı fırçalıktan çıkardım, yarısına kadar su koydum ve onları banyoda bıraktım.

Odama girdiğimde birilerinin konuştuğunu duydum, bu yüzden yatağın kenarına oturup yatak odamın ince duvarından konuşmaları dinledim:

Babam: "Demek Hazel'la Destek Grubu'nda tanıştınız."

Augustus: "Evet. Eviniz çok güzelmiş. Resimleri çok beğendim."

Annem: "Teşekkürler, Augustus."

Babam: "Sen de kanserle savaşanlardansın, değil mi?"

4 Eski bir Hollandalı basketbolcu. (ç.n.)

Augustus: "Evet. Bu ufaklığı katıksız bir keyif verecek diye kestirtmedim, gerçi mükemmel bir kilo verme yöntemi. Bacaklar ağır çekiyor."

Babam: "Peki şimdi durumun nasıl?"

Augustus: "On dört aydır KBY."

Annem: "Bu harika bir şey. Bugünlerde tedavi yöntemleri inanılmaz gerçekten."

Augustus: "Öyle. Ben de şanslıyım."

Babam: "Hazel'ın hâlâ hasta olduğunu unutma, Augustus. Hayatının sonuna kadar da öyle kalacak. Sana ayak uydurmak isteyecektir ama ciğerleri..."

Tam o noktada onu susturarak içeri girdim.

"Peki, nereye gidiyorsunuz?" diye sordu annem. Augustus ayağa kalktı, ona doğru eğilip fısıldadı ve bir parmağını dudağına götürüp, "Şişşt," dedi. "Bu bir sır."

Annem gülümsedi. "Telefonun yanında mı?" diye sordu bana. Kanıtlarcasına telefonu havaya kaldırdım, oksijen tüpümün çekçeğini peşime taktım ve yürümeye başladım. Augustus hızla yanıma gelip kolunu uzatınca koluna girdim. Parmaklarım kol kasını sarıyordu.

Ne yazık ki arabayı kendisinin kullanması konusunda ısrar etti, böylece sürprizin sürprizliği bozulmayacaktı. Gideceğimiz yere doğru silkelenirken, "Annemin aklını başından aldın," dedim.

"Ayrıca baban da Smits hayranı, o da işe yaradı. Sence beni sevdiler mi?"

"Kesinlikle. Gerçi ne fark eder ki. Onlar annem ile babam, o kadar."

"Ama *senin* annen ile baban," dedi bana bakarak. "Hem sevilmek hoşuma gidiyor. Saçma mı?"

"Benim senden hoşlanmam için kapıları açmak üzere koşuşturman veya beni iltifata boğman gerekmiyor." Frenlere asılınca nefesim daralacak ve tuhaf hissettirecek kadar kuvvetli bir şekilde öne yapıştım. PET taraması aklıma geldi. *Endişelenme. Endişe gereksiz.* Yine de endişelendim.

Patinaj yapıp Grandview[5] Yolu'na sapmadan önceki DUR tabelasının yanından gürültüyle uzaklaştık (Grandview bir golf sahasına bakıyordu ama manzarada pek *muhteşem* bir şey yoktu). Bu yönde aklıma gelen tek şey mezarlıktı. Augustus konsola uzanıp içi dolu sigara paketini açarak içinden tek bir sigara çıkardı.

"Paketleri hiç atıyor musun?" diye sordum.

"Sigara içmemenin pek çok yararından biri de sigara paketlerinin *sonsuza dek* bitmemesi," diye cevap verdi. "Bu neredeyse bir yıldır bende. Birkaçı filtrelerinden kırıldı ama bu paket beni on sekizinci doğum günüme kadar götürür." Filtreyi parmaklarının arasında tuttu, sonra ağzına götürdü. "Eh, peki," dedi ardından. "Bana Indianapolis'te hiçbir zaman göremeyeceğin bir şeyler söyle."

"Şey. Sıska yetişkinler," dedim.

Güldü. "Tamam. Başka."

---

5 (İng.) Muhteşem manzara. (ç.n.)

"Hımm, kumsal. Aile restoranları. Coğrafi yapı."

"Bunların hepsi eksikliğini çektiğimiz mükemmel örnekler. Ayrıca kültür."

"Evet, kültür eksikliğimiz var," dedim sonunda beni nereye götürdüğünü anlayarak. "Müzeye mi gidiyoruz?"

"Bir bakıma."

"Ah, şu park mı ne, oraya mı gidiyoruz?"

Gus'ın omuzları çökmüş gibiydi. "Evet, şu park mı ne oraya gidiyoruz," dedi. "Anladın değil mi?"

"Neyi anladım?"

"Yok bir şey."

Müzenin arkasında heykeltıraşların büyük heykeller yaptığı bir park vardı. Hep duymuş ama hiç gitmemiştim. Müzenin yanından geçtik, seken bir topun ardında bırakacağı kavisli izleri betimleyen, mavi ve kırmızı devasa çelik yaylardan yapılmış bir heykelin olduğu meydanın yanına park ettik.

Indianapolis'te tepe diye adlandırılan bir yükseltiden, çocukların yerde uzunlamasına duran, devasa boyutlardaki bir iskelet heykeline tırmandığı açıklık alana doğru indik. Kemiklerin her biri bele kadar geliyordu ve uyluk kemiği benden uzundu. Daha çok bir çocuğun iskelet çizimine benziyordu.

Omzum ağrıyordu. Kanserin ciğerlerimden sıçramış olmasından endişeleniyordum. Tümörün metastaz yapıp kemiklerime sıçradığını, sinsi amaçlarla kıvrılarak ilerleyen bir yılanbalığı gibi iskeletimde delikler açtığını hayal ettim. "*Funky Bones,*" dedi Augustus. "Joep Van Lieshout'un eseri."

"Hollandalı sanırım."

"Öyle," dedi Gus. "Rik Smits de öyle. Laleler de." Gus açıklık alanın ortasında, kemiklere gelmeden önce durdu, omzundan çantasını aldı. Fermuarını açıp içinden turuncu bir battaniye, bir litre portakal suyu ve streç filmle kaplı, kabukları kesilmiş birkaç sandviç çıkardı.

"Tüm bu turuncu olayı ne?" diye sordum, tüm bunların Amsterdam'a varacağını düşünmemeye çalışarak.

"Hollanda'nın ulusal rengi tabii ki. Oranje Prensi Willem'i filan hatırlıyor musun?"

"GED'de çıkmamıştı." Heyecanlanmamaya çalışarak gülümsedim.

"Sandviç ister misin?" diye sordu.

"Dur tahmin edeyim," dedim.

"Hollanda peyniri. Ve domates. Ama domatesler Meksika'dan geliyor. Kusura bakma."

"Tam bir *hayal kırıklığısın,* Augustus. En azından turuncu domates bulamaz mıydın yani?"

Güldü. Heykelin üstünde oynayan çocukları seyrederek sessizce sandviçlerimizi yedik. Ona kalkıp bunu soramazdım tabii ki, o yüzden Hollandalılıkla çevrelenmiş bir şekilde, tuhaf ve umut dolu hislerle oturdum.

Gürültücü çocuklar, şehrimizde nadiren bulunan o değerli, pırıl pırıl güneş ışığının altında ve iskeletin tepesinde, yapay kemiklerin arasında bir o yana bir bu yana sıçrayarak oyun oynuyordu.

"Bu heykeli sevmemin iki sebebi var," dedi Augustus. Parmaklarının arasında yakmadığı sigarayı tutuyordu, külü silkermiş gibi yaptıktan sonra tekrar ağzına koydu. "İlk olarak, kemiklerin aralığı öyle ayarlanmış ki çocuksan birinden ötekine atlama *güdüsüne karşı koyamıyorsun.* Yani sanki göğüs kafesinden kafatasına atlaman *gerekiyormuş* gibi ki bu da ikinci olarak heykel aslında çocukları *kemiklerin üstünde oynamaya zorluyor* demek. Sembolik yankılar sonsuz, Hazel Grace."

"Sembolleri çok seviyorsun," dedim konuyu pikniğimizdeki Hollanda sembollerine getirmeyi umarak.

"Evet, hazır konu açılmışken... muhtemelen neden kötü bir peynirli sandviç yediğini ve portakal suyu içtiğini ve zaman içinde nefret edegeldiğim bir spor yapmış olan bir Hollandalının kazağını giydiğimi merak ediyorsundur."

"Aklımdan geçmişti, evet," dedim.

"Hazel Grace, senden önceki pek çok çocuk gibi –ve bunu büyük bir sevgiyle dile getiriyorum– dileğini alelacele ve sonuçlarını hiç umursamadan harcamışsın. Ölüm Meleği gözlerinin içine bakıyormuş ve yerine getirilmemiş dileğin henüz cebindeyken ölmekten korkman, aklına gelen ilk dileğe sarılmana sebep olmuş ve sen de tıpkı pek çok insan gibi tema parkının soğuk ve suni zevklerini seçmişsin."

"Aslında o gezide çok güzel vakit geçirmiştim. Goofy ve Minnie'yle tanış..."

"Burada bir tiradın ortasındayım! Bunu yazıp ezberledim ve araya girersen her şeyi batıracağım," diye çıkıştı Augustus. "Lütfen sandvicini ye ve dinlemeye devam et." (Sandviç inanılmaz kuruydu ama yine de gülümseyip bir ısırık aldım.) "Peki, nerede kalmıştım?"

"Suni zevklerde."

Sigarayı tekrar pakete koydu. "Evet, tema parkının soğuk ve suni zevkleri. Ama Dilek Gerçekleştirme Fabrikası'nın gerçek kahramanlarının Godot'yu bekleyen Vladimir ve Estragon gibi gençler ve evlenmeyi bekleyen iyi Hristiyan kızlar gibi olduğunu söylemem gerek. Bu genç kahramanlar tek gerçek dileklerinin çıkagelmesini sabırla ve hiç söylenmeden bekleyenlerdir. Elbette bu dilek hiçbir zaman karşılarına çıkmayabilir ama en azından, bir fikir olarak dileğin saflığını korumak için üstlerine düşeni yaptıklarını bilmenin getirdiği huzurla mezarlarında yatacaklardır.

"Ancak öte yandan belki bu dilek gerçekten de çıkagelir. Belki tek gerçek dileğinin Amsterdam'da sürgün hayatı yaşayan dâhi Peter Van Houten'i ziyaret etmek olduğunun farkına varmışsındır ve dileğini sakladığına çok sevinirsin."

Augustus konuşmaya bir süre ara verince tiradın sona erdiğini anladım. "Ama dileğimi saklamamıştım ki," dedim.

"İşte," dedi. Üstünde çalışılmış bir duraksama olduğunu düşündüğüm aradan sonra, "Ama ben kendiminkini sakladım," dedi.

"Gerçekten mi?" Augustus okula devam ettiği ve bir yıldır remisyon döneminde olduğu için dilek hakkı kazanabilmiş olması beni şaşırtmıştı. Dilek cinlerinin size dilek hakkı vermesi için bayağı hasta olmak gerekiyordu.

"Bacağım karşılığında almıştım," diye açıkladı. Yüzüne o kadar çok ışık vuruyordu ki bana bakmak için gözlerini kısması gerekiyordu, bu da burnunun sevimli bir şekilde kırışmasına sebep oluyordu. "Sana kendi dileğimi verecek filan değilim. Ama ben de Peter Van Houten'le tanışmak istiyorum ve beni kitabıyla tanıştıran kız olmadan, onunla tanışmak mantıklı değil."

"Kesinlikle değil," dedim.

"Bu yüzden Cinler'le konuştum ve hepsi kabul etti. Mayıs başında Amsterdam'ın çok güzel olduğunu söylediler. 3 Mayıs'ta gidip 7 Mayıs'ta dönmemizi önerdiler."

"Augustus, ciddi misin?"

Elini uzatıp yanağıma dokundu, bir an beni öpeceğini sandım. Tüm vücudum gerildi, o da bunu fark etmiş olacak ki elini çekti.

"Augustus," dedim. "Bunu yapmana gerek yok."

"Tabii ki yapacağım," dedi. "Dileğimin ne olduğunu buldum."

"Tanrım, sen harikasın," dedim.

"Eminim bunu uluslararası seyahat etmeni finanse eden tüm erkeklere söylüyorsundur," diye karşılık verdi.

ALTINCI BÖLÜM

Eve döndüğümde annem bir yandan televizyonda *The View* adlı bir program izliyor, bir yandan da çamaşırları katlıyordu. Ona lalelerin, Hollandalı sanatçının ve diğer her şeyin sebebinin Augustus'un beni Amsterdam'a götürmek için dileğini kullanması olduğunu söyledim. "Bu çok büyük bir şey," dedi başını sallayarak. "Bir yabancıdan böyle bir şeyi kabul edemeyiz."

"O yabancı değil ki. En iyi ikinci arkadaşım."

"Kaitlyn'den sonra mı?"

"Senden sonra," dedim. Bu gerçekti ama söylememin asıl sebebi Amsterdam'a gitmek istememdi.

"Doktor Maria'ya sorarım," dedi bir süre sonra.

Doktorum Maria Amsterdam'a durumuma aşina bir yetişkin olmadan gidemeyeceğimi söyledi ki bu kişi de annem ya da

Maria anlamına geliyordu. (Babam kanserimi tıpkı benim gibi algılıyordu: noksan ve bulanık bir şekilde; tıpkı insanların elektronik devreleri ve okyanus akıntılarını algılaması gibi. Ama annem ergenlerde differansiye tiroit karsinomunu çoğu onkologdan daha iyi biliyordu.)

"Yani geleceksin," dedim. "Cinler parasını verir. Cinler fena zengin."

"Ama ya baban," dedi annem. "Bizi özler. Bu onun için hiç de adil bir şey değil, ayrıca işten izin de alamaz."

"Şaka mı yapıyorsun? Babam birkaç günlüğüne, model olmaya çalışan kadınlardan bahsetmeyen televizyon programları izleyip her akşam pizza sipariş etmeyi, bulaşık çıkmasın diye kâğıt havluları tabak niyetine kullanmayı istemez mi sanıyorsun?"

Annem güldü. En sonunda heyecanlanmaya başlamıştı, telefonuna yapılması gereken işleri not alıyordu: Gus'ın annesi ile babasını araması gerekiyordu ve Cinler'le tıbbi ihtiyaçlarımı konuşacaktı ve otel ayarlamışlar mıydı ve en iyi gezi rehberleri hangileriydi ve sadece üç günümüz varsa araştırmaya başlamamız lazımdı filan falan. Biraz başım ağrıyor gibiydi bu yüzden iki tane Advil alıp uyuklamaya karar verdim.

Ama yatağa uzandığımda kendimi Augustus'la yaptığım pikniği tekrar tekrar düşünürken buldum. Bana dokunduğu sırada gerildiğim o kısacık anı düşünmeden yapamıyordum. O nazik yakınlık nedense yanlışmış gibi geliyordu. Belki de bu her şeyin en ince ayrıntısına kadar planlanmış olmasıyla ilgiliydi: Augustus harika birisi olabilirdi ama piknikte her şey abartıya kaçmıştı; metaforik yankılara sahip ama tatları korkunç olan sandviçlerden, konuşmayı engelleyen ezberlenmiş tirada kadar. Her şey çok Romantik'ti ama romantik değildi.

Gerçek şu ki beni öpmesini hiç istememiştim, yani bu tip şeylerin istendiği şekilde istememiştim. Aslında Augustus göz kamaştırıcıydı. Çekimine kapılıyordum. Ortaokuldan kalma bir deyişle söyleyecek olursam onu *o şekilde* düşünüyordum. Ama dokunuşun kendisi, gerçek temas... tamamen yanlıştı.

Ardından Amsterdam'a gitmek için onunla sevişmem gerekeceğini düşünerek endişelenmeye başladım ki böyle bir şeyi düşünmek de hoş değildi çünkü (a) onu öpmek isteyip istemediğim *söz konusu* bile olmamalıydı ve (b) bedavaya gezebilmek için birisini öpmek fuhuşla çok tehlikeli bir benzerlik gösteriyordu ve kendimi pek iyi bir insan olarak görmesem de ilk cinsel deneyimimin fuhşiyat kapsamında olacağını hiç düşünmemiştim.

Ama öte yandan Augustus beni öpmeye çalışmamıştı; sadece yüzüme dokunmuştu ki bu *cinsel* bile sayılmazdı. Tahrik etmek amacıyla tasarlanmış bir eylem değildi ama tasarlanmış bir eylem olduğu kesindi çünkü Augustus Waters doğaçlama yapacak türde bir insan değildi. Öyleyse ne anlatmaya çalışıyordu? Ve ben neden bunu kabul etmek istememiştim?

Bir noktadan sonra tüm bu olaya Kaitlynvari yaklaştığımı fark edince tavsiye almak için Kaitlyn'e mesaj atmaya karar verdim. Anında aradı.

"Bir oğlan meselem var," dedim.

"MÜKEMMEL," diye karşılık verdi Kaitlyn. Ona tüm olayı, garip surata dokunma kısmıyla birlikte anlattım ama Amsterdam'ı ve Augustus'un ismini dile getirmedim. "Gerçekten yakışıklı mı?" diye sordu ben bitirdikten sonra.

"Kesinlikle," dedim.

"Atletik mi?"

"Evet, North Central'da basket oynamış."

"Vay canına. Nasıl tanıştınız?"

"Şu korkunç Destek Grubu'nda."

"Hımm," dedi Kaitlyn. "Tamamen meraktan soruyorum ama bu çocuğun kaç bacağı var?"

"1,25 filan," dedim gülümseyerek. Basketbol oyuncuları Indiana'da oldukça ünlü oluyordu ve Kaitlyn, North Central'a gitmiyor olsa bile sosyal çevresinin sınırı yoktu.

"Augustus Waters," dedi.

"Hımm, olabilir."

"Aman Tanrım. Onu partilerde görüyordum. O çocuğa neler yaparım bir bilsen. Yani tabii sen ilgilendiğine göre artık yapmam ama Tanrım, o tek bacaklı ata sabaha kadar binebilirim."

"Kaitlyn," dedim.

"Pardon. Acaba hep senin mi üstte olman gerekir?"

"Kaitlyn."

"Ne diyorduk? Hah, sen ve Augustus Waters. Acaba... lezbiyen olabilir misin?"

"Sanmıyorum ama? Yani ondan gerçekten hoşlanıyorum."

"Elleri mi çirkin? Bazen güzel insanların elleri çirkin oluyor."

"Hayır, elleri gayet güzel."

"Hımm," dedi.

"Hımm," dedim.

Bir saniye sonra Kaitlyn tekrar konuşmaya başladı. "Derek'i hatırlıyor musun? Geçen hafta beni terk etti çünkü derinlerde bir yerde bizimle ilgili temel bir uyumsuzluk olduğuna karar vermiş ve bu işe devam edersek sadece daha fazla acı çekebilirmişiz. Buna *önleyici ayrılık* dedi. Belki de temel bir uyumsuzluk olduğuna dair bir önsezin var ve önleyiciliği önlüyorsun."

"Hımm," dedim.

"Sesli düşünüyorum, o kadar."

"Derek olayına üzüldüm."

"Ah, atlattım bile hayatım. Atlatmam bir paket Girl Scout naneli çikolatalı kurabiye ve kırk dakika aldı."

Güldüm. "Teşekkürler, Kaitlyn."

"Olur da sevişirseniz tüm şehvetli detayları istiyorum."

"Elbette," dedim, Kaitlyn öpücük sesi çıkardı, "Görüşürüz," dedim, telefonu kapattı.

Kaitlyn'i dinlerken Augustus'u inciteceğime dair bir önsezim olmadığını fark etmiştim. Daha çok bir "arkasezim" vardı.

Dizüstü bilgisayarımı çıkarıp Caroline Mathers'a baktım. Fiziksel benzerlikler çarpıcıydı: aynı steroit kaynaklı yuvarlak surat, aynı burun, neredeyse aynı beden yapısı. Ama onun gözleri koyu kahverengiydi (benimkiler yeşildi) ve teni daha koyuydu, İtalyan filan gibiydi.

Binlerce insan -kelimenin gerçek anlamıyla binlerce- taziye mesajı yazmıştı. Onu özleyenlerden oluşan liste sonsuzdu, o kadar çoklardı ki duvarına yazılan *öldüğün için üzgünüm* mesajlarından *senin için dua ediyorum* mesajlarına geçebilmem bir saat sürmüştü. Bir yıl önce beyin kanserinden ölmüştü. Bazı fotoğrafları açık olduğu için bakabiliyordum. Eski fotoğrafların birçoğunda Augustus da vardı: saçları dökülmüş kafatasındaki yara izini gösterip başparmağıyla onaylarken; Memorial'ın bahçesinde kol kola, sırtları fotoğraf makinesine dönükken; Caroline makineyi tuttuğu sırada sadece burunları ve kapalı gözleri görülecek şekilde öpüşürken.

En son fotoğrafları hep önceye, sağlıklı olduğu zamana aitti, arkadaşları tarafından ölümünden sonra yüklenmişti: geniş kalçalı ve biçimli, yüzüne düşen uzun ve dümdüz, kuzguni saçları olan güzel bir kız. Sağlıklı halim onun sağlıklı haline hiç benzemiyordu. Ama kanserli hallerimiz kardeş olabilirdi. Augustus'un beni ilk gördüğünde gözünü dikip öylece bakması gayet doğaldı.

İki ay önce, ölümünden dokuz ay sonra arkadaşlarından birinin yazdığı duvar yazısına dönüp duruyordum. *Seni çok özlüyoruz. Hiç bitmiyor. Senin savaşında sanki hepimiz yaralanmışız gibi, Caroline. Seni özlüyorum. Seni seviyorum.*

Bir süre sonra annem ile babam akşam yemeği vaktinin geldiğini söyledi. Bilgisayarı kapatıp kalktım ama o yazıyı aklımdan çıkaramıyordum ve nedense beni kaygılandırıyor ve iştahımı kapatıyordu.

Acıyan omzumu düşünüp duruyordum, ayrıca başım hâlâ ağrıyordu ama beyin kanserinden ölen bir kızı düşünüp durduğum için ağrıyor da olabilirdi. Kendime her şeyi bölümlere ayırmam gerektiğini söyleyip durdum: şu anda üstünde yumuşak brokolilerin ve dünyadaki tüm ketçapların ıslatamayacağı kadar sert bir fasulyeli burgerin durduğu –çapı üç kişi için oldukça büyük, iki kişi için gerçekten büyük olan– yuvarlak masada olmam gerekiyordu. Beynimde veya omzumda metastaz hayal etmemin, içimde olup biten ve gözle görülmeyen gerçekleri değiştirmeyeceğini ve bu yüzden böyle düşüncelerin, içinde bu tip anlar bulunan sonlu kümelerden oluşan bir hayatta, boşa geçen anlar olduğunu söyleyip durdum. Hatta bugün hayatımı en iyi şekilde yaşayacağımı bile söyledim.

Çok uzun bir süre bir yabancının internette başka (ve ölmüş) bir yabancıya yazdığı yazının neden bu kadar canımı sıktığını ve beynimde bir şeyler olmasından endişelenmeme sebep olduğunu anlayamadım. Gerçekten canım yanıyordu fakat yılların getirdiği deneyimle acının kör ve spesifik olmayan bir teşhis yöntemi olduğunu biliyordum.

O gün Papua Yeni Gine'de deprem olmadığı için annem ile babam fazlasıyla bana odaklanmıştı ve bu endişe selini saklamam mümkün olmuyordu.

"Her şey yolunda mı?" diye sordu annem, ben yemek yerken.

"Hı hı." Burgerden bir ısırık daha aldım. Yuttum. Beyni panikle boğulmayan normal birisinin söyleyebileceği bir şeyler söylemeye çalıştım. "Bu burgerlerde brokoli mi var?"

"Biraz," dedi babam. "Amsterdam konusu gerçekten heyecan verici."

"Evet," dedim. *Yaralanmış* kelimesini düşünmemeye çalışıyordum ama bu da bir çeşit düşünme sayılırdı.

"Hazel," dedi annem. "Şu an aklın nerede?"

"Düşünüyorum," dedim.

"Abayı yakmış," dedi babam gülümseyerek.

"Gus Waters'a veya başka birine âşık değilim," diye çıkıştım biraz abartılı bir şekilde. *Yaralanmış*. Sanki Caroline Mathers bir bombaymış da patladığında etrafındaki herkeste şarapnel parçaları kalmış gibi.

Babam okul konusunda bir şeyler yapıp yapmadığımı sordu. "Çok ileri seviye bir matematik ödevim var," dedim. "O kadar ileri seviyede ki sıradan birisine anlatmam mümkün değil."

"Peki arkadaşın Isaac nasıl?"

"Kör," dedim.

"Bugün çok ergen gibi davranıyorsun," dedi annem. Rahatsız olduğu ortadaydı.

"İstediğin bu değil miydi anne? Ergen gibi davranmam."

"Tam olarak *böyle* bir ergen olmanı kastetmemiştim ama baban da ben de genç bir kadın olduğunu, arkadaş edinip randevulaştığını gördüğümüze memnunuz."

"Randevulaşmıyorum," dedim. "Kimseyle randevulaşmak da istemiyorum. Bu korkunç bir fikir ve hem vakit kaybı hem de..."

"Tatlım," dedi annem. "Neyin var?"

"Şey gibiyim. Şey işte. *El bombası* gibi. Tıpkı bir el bombası gibiyim ve eninde sonunda patlayacağım ve yaralananların sayısını en aza indirgemek istiyorum, tamam mı?"

Babam azarlanmış bir köpek gibi başını eğdi.

"El bombası gibiyim," dedim tekrar. "İnsanlardan uzak durmak, kitap okumak ve düşünmek ve sizinle takılmak istiyorum çünkü sizi incitmem konusunda yapabileceğim hiçbir şey yok çünkü çok yakınımdasınız ve bırakın da bu dediklerimi yapayım, tamam mı? Depresyonda değilim. Daha çok dışarıya çıkmam filan gerekmiyor. Ve sıradan bir genç olamam çünkü bir el bombasıyım."

"Hazel," dedi babam ama ardından tıkanıp kaldı. Babam gerçekten çok ağlıyordu.

"Odama gidip biraz bir şeyler okuyacağım, tamam mı? Ben iyiyim. Gerçekten iyiyim, sadece gidip biraz bir şeyler okumak istiyorum."

Ödev olarak verilen romanı okumaya başladım ama feci şekilde ince duvarları olan bir evde oturduğumuz için fısıltıyla konuşulanların çoğunu duyabiliyordum. Babam, "Bu beni öldürüyor," diyordu ve annem, "Bu tam da duymak istemeyeceği şey," diyordu ve babam, "Kusura bakma ama..." derken annem, "Minnettar değil misin?" diyordu. Babam, "Tanrım, tabii ki minnettarım," diye cevap veriyordu. Hikâyeye odaklanmaya çalışıyordum ama onları duymadan edemiyordum.

Bu yüzden müzik dinlemek için bilgisayarımı açtım ve arka planda Augustus'un en sevdiği grup The Hectic Glow'la, Caroline Mathers'a adanmış sayfalara döndüm; verdiği savaşın ne kadar muzafferane olduğunu, ne kadar çok özlendiğini, şimdi nasıl daha iyi bir yerde olduğunu, anılarında nasıl *sonsuza dek* yaşayacağını ve onu tanıyan herkesin -herkesin- Caroline'ın aralarından ayrılmasına nasıl üzüldüğünü okudum.

Augustus'la beraber olduğu için Caroline Mathers'tan nefret etmem filan gerekiyordu belki ama etmiyordum. Tüm bu övgülerin arasında onu net bir şekilde göremiyordum fakat nefret edilecek çok şey varmış gibi görünmüyordu. Benim gibi genel olarak bir profesyonel hastaydı ve bu da ben öldüğümde insanların hakkımda, sanki yaptığım tek şey Kanser Sahibi Olmak'mış gibi, muzafferce savaştığımdan başka söyleyecek şeyi olmayacağından endişelenmeme sebep oluyordu.

Her neyse, en sonunda Caroline Mathers'ın kısa notlarını okumaya başladım, bunlar aslında annesi ile babası tarafından yazılmıştı çünkü ondaki beyin kanseri sizi cansız yapmadan önce sizi sizlikten çıkaran türden bir kanserdi.

Yazılanlardan biri şöyleydi: *Caroline'ın davranış problemleri devam ediyor. Konuşamadığı için öfkeli ve üzülüyor (biz de üzülüyoruz tabii ama öfkemizle sosyal açıdan kabul gören şekillerde başa çıkabiliyoruz). Gus, Caroline'a HULK EZER demeye başladı, doktorlar da buna ayak uydurdu. Bu durum hiçbirimiz için kolay değil ama olabildiğince neşeli bir tavır takınmaya çalışıyoruz işte. Perşembe günü eve dönmeyi umuyoruz. Haber vereceğiz...*

Perşembe günü eve dönemediğini söylemeye gerek yoktu.

Bana dokunduğu zaman gerilmem tabii ki doğaldı. Onunla birlikte olmam onu incitmem anlamına geliyordu... eninde sonunda. Bana uzandığı sırada bunu hissetmiştim: Ona karşı bir şiddet eyleminde bulunuyormuşum gibi hissetmiştim çünkü gerçekten böyle bir eylemde bulunuyordum.

Ona mesaj atmaya karar verdim. Uzun uzun konuşmak istemiyordum.

> Selam, bunu anlar mısın bilmiyorum ama seni öpmem filan mümkün değil. Hani bunu istersin diye demiyorum ama yapamam işte.
>
> Sana o şekilde bakmaya çalıştığımda tek görebildiğim sana yaşatacağım şeyler. Belki bu sana bir şey ifade etmiyordur.
>
> Her neyse, özür dilerim.

Birkaç dakika sonra cevap verdi.

> Peki.

Ben de karşılık verdim.

> Peki.

O da yanıt verdi.

Tanrım, benimle flörtleşmekten vazgeç!

Ben de sadece, Peki, yazdım.

Birkaç saniye sonra telefonum titredi.

Şaka yapıyordum, Hazel Grace. Anlıyorum. (Ama peki kelimesinin çok cilveli olduğunu ikimiz de biliyoruz. Peki ŞEHVET DOLU bir kelime.)

Tekrar *Peki* yazmamak için kendimi zor tutuyordum ama cenazeme geldiğini gözümde canlandırmam doğru düzgün cevap yazabilmeme yaradı.

Özür dilerim.

Kulaklıkla müzik dinleyerek uyumaya çalıştım ama bir süre sonra annem ile babam içeri girdi, annem raftan aldığı Mavicik'e sarıldı ve babam sandalyeme oturup ağlamadan konuşmaya başladı: "El bombası filan değilsin, bizim için değilsin. Öldüğünü düşünmek bizi üzüyor, Hazel ama sen el bombası değilsin. Harika bir insansın. Bunu bilmen mümkün değil, bir tanem çünkü korkunç televizyon programlarına ilgi duyan, zeki bir genç okur haline gelecek bir bebeğin olmadı ama bize hissettirdiğin mutluluk, hastalığın yüzünden hissettiğimiz üzüntüden çok daha büyük."

"Peki," dedim.

"Ciddiyim," dedi babam. "Sana bu konuda zırvalamam. Eğer kaldırabileceğimizden daha büyük bir sorun olsaydın seni sokağa atardık."

"Duygusal insanlar değiliz," diye ekledi annem buz gibi bir ses tonuyla. "Pijamana bir not iliştirip bir yetimhanenin önüne bırakıverirdik."

Güldüm.

"Destek Grubu'na gitmek zorunda değilsin," diye ekledi annem. "Hiçbir şey yapmak zorunda değilsin. Ama okula git." Ayıcığı bana uzattı.

"Bence bu gece Mavicik rafta uyuyabilir," dedim. "Otuz üç buçuk yaşında olduğumu hatırlatmak isterim."

"Bu akşam seninle kalsın," dedi annem.

"Anne!"

"Ama *yalnız,*" dedi.

"Ah, Tanrım, anne," dedim. Ama aptal Mavicik'i aldım ve uykuya dalarken sarıldım.

Sabaha karşı dörtte, beynimin ulaşılamayacak derinliklerinden dışarı uzanmaya çalışan kıyamet gibi bir ağrıyla uyandığımda bir kolum hâlâ üstünde duruyordu.

YEDİNCİ BÖLÜM

Annemle babamı uyandırmak için çığlık attım, odama daldılar ama beynimin içinde patlayan süpernovaları söndürmek için yapabilecekleri hiçbir şey yoktu, kafatasımın içindeki sonu gelmez maytap zinciri en sonunda gittiğimi düşündürdü ve kendime -daha önce de yaptığım gibi- acı çok kötüleştiğinde vücudun kendi kendisini kapattığını söyledim, bilinç geçiciydi, bu da geçecekti. Ama her zamanki gibi kayıp gitmedim. Sahile vurmuştum ve dalgalar üstümden geçip gidiyordu ama bir türlü boğulmuyordum.

Babam araba kullanıyor, bir yandan da telefonda hastaneyle konuşuyordu, ben de arkada başım annemin kucağında yatıyordum. Yapılabilecek hiçbir şey yoktu: Çığlık atmak her şeyi daha beter hale getiriyordu. Aslında tüm uyarıcılar işleri daha da kötüleştiriyordu.

Tek çözüm dünyayı bozmak, tekrar karanlık, sessiz ve ıssız yapmak, Büyük Patlama'dan önceki haline döndürmek, başlangıçta sadece Söz olduğu zamana dönmek ve Söz ile baş başa, o yaratılmamış boş alanda yaşamaktı.

İnsanlar kanser hastalarının cesaretinden bahsedip duruyor ve ben de bunu inkâr edemem. Yıllar boyunca kurcalandım, bıçaklandım, zehirlendim ama yine de yoluma devam ettim. Fakat şüphesiz olan bir şey var ki, o saniye ölseydim çok ama çok mutlu olurdum.

Yoğun bakımda uyandım. Yoğun bakımda olduğumu anlayabiliyordum çünkü kendi odam yoktu ve çok fazla bip sesi vardı ve yalnızdım: Çocuk Hastanesi'ndeki yoğun bakımda ailenizin 7/24 yanınızda olmasına izin vermiyorlar çünkü enfeksiyon riski var. Koridorun sonundan haykırışlar geliyordu. Birinin çocuğu ölmüş olmalıydı. Yalnızdım. Kırmızı çağrı düğmesine bastım.

Birkaç saniye sonra bir hemşire geldi. "Merhaba," dedim.

"Merhaba, Hazel. Ben Alison, hemşiren," dedi.

"Merhaba, Alison Hemşirem."

Hemen ardından tekrar yorgun hissetmeye başladım. Ama annem ile babam ağlayarak içeri girip tekrar tekrar yüzümü öperken biraz ayılıp onlara uzandım ve sıkmaya çalıştım ama sıktığım zaman her şeyim ağrıyordu ve bizimkiler beyin tümörüm olmadığını söyledi, baş ağrısı zayıf oksijenasyondan kaynaklanıyordu ve bunun sebebi de ciğerlerimin sıvı içinde yüzmesiydi ki sıvının bir buçuk litresini (!!!!) ciğerlerimden başarılı bir şekilde çekebilmişlerdi ve bu yüzden yan tarafımda hafif bir rahatsızlık hissedebilirdim ve tam orada, *ah şu işe bakın*, bir boru göğsümden çıkıp yarısı babamın en sevdiği biranın rengine benzeyen bir sıvıyla dolu naylon torbaya giriyordu. Annem eve gideceğimi, gerçekten gideceğimi, sadece ara sıra bu sıvının çekilmesi gerektiğini ve geceleyin işe yaramaz ciğerlerime hava basıp çeken bir makine olan BiPAP'a bağlanmam gerektiğini söyledi. Ama hastanedeki ilk gecemde tüm vücuduma PET taraması yapılmıştı ve haberler iyiydi: Tümörler büyümemişti. Yeni tümör yoktu. Omzumun ağrısı oksijen yetersizliği ağrısıydı. Kalp çok fazla çalışıyor ağrısı.

"Doktor Maria daha bu sabah her şeyin olumlu göründüğünü söyledi," dedi babam. Maria'yı seviyordum, zırvalamıyordu, bunu duymak iyi hissettirmişti.

"Bu gelip geçici bir şey, Hazel," dedi annem. "Bununla yaşayabiliriz."

Başımla onayladım, sonra Alison Hemşirem onları kibarca dışarı çıkarttı. Minik şekerli buzlardan isteyip istemediğimi sordu, başımla onayladım, o da yatakta yanıma oturup kaşıkla ağzıma buz parçalarını vermeye başladı.

"İki gündür ortalarda yoktun," dedi Alison. "Hımm... Neler kaçırdın bakalım... Bir ünlü uyuşturucu kullandı. Politikacılar birbirine düştü. Farklı bir ünlü vücudundaki bir kusuru gösteren bir bikini giydi. Bir takım bir spor karşılaşmasını kazandı ama öteki takım kaybetti." Gülümsedim. "Böyle ortadan kaybolamazsın, Hazel. Çok şey kaçırıyorsun."

"Daha var mı?" diye sordum elindeki köpük bardağı göstererek.

"Vermemem lazım," dedi, "ama tam bir asiyim." Bir kaşık dolusu ezilmiş buz daha verdi. Mırıldanarak teşekkür ettim. İyi hemşireler için Tanrı'ya şükretmek gerekiyordu gerçekten. "Yoruldun mu?" diye sordu. Başımla onayladım. "Biraz uyu," dedi. "Birileri değerlerini kontrol etmeye gelmeden önce birkaç saat uyuyabilesin diye seni biraz rahat bırakmalarını sağlayacağım." Tekrar teşekkür ettim. Hastanede çok fazla teşekkür ediyorsunuz. Yatağa yerleşmeye çalıştım. "Erkek arkadaşını sormayacak mısın?" diye sordu.

"Yok ki," dedim.

"Buraya geldiğinden beri bekleme odasından neredeyse hiç çıkmayan bir çocuk var," dedi.

"Beni böyle görmedi, değil mi?"

"Hayır. İçeri sadece aile fertleri girebiliyor."

Başımla onayladım ve su dolu bir uykuya gömüldüm.

Eve dönmem altı günümü alacaktı, akustik tavan karolarına bakarak, televizyon izleyerek ve uyuyarak ve acı çekerek ve zamanın geçmesini dileyerek geçen altı tane güne benzemeyen gün. Augustus veya annem ile babam dışında herhangi birisini görmedim. Saçım kuş yuvasına, ayak sürüyüşüm de demans hastalarının yürüyüşüne benziyordu. Gerçi her geçen gün daha iyi hissediyordum: Her uyku bana daha çok benzeyen bir insanı ortaya çıkarıyordu. Uyku kanserle savaşır, dedi Düzenli Doktorum Jim, o sabah bir tıp öğrencisi heyetiyle üstüme eğildiğinde bininci kez.

"Öyleyse kanserle savaşan bir makineyim," dedim.

"Kesinlikle öylesin, Hazel. Dinlenmeye devam et, kısa süre içinde eve döneceksin."

Salı günü, eve çarşamba dönebileceğimi söylediler. Çarşamba günü pek kimsenin gözetiminde olmayan iki tıp öğrencisi göğsümdeki boruyu çıkardı ki tersten bıçaklanmak gibi hissettiriyordu ve işlem pek iyi gitmediği için perşembeye kadar kalmam gerektiğine karar verdiler. Ödüllendirmesi daimî olarak ertelemeye dayanan bir varoluş deneyinde kobay olduğumu düşünmeye başlamıştım ki cuma günü Doktor Maria geldi, bir dakika oramı buramı kokladı ve gidebileceğimi söyledi.

Bunun üstüne annem büyük çantasını açıp Eve Gitme Kıyafetlerimin hep yanında olduğunu ortaya koydu. Bir hemşire gelip serumumu çıkardı. Yanımda taşıdığım oksijen tüpüne rağmen zincirlerimden boşanmış gibi hissediyordum. Banyoya girdim, bir hafta sonunda ilk kez duş yaptım, giyindim ve çıktığımda o kadar yorulmuştum ki uzanıp soluklanmam gerekti. Annem, "Augustus'u görmek ister misin?" diye sordu.

"Olur," dedim bir dakika sonra. Ayağa kalktım ve duvara dayalı plastik sandalyelerden birine doğru ayaklarımı sürüyüp tüpü altına ittim. Bu bile beni tüketmişti.

Birkaç dakika sonra babam, Augustus'la birlikte içeri girdi. Augustus'un dağılmış saçları alnına düşüyordu. Beni gördüğünde gerçek bir Augustus Waters Şapşal Gülümsemesi yüzüne yayıldı ve ben de gülümsemekten kendimi alıkoyamadım. Sandalyemin yanındaki yapay deriden mavi koltuğa oturdu. Bana doğru eğildi, gülümsemesini engelleyemediği ortadaydı.

Bizimkiler bizi yalnız bıraktı, tuhaf bir histi. Her ne kadar bakması çok zor olan türde bir güzelliğe sahip olsalar da gözlerinin içine bakabilmek için büyük çaba gösterdim. "Seni özledim," dedi Augustus.

Sesim istediğimden daha kısık çıktı. "Korkunç göründüğüm sırada beni görmeye çalışmadığın için teşekkürler."

"Aslına bakarsan şu an da hayli kötü görünüyorsun."

Güldüm. "Ben de seni özledim. Ama senin bunları görmeni istemiyorum... İsterdim ki... Neyse, önemli değil. Her istediğini elde edemiyorsun."

"Öyle mi?" dedi. "Ben her zaman dünyanın bir dilek gerçekleştirme fabrikası olduğunu düşünmüştüm."

"Öyle olmadığı ortada," dedim. O kadar güzeldi ki. Elime uzandı ama başımı salladım. "Hayır," dedim sessizce. "Eğer takılacaksak, şey, böyle olmamalı."

"Peki," dedi. "Dilek gerçekleştirme cephesinden iyi ve kötü haberlerim var."

"Peki?" dedim.

"Kötü haber, iyileşene kadar Amsterdam'a gidemeyecek olmamız. Ama Cinler sen iyileştiğinde o meşhur sihirlerini konuşturacaklar."

"İyi haber bu mu?"

"Hayır, iyi haber sen uyuklarken Peter Van Houten'in o muhteşem zihninden bir şeyler daha paylaşmış olması."

Tekrar uzandı ama bu sefer antetinde *Peter Van Houten, Emeritus Yazar* yazan katlı bir kâğıdı elime tutuşturmak için.

Eve dönüp tıbbi bir kesintiye uğrama şansımın olmadığı kendi büyük ve boş yatağıma yerleşene kadar mektubu okumadım. Van Houten'in yatık ve eğri büğrü yazısını çözmem uzun zaman aldı.

Sevgili Bay Waters,

14 Nisan tarihli elektronik postanız elime ulaştı ve trajedinizin Shakespearevari karmaşıklığından gerçekten etkilendim. Bu hikâyedeki herkesin kaya gibi sağlam birer *hamartia*'sı var: Kızınki, çok hasta oluşu; seninki, bu kadar sağlıklı oluşun. O daha sağlıklı veya sen daha hasta olsaydın yıldızınız bu kadar düşkün olmazdı ama yıldızların doğasında düşkün olmak yatar ve Shakespeare'in en büyük yanlışı, Cassius'a, "Kusur, sevgili Brutus, yıldızlarımızda değil, kendimizde," dedirtmesidir. Romalı bir asilzade (veya Shakespeare!) için dile kolay ama yıldızlarımızda kusur bulmak hiç de zor değil.

Hazır konu İhtiyar Will'in eksiklerinden açılmışken, senin genç Hazel hakkında yazdıkların da bana Ozan'ın *Elli Beşinci Sone*'sini hatırlattı. "Ne yaldızlı abideleri hükümdarların ne mermer / Ömür süremez bu güçlü şiirden uzun / Ancak sen satırlarımda daha çok parlayacaksın / Üstüne aşüfte zaman bulaşan süpürülmemiş taştan." (Konu dışı ama, zaman ne de aşüfte değil mi? Herkesle yatıp kalkıyor.) İyi bir şiir ama hilekâr: Shakespeare'in güçlü şiirini hatırlıyoruz gerçekten fakat andığı insana dair ne hatırlıyoruz? Hiçbir şey. Erkek olduğundan neredeyse eminiz ancak geriye kalan her şey varsayım. Shakespeare dilsel lahdine defnettiği erkeğe dair çok az şey anlatmış. (Edebiyattan bahsederken cümlelerimizi şimdiki zamanda kurduğumuza dikkat et. Ölenlerden bahsederken o kadar kibar davranmıyoruz.) Kaybedilenleri onlar hakkında yazarak ölümsüzleştirmiyorsun. Dil gömüyor ama tekrar canlandırmıyor. (Tam açıklama: Bu gözlemi yapan ilk kişi ben değilim. Karşılaştırınız: MacLeish'in "Ne Yaldızlı Abideleri Hükümdarların Ne Mermer" şiirindeki destansı "Öleceksin ve kimse hatırlamayacak seni" satırı.)

Konuyu dağıttım ama mesele şu: Ölenler, sadece hatıranın her an gören o korkunç gözlerine görünür. Neyse ki yaşayanlar, şaşırtma ve hayal kırıklığına uğratma becerisini ellerinde tutar. Hazel'ın hayatta, Waters. Ve bir başkasının kararına, hele iyice düşünülerek varılmış bir karara, kendi iradeni dikte ettirmemelisin. Seni acıdan esirgemek istiyor, sen de ona izin ver. Genç Hazel'ın mantığını ikna edici görmüyor olabilirsin ama bu gözyaşı diyarında senden uzun süredir dolanıyorum ve durduğum yerden görebildiğim kadarıyla deli olan o değil.

Sevgilerle,

Peter Van Houten

Gerçekten de o yazmıştı. Parmağımı yalayıp kâğıda dokundum ve mürekkep dağılınca gerçekten gerçek olduğunu anladım.

"Anne," dedim. Yüksek sesle söylememiştim ama buna gerek de yoktu. Hep bekliyordu. Kapıdan başını uzattı.

"İyi misin hayatım?"

"Doktor Maria'yı arasak ve yurtdışı seyahatinin beni öldürüp öldürmeyeceğini sorsak olur mu?"

SEKİZİNCİ BÖLÜM

İki gün sonra büyük Kanser Takımı Toplantısı vardı. Ara sıra birkaç doktor ve sosyal hizmetli ve fizyoterapist ve başka kim varsa bir araya gelip bir konferans salonundaki büyük bir masaya geçerek durumumu tartışıyordu. (Augustus Waters durumunu veya Amsterdam durumunu değil. Kanser durumunu.)

Doktor Maria toplantıyı yönetiyordu. Oraya gittiğimde bana sarıldı. Sarılan tiplerdendi.

Biraz daha iyi hissediyordum sanırım. Tüm gece BiPAP'la uyumak ciğerlerim neredeyse normalmiş gibi hissetmemi sağlamıştı fakat öte yandan normal ciğer ne demek pek hatırlamıyordum.

Herkes yerine geçti ve çağrı cihazlarını filan kapatma gösterisi yaptılar ki *her şey benim hakkımda* olacaktı, sonra da Doktor Maria konuşmaya başladı. "İyi haber, Palanksifor tümör büyümesini kontrol altında tutmaya devam ediyor ama sıvı birikimiyle ilgili ciddi sorunlar görmeye devam ediyoruz. O zaman şunu soruyorum: Nasıl devam etmeliyiz?"

Sonra sanki yanıt beklermiş gibi gözlerini bana dikti. "Şey," dedim. "Odada bu soruya cevap verebilecek en kalifiye insan ben değilmişim gibi hissediyorum."

Gülümsedi. "Evet, Doktor Simons'ın cevabını bekliyordum. Doktor Simons?" O da başka bir tür kanser doktoruydu.

"Diğer hastalardan, çoğu tümörün Palanksifor'a rağmen bir büyüme yöntemi geliştirdiğini biliyoruz ama durum bu olsaydı taramalarda tümör büyümesi görürdük ki görmüyoruz. Yani durum bu değil henüz."

Henüz, diye düşündüm.

Doktor Simons işaret parmağıyla masayı tıklattı. "Şu an düşünülen şey Palanksifor'un ödemi kötüleştirdiği ihtimali ama kullanmayı kesersek çok daha ciddi problemlerle karşılaşırız."

Doktor Maria ekledi: "Palanksifor'un uzun vadeli etkilerini çok iyi bilmiyoruz. Çok az insan senin kadar uzun süre bu ilacı kullandı."

"Yani hiçbir şey yapmayacak mıyız?"

"Aynı şekilde devam edeceğiz," dedi Doktor Maria, "ama ödem birikmemesi için daha çok çaba sarf etmeliyiz." Nedense midem bulanıyordu, kusacak gibiydim. Kanser Takımı Toplantıları'ndan genel olarak nefret ediyordum ama bundan özel olarak nefret etmiştim. "Kanserin ortadan kaybolmuyor, Hazel. Ama tümörleri sendeki kadar yayılmış insanların uzun süre yaşadığını gördük." (Uzun sürenin ne kadara tekabül ettiğini sormadım. O hatayı daha önce yapmıştım.) "Yoğun bakımdan çıktığın için öyle hissetmiyor olabilirsin ama bu sıvı en azından şimdilik kontrol altında tutulabilir."

"Ciğer nakli filan mümkün değil mi?" diye sordum.

Doktor Maria'nın dudakları âdeta ağzının içine kaçtı. "Nakil için uygun bir aday olarak görülmezsin ne yazık ki," dedi. Anlıyordum. Umutsuz vakaya iyi ciğer harcamanın anlamı yoktu. Bu yorum canımı yakmamış gibi görünmeye çalışarak başımla onayladım. Babam hafiften ağlamaya başladı. Ona bakmadım ama uzun süre kimse bir şey söylemediği için odadaki tek ses hıçkırıklarla bölünen ağlaması oldu.

Onu incitmekten nefret ediyordum. Genellikle bunu unutabiliyordum ama amansız gerçek şuydu: Yanlarında olduğum için mutlu olabilirlerdi fakat annem ile babamın çektiği acının alfası da omegası da bendim.

Mucize'den hemen önce, yoğun bakımdayken ve ölecekmişim gibi dururken ve annem kendimi bırakmamın sorun olmadığını söylerken ve ben bırakmaya ama ciğerlerim hava almaya çalışırken, annem babamın göğsüne hıçkırarak, duymamış olmayı dilediğim ve duyduğumu asla öğrenmemesini umduğum bir şey söylemişti: "Artık anne olmayacağım." O kadar üzülmüştüm ki.

Tüm o Kanser Takımı Toplantısı sırasında bunu düşünmekten kendimi alıkoyamadım. Annemin bu sözü söylerkenki ses tonu aklımdan çıkmıyordu, sanki bir daha asla iyileşemeyecekmiş gibiydi ki muhtemelen iyileşmeyecekti de.

Her neyse, neticede daha sık sıvı çekilmesi dışında her şeyin aynı kalmasına karar verildi. En sonunda Amsterdam'a gidip gidemeyeceğimi sordum ve Doktor Simons gerçekten, ciddi ciddi güldü ama Doktor Maria, "Neden olmasın?" dedi. Simons da şüpheci bir tavırla, "Neden olmasın mı?" diye sordu ve Maria, "Evet, neden olmasın? Uçaklarda da oksijen var ne de olsa," diye karşılık verdi. Doktor Simons, "BiPAP'ı uçağa mı bindirecekler?" dedi ve Maria, "Tabii. Ya da hazırda bekletecekler," dedi.

"Bir hastayı –en umut verici Palanksifor hastalarından birini– durumuyla yakından ilgilenen doktorlardan sekiz saatlik uçak mesafesine göndermek... Belaya davetiye çıkarmak bu."

Doktor Maria omzunu silkti. "Bazı riskleri artıracağı kesin," diye kabullendi fakat sonra bana döndü. "Ama hayat senin hayatın."

Ama aslında öyle değildi. Eve dönerken bizimkiler ortak bir karara vardılar: Güvenli olacağına dair tıbbi bir anlaşmaya varılmadığı sürece Amsterdam'a gitmeyecektim.

Akşam yemeğinden sonra Augustus aradı. Çoktan gazilyon tane yastık ve Mavicik'le birlikte yatağa girmiştim –yemek sonrası şimdilik yatma vaktim haline gelmişti–, dizüstü bilgisayarım da kucağımdaydı.

Telefonu, "Kötü haber," diyerek açtım. "Hadi be, ne oldu?" dedi.

"Amsterdam'a gidemiyorum. Doktorlarımdan biri kötü fikir olduğunu düşünüyor."

Bir saniye sessiz kaldı. "Tanrım," dedi. "Parasını ben verseydim keşke. Seni *Funky Bones*'tan direkt olarak Amsterdam'a götürseydim."

"Öyle olsaydı muhtemelen Amsterdam'da oksijensizlikten ölümcül bir kriz geçirirdim ve cesedim uçağın kargo bölümünde eve yollanırdı," dedim.

"Evet," dedi. "Ama ondan önce muhteşem romantik jestim sayesinde sevişmiş olurdum."

Kahkaha attım, o kadar çok gülmüştüm ki göğsüme takılan borunun yerini hissettim.

"Gülüyorsun çünkü doğru," dedi.

Tekrar güldüm.

"Doğru, değil mi!"

"Muhtemelen değil," dedim ama hemen ardından, "fakat bunu asla bilemeyeceksin," diye ekledim.

Sefil bir şekilde inledi. "Bakir öleceğim," dedi.

"Ciddi misin?" diye sordum şaşkınlıkla.

"Hazel Grace," dedi, "kâğıt kalemin var mı?" Olduğunu söyledim. "Peki, lütfen bir çember çiz." Çizdim. "Şimdi o çemberin içine daha küçük bir çember çiz." Çizdim. "Büyük çember bakirler çemberi. Küçük çember, tek bacaklı on yedilik erkekler çemberi."

Tekrar güldüm ve sosyal aktivitelerinin çoğunun çocuk hastanesinde gerçekleşmesinin de cinselliği pek teşvik etmediğini söyledim, sonra Peter Van Houten'in zamanın aşüfteliğine dair yaptığı o muhteşem zekilikteki yorumundan bahsettik ve ben yatakta, o bodrumunda olmasına rağmen o yaratılmamış üçüncü mekâna geri dönmüşüz gibi hissediyordum, orası onunla ziyaret etmekten hoşlandığım bir yerdi.

Sonra telefonu kapattım, bizimkiler odama girdi ve üçümüzün sığabileceği kadar büyük olmasa da yatağın iki yanına yattılar ve odamdaki küçük televizyonda *ANTM* izledik. Sevmediğim bir kız, Selena, atıldı ve nedense bu beni mutlu etti. Sonra annem beni BiPAP'a bağladı, yorganımı düzeltti ve babam kısacık sakallarını batırarak alnımı öptü ve gözlerimi kapadım.

BiPAP nefes alma kontrolümü elimden aldı, aslında gayet sinir bozucuydu ama iyi yanı her nefes alışımda guruldayan ve her nefes verişimde hırlayan bir homurtu çıkarmasıydı. Benimle aynı anda nefes alıp veren bir ejderha olduğunu düşündüm, sanki yanıma kıvrılıp yatmış bir evcil ejderim varmış ve beni çok sevdiği için nefes alıp verişlerini benimkilere göre ayarlıyormuş gibi. Uykuya dalarken de düşündüğüm şey buydu.

Ertesi sabah geç uyandım. Yatakta televizyon izledim ve e-maillerimi kontrol ettim ve bir süre sonra Peter Van Houten'e nasıl Amsterdam'a gelemediğime dair bir e-mail yazmaya başladım, kimseyle karakterlere dair bilgileri paylaşmayacağıma annemin hayatı üstüne yemin ettim ki paylaşmak *istemiyordum* zaten çünkü çok bencil bir insandım ve lütfen Hollandalı Lale Adam'ın gerçek olup olmadığını ve Anna'nın annesinin onunla evlenip evlenmediğini ve bir de Hamster Sisyphos'a ne olduğunu söyler miydi?

Ama e-maili göndermedim. Benim için bile acınası bir yazıydı.

Saat üç gibi, Augustus'un okuldan eve döndüğüne dair tahmin yürüterek arka bahçeye çıktım ve onu aradım. Telefon çalarken fazla uzamış ve karahindibalarla dolmuş çimlere oturdum. Salıncak hâlâ olduğu yerde duruyordu, küçük bir çocukken kendimi daha yükseğe çıkabilmek için iterken oluşturduğum ufak çukuru yabani otlar bürümüştü. Babamın Toys "R" Us'tan salıncağı getirdiğini ve komşuyla birlikte arka bahçeye kurduklarını hatırlıyordum. Adam denemek için ilk başta kendisinin binmesi konusunda ısrar etmişti de lanet salıncak neredeyse kırılıyordu.

Gökyüzü griydi, basıktı ve yağmur yüklüydü ama henüz yağmıyordu. Augustus'un sesli mesajını duyunca kapattım ve telefonu yanıma, toprağa koyup hasta geçireceğim tüm günlerden, birkaç sağlıklı gün uğruna vazgeçebileceğimi düşünerek salıncağa bakmaya devam ettim. Daha kötü olabileceğini; dünyanın dilek gerçekleştirme fabrikası olmadığını; kanserle yaşadığımı, kanserden ölmediğimi; beni öldürmeden beni öldürmesine izin vermemem gerektiğini söyleyip durdum ve sonra aptal *aptal aptal aptal aptal aptal* diye tekrarlayarak, ses anlamından sıyrılana kadar mırıldandım. Augustus aradığında hâlâ mırıldanıyordum.

"Selam," dedim.

"Hazel Grace," dedi.

"Selam," dedim tekrar.

"Ağlıyor musun Hazel Grace?"

"Sayılır?"

"Neden?" diye sordu.

"Çünkü ben… Amsterdam'a gitmek istiyorum ve Van Houten'in kitap bittikten sonra neler olduğunu söylemesini istiyorum ve yaşadığım hayatı istemiyorum ve ayrıca gökyüzü beni depresyona sokuyor ve burada babamın ben çocukken yaptığı şu eski salıncak var."

"Şu gözyaşı salıncağını acilen görmem gerek," dedi. "Yirmi dakikaya sendeyim."

Arka bahçede oturmaya devam ettim çünkü ağladığımda annem gerçekten boğucu ve endişeli oluyordu çünkü sık sık ağlamıyordum ve *konuşmak* isteyeceğini, ilaçlarımın dozajını ayarlamak isteyip istemediğimi soracağını biliyordum ve tüm bu konuşmanın düşüncesiyle bile kusacak gibi oluyordum.

Sağlıklı bir babanın sağlıklı bir çocuğu sallamasını, çocuğun *daha yükseğe daha yükseğe* demesini içeren korkunç dokunaklı ve ışıltılı bir anım veya bir başka metaforik yankıya sahip hatıram filan yoktu. Yalnızca salıncak orada terk edilmiş vaziyette duruyordu, iki minik oturak kararmış ahşap bir kalastan hareketsizce ve hüzünlü bir şekilde sarkıyordu ve dış hatları bir çocuğun gülücük çizimine benziyordu.

Arkamda sürgülü cam kapının sesini duydum. Arkamı döndüm. Üstünde hâkî pantolonu ve kısa kollu ekose gömleğiyle gelen Augustus'tu. Kolumla yüzümü sildim ve gülümsedim. "Selam," dedim.

Yanıma oturması bir saniyesini aldı, hiç de zarif olmayan bir şekilde kıçüstü düşünce yüzünü buruşturdu. "Selam," dedi sonunda. Ona baktım. Yanımdan arka bahçeye bakıyordu. "Anlıyorum," dedi omzuma kolunu atarken. "Gerçekten de çok hüzünlü bir salıncakmış."

Başımı omzuna gömdüm. "Geldiğin için teşekkürler."

"Benden uzak durmaya çalışmanın sana karşı hislerimi değiştirmeyeceğini fark ediyorsun, değil mi?" dedi.

"Olabilir?" dedim.

"Beni kendinden kurtarma çabaların hüsrana uğrayacak," dedi.

"Neden? Benden neden hoşlanıyorsun ki? Kendine yeterince şey çektirmedin mi?" diye sordum Caroline Mathers'ı düşünerek.

Gus cevap vermedi. Parmaklarıyla koluma yapışarak beni sıkı sıkı tuttu. "Şu lanet salıncakla ilgili bir şey yapmamız lazım," dedi. "Problemin yüzde doksanı bu bak, ciddiyim."

Kendime gelince içeri girdik ve dizüstü bilgisayarın yarısı onun (takma) dizinde, yarısı benimkinin üstünde yan yana oturduk. "Sıcakmış," dedim dizüstünün altını kastederek.

"Öyle miymiş?" Gülümsedi. Tamamen Bedava isimli bir eşya dağıtma sitesini açtı ve birlikte bir ilan hazırladık.

"Başlık?" diye sordu.

"'Salıncak Yuva Arıyor,'" dedim.

"'Çok Yalnız Salıncak Sevgi Dolu Bir Yuva Arıyor,'" dedi.

"'Yalnız, Biraz Pedofilik Bir Salıncak Çocuk Poposu Arıyor,'" dedim.

Güldü. "İşte bu yüzden."

"Ne?"

"İşte bu yüzden senden hoşlanıyorum. *Pedofil* kelimesinin sıfat versiyonunu yaratan, güzel bir kıza denk gelmenin ne kadar küçük bir ihtimal olduğunun farkında mısın? Kendin olmakla o kadar meşgulsün ki ne kadar emsalsiz olduğuna dair hiçbir fikrin yok."

Burnumdan derin bir nefes aldım. Dünyada hiçbir zaman yeteri kadar hava yoktu ama kıtlık o anda gerçekten vahimdi.

İlanı birlikte hazırladık, yazdıkça birbirimizin cümlelerini düzelttik. Sonunda şöyle bir şeyde karar kıldık:

Çok Yalnız Salıncak Sevgi Dolu Bir Yuva Arıyor

Oldukça eski ama sağlam bir salıncak yeni yuvasını arıyor. Çocuğunuzla veya çocuklarınızla hatıralar yaratın, böylece günün birinde arka bahçeye bakıp tıpkı benim bu öğleden sonra hissettiğim gibi onlar da duygusallığın acısını hissedebilsinler. Bu çok narin ve geçici bir his, sevgili okuyucu ancak bu salıncakla çocuğunuz/çocuklarınız insan hayatının iniş çıkışlarına yavaşça ve güvenli bir şekilde aşina olacak, ayrıca çok önemli bir ders alacak: Kendinizi ne kadar sert iterseniz itin, ne kadar yukarıya çıkarsanız çıkın, asla sonuna kadar gidemezsiniz.

Salıncak şu an 83. Sokak ve Spring Mill yakınlarında duruyor.

Ardından bir süre televizyona baktık ama izleyecek bir şey bulamayınca ben yatak odamdaki şifonyerin üstünden *Görkemli Izdırap*'ı aldım ve Augustus Waters salonda bana kitabı okurken öğlen yemeği hazırlayan annem dinledi.

"'*Annemin cam gözü içeri döndü,*'" diye başladı Augustus. O okurken uykuya dalar gibi âşık oldum: Önce yavaş yavaş, sonra bir anda.

Bir saat sonra e-maillerimi kontrol edince aralarından seçim yapabileceğimiz salıncak talipleri olduğunu gördüm. En sonunda Daniel Alvarez diye bir adamda karar kıldık, konu başlığında *sadece dışarı çıksınlar istiyorum* yazan e-maile, üç çocuğunun video oyunu oynarken çekilmiş bir fotoğrafını eklemişti. Salıncağı istediği zaman gelip alabileceğini belirten bir e-mail attım.

Augustus onunla Destek Grubu'na gitmek isteyip istemediğimi sordu ama Kanser Sahibi Olmak'la geçen yoğun günüm beni gerçekten yorduğu için istemedim. Kanepede yan yana oturuyorduk, sonra Augustus kalkmak için kendisini itti ancak tekrar kanepeye düştü ve yanağıma bir öpücük kondurdu.

"Augustus!" dedim.

"Arkadaşça," dedi. Kendisini tekrar itti ve bu sefer ayağa kalkabildi, ardından anneme doğru iki adım attı ve "Sizi gördüğüme sevindim," dedi, annem ona sarılmak için kollarını açınca uzanıp annemin yanağını öptü. Ardından bana döndü. "Gördün mü?"

Akşam yemeğinden sonra yattım, BiPAP odamın dışındaki dünyayı boğuyordu.

Salıncağı bir daha hiç görmedim.

Uzun süre, on saat kadar uyudum; muhtemelen yavaş yavaş kendime geldiğimden ve muhtemelen uyku kanserle savaştığından ve muhtemelen belirli bir kalkma saati olmayan bir ergen olduğumdan. MCC'deki derslerime devam edebilecek kadar güçlü değildim. En sonunda gerçekten kalkmaya karar verdiğimde, burnumdaki BiPAP borusunu çıkardım, oksijen kanülünün ucunu takıp açtım ve geçen gece yatağımın altına soktuğum dizüstümü çıkardım.

Lidewij Vliegenthart'tan e-mail gelmişti.

Sevgili Hazel,

Cinler'den 4 Mayıs itibarıyla Augustus Waters ve annenle birlikte ziyaretimize geleceğine dair haber aldım. Bir hafta kalmış sadece! Peter'la bu habere çok sevindik ve seninle tanışmak için can atıyoruz. Kalacağınız otel Filosoof, Peter'ın evinden bir sokak ötede. *Jet lag*'den kurtulabilmeniz için size bir gün tanımamız lazım, değil mi? Eğer uygunsa, sizinle Peter'ın evinde 5 Mayıs sabahı, saat on civarında kahve içmek ve kitabına dair sorularını cevaplaması için buluşabiliriz. Belki ardından bir müze veya Anne Frank Evi'ni gezeriz, ne dersin?

Sevgilerimle,

Lidewij Vliegenthart

Bay Peter Van Houten'in Başasistanı

"Anne," dedim. Yanıt vermedi. "ANNE!" dedim. Ses yoktu. Tekrar, daha yüksek sesle, "ANNE!" diye bağırdım.

Koltuk altına sıkıştırdığı lif lif olmuş pembe bir havluyla, üstünden sular damlayarak ve hafif bir panikle koşup, "Ne oldu?" diye sordu.

"Bir şey yok. Kusura bakma, banyoda olduğunu bilmiyordum," dedim.

"Banyodaydım," dedi. "Sadece..." Gözlerini kapadı. "Sadece beş saniyeliğine duş alayım demiştim. Kusura bakma. Ne oldu?"

"Cinler'i arayıp gezinin iptal olduğunu söyler misin? Demin Peter Van Houten'in asistanından e-mail geldi. Oraya gideceğimizi sanıyor."

Annem dudaklarını büzüp gözlerini kısarak bana baktı.

"*Ne*?" dedim.

"Baban gelene kadar söylememem lazım aslında."

"Ne?" dedim tekrar.

"Gezi iptal olmadı," dedi sonunda. "Geçen gece Doktor Maria aradı ve bizi ikna edecek delillerle hayalini yaşaman için..."

"ANNE, SENİ ÇOK SEVİYORUM!" diye haykırdım, sarılabilmem için yatağa geldi.

Okulda olduğunu bildiğimden Augustus'a mesaj attım:

Mayısın üçünde boş musun? :-)

Anında cevap verdi.

Her şey yoluna giriyor.

Bir haftacık daha hayatta kalabilirsem Anna'nın annesinin ve Hollandalı Lale Adam'ın yazılmamış sırlarını öğrenebilecektim. Göğsüme ve üstündeki bluza baktım.

"Kendinize hâkim olun," diye fısıldadım ciğerlerime.

DOKUZUNCU BÖLÜM

Amsterdam'a gitmeden bir gün önce, Augustus'la tanışmamdan bu yana ilk kez Destek Grubu'na gittim. İsa'nın Kelimenin Gerçek Anlamıyla Kalbi'ndeki karakterler biraz değişmişti. Uzun süredir gücü kuvveti yerinde olan, apandis kanseri atlatmış Lida'nın diğerlerine dair beni bilgilendirebileceği kadar erken bir saatte gelmiştim, masaya dayanmış, marketten alınmış çikolatalı kurabiyeleri yiyordum.

On iki yaşındaki lösemi hastası Michael ölmüştü. Sonuna kadar savaştı, dedi Lida, sanki savaşmanın başka yolu varmış gibi. Diğer herkes hâlâ oradaydı. Ken radyoterapiden sonra KBY'ydi. Lucas'ınki nüksetmişti ve Lida bunu, sanki alkolü bırakmış bir alkolik tekrar içmeye başlamış gibi hüzünlü bir gülümseme ve ufak bir omuz silkişle dile getirmişti.

Sevimli ve balıketli bir kız masanın oraya gelip Lida'ya selam verdi, sonra bana kendisini Susan olarak tanıttı. Ne hastalığı olduğunu bilmiyordum ama burnunun kenarından başlayıp yanağından dudağına kadar inen bir yarası vardı. Yaranın üstüne makyaj yapmıştı fakat bu sadece yarayı vurgulamaya yaramıştı. Ayakta durmaktan nefes nefese kaldığımı hissettiğim için, "Biraz oturacağım," dedim, tam o sırada asansörün kapısı açıldı ve Isaac ile annesi dışarı çıktı. Isaac güneş gözlüğü takıyordu, bir eliyle annesinin kolunu kavramıştı, öteki eliyle baston tutuyordu.

"Destek Grubu Hazel, Monica değil," dedim yeterince yanıma yaklaşınca, gülümsedi ve "Selam, Hazel. Nasılsın?" diye sordu.

"İyiyim. Sen kör olduktan sonra *inanılmaz* güzelleştim."

"Eminim öyledir," dedi. Annesi onu bir sandalyenin yanına kadar götürdü, alnından öptü ve asansöre doğru ayaklarını sürüyerek uzaklaştı. Isaac etrafı yokladıktan sonra oturdu. Ben de yanındaki sandalyeye geçtim. "Nasıl gidiyor?"

"İdare eder. Eve dönmek iyi oldu işte. Gus yoğun bakıma alındığını söylemişti."

"Evet," dedim.

"Fena," dedi.

"Çok daha iyiyim," dedim. "Yarın Gus'la Amsterdam'a gidiyoruz."

"Biliyorum. Hayatına dair her şeyi biliyorum çünkü Gus Başka Bir Şeyden Bahsetmez Oldu."

Gülümsedim. Patrick boğazını temizleyip, "Hepimiz yerlerimize geçebilir miyiz?" dedi. Gözleri bana takıldı. "Hazel! Seni gördüğüme çok sevindim!"

Herkes yerine geçtikten sonra Patrick tekrar testissizliğinden bahsetmeye başladı ve Destek Grubu rutinine gömüldüm: Isaac'le iç geçirerek iletişmeler, orada bulunan ve bulunmayan herkes için üzülmeler, nefes nefese kalışıma ve çektiğim acıya odaklanarak sohbetten uzaklaşmalar... Dünya benim tam katılımım olmadan da devam ediyordu doğal olarak ve ancak birisi ismimi söyleyince dalıp gittiğim yerden geri döndüm.

Güçlü Lida'ydı. Remisyon dönemindeki Lida. Sarışın, sağlıklı, kuvvetli Lida. Lisenin yüzme takımında yüzen Lida. Sadece apandisi eksik olan ve ismimi söyleyen Lida, "Hazel benim için büyük bir ilham kaynağı, gerçekten öyle," dedi. "Mücadele etmeye devam ediyor, her sabah kalkıyor ve şikâyet etmeden savaşıyor. Çok güçlü. Benden çok daha güçlü. Keşke ondaki güç bende de olsa."

"Hazel?" dedi Patrick. "Bu sana ne hissettiriyor?"

Omzumu silkip Lida'ya baktım. "Senin remisyonunu alabilirsem gücümü seve seve sana veririm." Cümle ağzımdan çıktığı anda pişman oldum.

"Lida böyle demek istemiyordu bence," dedi Patrick. "Bence kendisi..." Ama artık dinlemiyordum.

Yaşayanlar için dualar edildikten ve ölenlerin isimleri tekrarlandıktan sonra (ki Michael'ın ismi sona eklenmişti) el ele tutuşarak, "Bugün hayatımızı en iyi şekilde yaşayacağız!" dedik.

Lida anında yanımda bitip bir yandan özür dileyip bir yandan açıklama yapmaya girişti. "Yo, sorun değil," diyerek onu geçiştirdikten sonra Isaac'e döndüm. "Yukarı beraber çıkalım mı?"

Koluma girdi ve basamaklardan kurtulmamı sağlayan bir bahane bulduğum için büyük bir minnettarlıkla asansöre yürüdüm. Neredeyse asansöre varmıştık ki Kelimenin Gerçek Anlamıyla Kalp'in köşesinde dikilen annesini gördüm. "Ben geldim," dedi Isaac'e. Isaac benim kolumdan çıkıp annesininkine girerken, "Bizimle gelmek ister misin?" diye sordu.

"Olur," dedim. Onun için üzülüyordum. İnsanların bana üzülmesinden nefret etsem de ona karşı böyle hissetmekten kendimi alamıyordum.

Isaac havalı bir özel okulun yanındaki Meridian Hills'te, küçük bir çiftlik evinde yaşıyordu. Annesi mutfağa gidip akşam yemeği hazırlarken biz de salonda oturduk, sonra Isaac bana oyun oynamak isteyip istemediğimi sordu.

"Olur," dedim. Kumandayı uzatmamı istedi. Kumandayı aldıktan sonra televizyonu ve ona bağlı bilgisayarı açtı. Televizyon ekranı hâlâ karanlıktı ama birkaç saniye sonra ekrandan derin bir ses duyuldu.

"Hile," dedi ses. "Bir kişi mi iki kişi mi?"

"İki," dedi Isaac. "Duraklat." Bana döndü. "Gus'la sürekli bu oyunu oynuyoruz ama beni deli ediyor çünkü oyunda intihara meyilli şeyler yapıyor. Sivilleri kurtarmaya filan kafayı takmış manyak gibi."

"Öyle," dedim kırılan kupalar gecesini hatırlayarak.

"Devam et," dedi Isaac.

"Birinci oyuncu, kendini tanıt."

"Bu, birinci oyuncunun seksi sesi," dedi Isaac.

"İkinci oyuncu, kendini tanıt."

"Ben de ikinci oyuncu oluyorum sanırım."

Başçavuş Max Mayhem ve Er Jasper Jacks yaklaşık on üç metrekarelik boş ve karanlık bir odada uyanıyor.

Isaac sanki ona konuşmam filan gerekiyormuş gibi televizyonu gösterdi. "Şey," dedim. "Işık düğmesi var mı?"

Hayır.

"Kapı var mı?"

Er Jacks kapıyı buluyor. Kapı kilitli.

Isaac araya girdi. "Kapı çerçevesinin üstünde bir anahtar var."

Evet, var.

"Mayhem kapıyı açıyor."

Hâlâ zifirî karanlık.

"Bıçağı çıkarıyorum," dedi Isaac.

"Bıçağı çıkarıyorum," diye ekledim.

Isaac'in erkek kardeşi olduğunu tahmin ettiğim bir çocuk mutfaktan koşarak geldi. Aşağı yukarı on yaşındaydı, incecikti, fazla enerjikti ve salon boyunca zıplaya zıplaya koştuktan sonra Isaac'in sesini gayet iyi taklit ederek, "KENDİMİ ÖLDÜRÜYORUM," diye haykırdı.

Başçavuş Mayhem bıçağı boğazına dayıyor. Devam etmek istediğinden...

"Hayır," dedi Isaac. "Duraklat. Graham, oraya gelip seni dövmeyeyim." Graham hınzır hınzır güldü ve sekerek koridorda kayboldu.

Mayhem ve Jacks olarak Isaac'le mağarada el yordamıyla ilerledik ve en sonunda bir adama çarpıp bize Ukrayna'da bulunan, yaklaşık bir kilometre uzunluğundaki bir yer altı mağara hapishanesinde olduğumuzu söylettikten sonra onu bıçakladık. Yola devam ederken ses efektleri -gürül gürül akan bir yer altı su kaynağı, İngiliz aksanıyla Ukraynaca konuşan sesler- bizi mağaradan dışarı çıkardı ama oyunda görülecek hiçbir şey yoktu. Bir saat kadar oynadıktan sonra, "Tanrım, yardım et. Yardım et, Tanrım," diye çaresizce yalvaran bir mahkûmun haykırışlarını işittik.

"Duraklat," dedi Isaac. "Gus tam bu noktada o adamı bulmamız gerektiğini söyleyip duruyor oysa bunu yaparsan oyunu kazanamıyorsun ve mahkûmu *gerçekten kurtarmanın* tek yolu oyunu kazanmak."

"Evet, video oyunlarını fazla ciddiye alıyor," dedim. "Metaforlara kendisini biraz fazla kaptırmış halde."

"Ondan hoşlanıyor musun?" diye sordu Isaac.

"Tabii ki hoşlanıyorum. Harika biri."

"Ama bir ilişki kurmak istemiyorsun, öyle mi?"

Omzumu silktim. "Durum biraz karışık aslında."

"Ne yapmaya çalıştığını biliyorum. Başa çıkamayacağı bir durum yaratmak istemiyorsun. Seni Monicalaştırmasını istemiyorsun," dedi.

"Gibi gibi," dedim. Ama olay bu değildi. Asıl olay benim onu Isaacleştirmek istemememde yatıyordu. "Monica'ya hak vermem gerek," dedim. "Ona yaptığın şey hiç hoş değildi."

"*Benim* ona yaptığım şey mi?" diye sordu kendini savunarak.

"Gidip kör olman filan."

"Ama bu benim hatam değil ki," dedi Isaac.

"Senin *hatan* olduğunu söylemiyorum. *Hoş* değildi diyorum."

ONUNCU BÖLÜM

Yanımıza sadece tek bir bavul alabiliyorduk. Ben bavul taşıyamadığım için annem iki bavulu kendi başına taşıyamayacağı konusunda ısrar etti ama sonunda bir milyon yıl önce bizimkilere evlilik hediyesi olarak gelen siyah bavula eşyaları sığdırmaya çalıştık. Egzotik yerlerde ömrünü geçirmesi gereken bu bavul, babamın sık sık gittiği Morris Property'nin Dayton'daki ofisi ile evimiz arasında gidip gelir olmuştu.

Bavulun yarısından biraz fazlasının bana ayrılması gerektiği konusunda annemle tartışmaya girdim çünkü ben ve kanserim olmasa Amsterdam'a gidiyor olmazdık. Annem de benim iki katım olduğunu, ayrıca iffetini koruyabilmek adına daha fazla kumaşa ihtiyaç duyduğu için bavulun en az üçte ikisini kaplamaya hakkı olduğunu öne sürerek bana karşı geldi.

Sonunda ikimiz de kaybettik. Hadi geçmiş olsun.

Uçağımız öğlene kadar kalkmayacaktı ama annem beni beş buçukta uyandırıp ışığı açtıktan sonra, "AMSTERDAM!" diye bağırarak ayağa dikilmemi uygun buldu. Tüm sabah etrafta koşturarak uluslararası priz adaptörlerini yanımıza aldığımızdan emin oldu, oksijen tüplerinin sayısını ve hepsinin dolu olup olmadığını dördüncü kez filan kontrol etti. Ben de bu esnada yataktan yuvarlanarak çıktım ve Amsterdam'a Yolculuk Giysim'i giydim (kot pantolon, pembe bir bluz ve uçağın soğuk olma ihtimaline karşı siyah bir hırka).

On dokuzuncu yüzyılda yaşayan ve tüm gününü tarlalarda geçirmeden önce güç toplaması gereken bir Rus köylüsü olmadığım gerekçesiyle şafaktan önce yemek yemeye ahlaken karşı çıksam da eşyalar altıyı çeyrek geçe arabaya yüklendiği için annem, babamla kahvaltı yapmamız konusunda ısrarcı oldu. Bizimkiler çok sevdikleri yumurtalı McMuffin'lerin ev yapımı versiyonlarını keyifle yerken biraz yumurta yutmaya çalıştım.

"Kahvaltılıklar neden kahvaltılık?" diye sordum. "Yani neden kahvaltıda köri yemiyoruz?"

"Hazel, yemeğini ye."

"Ama *neden*?" diye ısrar ettim. "Yani ben çok ciddiyim. Yağda yumurta nasıl oldu da sadece kahvaltıya mahsus bir şey haline geldi? Sandvice salam koyduğun zaman kimse delirmiyor. Ama sandvicine yumurta koyarsan yediğin şey pat diye *kahvaltılık* sandviç oluveriyor."

Babam ağzı doluyken cevap verdi. "Döndüğünde akşam yemeğinde kahvaltı yaparız. Olur mu?"

"Akşam yemeğinde kahvaltı filan istemiyorum," diye karşılık verdim neredeyse dokunmadığım tabağımın üstüne çatal ile bıçağı bırakırken. "Yağda yumurta içeren bir yemeğin akşam vaktinde yendiğinde bile *kahvaltı* olarak adlandırılmasına sebep olan saçma yapıya saplanıp kalmadan, akşam yemeğinde yağda yumurta yemek istiyorum."

"Bu dünyada neler için savaş vereceğini seçmek zorundasın, Hazel," dedi annem. "Eğer savunmak istediğin mesele buysa arkanda dururuz."

Babam, "Oldukça arkanda," diye ekleyince annem güldü.

Her neyse, saçma olduğunu biliyordum ama bir şekilde yağda yumurtalara *üzülüyordum*.

Yemek bittikten sonra babam bulaşıkları yıkadı ve bizi arabaya kadar geçirdi. Tabii ki ağlamaya başladı ve ıslak, kirli sakallı suratıyla yanağımı öptü. Burnunu elmacık kemiğime gömüp, "Seni seviyorum. Seninle gurur duyuyorum," diye fısıldadı. (*Neyimle*, diye düşündüm.)

"Teşekkürler, baba."

"Birkaç güne görüşürüz, tamam mı tatlım? Seni çok seviyorum."

"Ben de seni seviyorum, baba." Gülümsedim. "Hem sadece üç gün yokuz."

Garaj yolundan geri geri çıkarken ona el sallayıp durdum. O da bir yandan ağlayıp bir yandan el sallıyordu. Beni bir daha hiç göremeyeceğini düşünüyor olabileceği aklıma geldi ki muhtemelen işe gittiği her günün sabahında da hep aynı şeyi düşünüyordu... Çok fena bir şey olmalıydı.

Annemle Augustus'un evine gittik, vardığımızda dinlenmem için arabada kalmamı istedi ama ben yine de onunla kapıya kadar gittim. Eve yaklaşırken içeride birinin bağırdığını duydum. İlk başta Gus olduğunu anlayamadım çünkü sesin her zamanki derin ses tonuyla uzaktan yakından ilgisi yoktu ama sonra gerçekten de onun sesinin bambaşka bir hali, "ÇÜNKÜ BU BENİM HAYATIM, ANNE. BANA AİT," diye bağırdı. Annem hızla omzumu tutup beni arabaya doğru döndürdü, hızlı hızlı yürümeye başlayınca, "Anne, ne yapıyorsun?" diye sordum.

"Kulak misafiri olmayalım, Hazel," dedi.

Arabaya döndükten sonra Augustus'a mesaj atıp dışarıda olduğumuzu, hazır olduğunda gelebileceğini yazdım.

Bir süre eve baktık. Evlerin tuhaf yanı hayatlarımızın büyük kısmı içlerinde geçmesine rağmen dışarıdan sanki hiçbir zaman hiçbir şey olmuyormuş gibi görünmesi. Mimarinin tüm amacının bu olup olmadığını merak ettim.

"Eh," dedi annem bir süre sonra, "biraz erken geldik sanırım."

"Âdeta beş buçukta kalkmama gerek yokmuşçasına," dedim. Annem önümüzdeki konsola uzanıp kahve bardağını eline aldı ve kahvesini yudumladı. Telefonum titredi. Augustus'tan mesaj gelmişti.

Ne giyeceğime BİR TÜRLÜ karar veremiyorum. Polo yaka mı gömlek mi?

Yanıt verdim:

Gömlek.

Otuz saniye sonra ön kapı açıldı ve tekerlekli bir çanta ile gülümseyen bir Augustus ortaya çıktı. Ütülü gök mavisi gömleğini pantolonunun içine sokuşturmuştu. Dudaklarından bir Camel Light sarkıyordu. Annem onu karşılamak için arabadan indi. Augustus kısa bir anlığına sigarayı ağzından çıkardı ve alışık olduğum o kendinden emin ses tonuyla, "Sizi görmek her zamanki gibi bir zevk," dedi.

Annem bagajı açana kadar dikiz aynasından onları seyrettim. Birkaç saniye sonra Augustus arkamdaki kapıyı açarak tek bacakla arabanın arka koltuğuna geçme denilen o zor işe girişti.

"Önde gitmek ister misin?" diye sordum.

"Kesinlikle hayır," dedi. "Ve selam, Hazel Grace."

"Selam," dedim. "Ve peki."

"Peki," dedi.

"Peki," dedim.

Annem arabaya binip kapıyı kapattı. "Bir sonraki durağımız, Amsterdam."

Ki bu pek doğru değildi. Bir sonraki durağımız havalimanının parkıydı, sonra bir otobüs bizi terminale götürdü, sonra üstü açık elektrikli bir araba bizi güvenliğin önüne bıraktı. Sıranın başında duran güvenlikçi çantalarımızda nasıl patlayıcıların, silahların veya yüz mililitreden fazla sıvıların bulunmaması gerektiğine dair bir şeyler haykırıyordu ki Augustus'a dönüp, "Gözlem: Sıra beklemek bir işkence türü," dedim, "Gerçekten," dedi.

Elle üstümü aramalarındansa, metal dedektöründen çekçek veya oksijen tüpü veya burnumdaki plastik kanül olmadan, yürüyerek geçmeyi tercih ettim. X-ray cihazından geçerek aylardan beri ilk kez oksijensiz adım atmış oluyordum ve böyle engelsiz yürümek, Rubicon'u geçmek, makinenin sessiz kalarak –her ne kadar kısa bir anlığına da olsa– mekanikleşmemiş bir canlı olduğumu kabullenmesi muhteşem bir histi.

Çocukken içine kitap koyduğum ve her yere taşıdığım çok ağır bir sırt çantam vardı ve uzun süre sırt çantasıyla dolaşırsam, çantayı çıkarttığımda sanki havada süzülüyormuşum gibi hissederdim. Bundan başka şekilde açıklayabilmem pek mümkün olmayan bir bedensel egemenlik hissettim işte.

Yaklaşık on saniye sonra ciğerlerim, alacakaranlıkta kapanan çiçekler gibi büzüşüyormuş hissi vermeye başladı. Makineyi geçtikten hemen sonra gri bir sıraya oturup soluklanmaya çalıştım, hırıl hırıl öksürüyordum ve kanülü yerine takana kadar oldukça sefil haldeydim.

Sonrasında bile canım yandı. Acı aslında hep oradaydı, beni içime doğru çekiyor, hissedilmeyi talep ediyordu. Sanki ancak dışımda devam eden dünyada bir şey aniden onunla ilgilenmemi veya yorum yapmamı bekliyormuş gibi olduğunda acıdan uyanabiliyormuşum gibi hissediyordum. Annem endişeyle bana bakıyordu. Bir şey söylemişti. Ne söylemişti? Sonra hatırladım. Bir sorun olup olmadığını sormuştu.

"Bir şey yok," dedim.

"Amsterdam!" diye bağırdı hafifçe.

Gülümsedim. "Amsterdam," diye karşılık verdim. Uzanıp beni ayağa kaldırdı.

Uçuş saatimizden bir saat önce havalimanının kalkış kapısına gittik. "Bayan Lancaster, inanılmaz derecede dakik bir insansınız," dedi Augustus çoğu boş koltuklarla dolu alanda yanıma otururken.

"Teknik açıdan pek meşgul olmamam da işe yarıyor tabii," dedi annem.

"Oldukça meşgulsün," dedim ama annemin esas işinin benimle ilgili olduğu da dikkatimden kaçmamıştı. Ayrıca babamla evli olmak gibi bir işi de vardı -babam bankacılık ve tesisatçı çağırma ve yemek yapma, yani aslında genel olarak Morris Property'de çalışmak dışındaki herhangi bir işi gerçekleştirme konusunda hiçbir fikre sahip değildi- ama annemin işi esas olarak bendim. Onun asıl yaşama amacı ile benim asıl yaşama amacım korkunç derecede iç içe geçmişti.

Kapının etrafındaki koltuklar dolmaya başladığı sırada Augustus, "Kalkmadan önce bir hamburger alacağım. Size de bir şeyler getireyim mi?" diye sordu.

"Hayır," dedim, "ama kahvaltısal sosyal eğilimlere kapılmayı reddedersen müteşekkir olurum."

Bana bakıp başını yana eğdi, kafası karışmıştı. "Hazel yağda yumurtanın gettolaşmasıyla ilgili sorunlar yaşamaya başladı da," dedi annem.

"Yağda yumurtanın temel olarak sabah saatleriyle bağdaştırılmasını körlemesine kabul ederek hayatımıza devam ediyor olmamız bana utanç verici geliyor."

"Bu konuda konuşmaya devam etmek istiyorum," dedi Augustus. "Ama açlıktan ölüyorum. Hemen dönerim."

Augustus yirmi dakika sonra hâlâ ortalıkta görünmediği için anneme bir sorun çıkmış olup olamayacağını sordum ve başını korkunç dergisinden bir anlığına kaldırıp, "Tuvalete filan gitmiştir muhtemelen," dedi.

Bir görevli gelip oksijen tüpümü havayolu şirketinin sağladığı tüple değiştirdi. Herkes bizi izlerken kadının önümde eğilmesinden utandığım için Augustus'a mesaj attım.

Cevap vermedi. Annemin umurunda değilmiş gibi görünüyordu ama aklımdan Amsterdam gezisini mahvedecek türden çeşit çeşit olay geçiyordu (tutuklanma, yaralanma, sinir krizi) ve dakikalar akıp giderken göğsümde kanserle alakasız bir sorun varmış gibi hissediyordum.

Bankonun arkasındaki kadın, yardıma ihtiyacı olan insanları önceden uçağa almaya başlayacaklarını söylediği anda kapı civarında bekleyen istisnasız herkes dönüp bana bakarken, Augustus'un omzuna astığı çantası ve bir elinde McDonald's kese kâğıdıyla bize doğru topallayarak geldiğini gördüm.

"Neredeydin?" diye sordum.

"Sıra inanılmaz uzundu, kusura bakma," dedi kalkmam için elini uzatarak. Elini tuttum ve uçağa önceden binmek üzere kapıya kadar yan yana yürüdük.

Herkesin bizi seyrettiğini hissedebiliyordum, ne gibi bir hastalığımızın olduğunu, bizi öldürüp öldürmeyeceğini, annemin ne kadar cesur olduğunu filan düşünüyor, merak ediyorlardı. Kimi zaman kansere yakalanmanın en kötü yanı buydu işte: Hastalığın fiziksel varlığının sizi diğer insanlardan ayırması. Uzlaşma kabul etmeyecek derecede ötekiydik ve bunun en bariz olduğu an, üçümüzün boş uçak boyunca yürümesi, hostesin başını anlayışla eğerek bizi yönlendirmesi ve en arkadaki sıraya götürmesiydi. Üç kişilik sıranın ortasındaydım, Augustus cam kenarında, annem koridor tarafındaydı. Annem beni sıkıştırıyormuş gibi hissettiğim için tabii ki Augustus'a doğru kaydım. Uçağın kanadının arkasındaydık. Augustus çantasını açıp burgeri çıkarttı.

"Yumurtalarla ilgili olay şu..." dedi. "Kahvaltılaştırma olayı yağda yumurtaya belli bir kutsallık katıyor, tamam mı? İstediğin zaman, istediğin saatte pastırmalı veya çedar peynirli bir şeyler yiyebilirsin, *taco*'dan tut kahvaltılık sandviçlere veya kızartılmış peynirlere kadar ama yağda yumurta... *önemli.*"

"Çok saçma," dedim. Artık insanlar yavaş yavaş uçağa binmeye başlamıştı. Onlara bakmak istemediğim için kafamı çevirdim ve kafamı çevirmek, Augustus'a bakmak anlamına geliyordu.

"Söylediğim şey şu sadece, yağda yumurta gettolaştırılmış olabilir ama aynı zamanda özel. Özel bir yere ve zamana sahip, tıpkı kilise gibi."

"O kadar yanılıyorsun ki," dedim. "Sizinkilerin kırlentlerine işlenmiş duygulu cümlelere kanıyorsun. Nadir bulunan ve narin bir şeyin güzel olmasının sebebinin nadir bulunması ve narin olması olduğunu iddia ediyorsun. Ama bu bir yalan ve bunu sen de gayet iyi biliyorsun."

"Teselli etmesi çok zor bir insansın," dedi Augustus.

"Basit teselliler teselli etmiyor," dedim. "Sen de bir zamanlar narin ve nadir bulunan bir çiçektin. Hatırlasana."

Bir saniyeliğine hiçbir şey söylemedi. "Çenemi nasıl kapatacağını çok iyi biliyorsun, Hazel Grace."

"Senin çeneni kapatabilmek benim için bir onur," diye karşılık verdim.

Gözlerimi gözlerinden ayırmadan önce bana, "Kapının orada beklemekten kaçtığım için kusura bakma," dedi. "McDonald's sırası o kadar uzun değildi. Ben sadece... orada herkes bize bakarken filan oturmak istemedim."

"Genel olarak bana bakıyorlardı," dedim. Gus'a bakıp hasta olduğunu anlamanız mümkün değildi ama ben hastalığımı yanımda taşıyordum ve evden pek çıkmamamın sebeplerinden biri de buydu. "Meşhur karizma Augustus Waters, oksijen tüplü bir kızın yanında oturmaktan utanıyor."

"Utanmıyorum," dedi. "Bazen beni sinirlendiriyorlar o kadar. Ve bugün sinirlenmek istemiyorum." Hemen ardından cebine uzanıp sigara paketini açtı.

Dokuz saniye sonra sarışın bir hostes hızla yanımızda bitti. "Bu uçakta sigara içemezsiniz. Aslında hiçbir uçakta içemezsiniz," dedi.

"Ben sigara kullanmıyorum," diye açıklama yaptı Augustus, konuşurken sigarası dudaklarının arasında oynayıp duruyordu.

"Ama..."

"Bu bir metafor," diye açıklamaya giriştim. "Öldürücü şeyi dudaklarının arasına koyuyor ama ona öldürme gücü vermiyor."

Hostesin sersemliği sadece bir saniye sürdü. "Bu metafor bu uçuşta yasak," dedi. Gus başıyla onaylayıp sigarayı tekrar pakete koydu.

En sonunda piste doğru yol aldık ve pilot, *kabin görevlileri, kalkışa hazırlanın*, dedi ve muazzam jet motorları kükreyerek çalıştı ve hızlanmaya başladık. "Senin kullandığın arabada oturmak böyle hissettiriyor işte," dedim, gülümsedi ama çene kaslarını sıktığını görünce, "İyi misin?" diye sordum.

Gittikçe hızlanıyorduk, bir anda Gus fal taşı gibi açılmış gözleriyle etrafa bakarken koltuğun kolçağını yakaladı, elimi onunkinin üstüne koyup, "İyi misin?" dedim. Ağzını açmadı, bana kocaman gözleriyle baktı sadece. "Uçmaktan korkuyor musun?"

"Bir dakika sonra söyleyeceğim," dedi. Uçağın burnu kalktı ve havalandık. Gezegen altımızda küçülürken Gus camdan dışarıyı seyrediyordu, sonra yumruğunu sıkmayı bıraktı. Kısa bir an bana bakıp tekrar pencereye döndü. "*Uçuyoruz,*" dedi açıklama yapar gibi.

"Daha önce uçmadın mı?"

Başını salladı. "BAK!" diye bağırdı pencereyi işaret edip.

"Evet," dedim. "Evet, görüyorum. Sanki uçaktaymışız gibi."

"İNSANLIK TARİHİNDE HİÇBİR ŞEY HİÇBİR ZAMAN BÖYLE GÖRÜNMEDİ." Coşkusu o kadar tatlıydı ki. Uzanıp yanağını öpmekten kendimi alıkoyamadım.

"Haberin olsun diye söylüyorum, tam burada oturuyorum," dedi annem. "Yanındayım. Annen. Sen küçücük bebekken ilk adımlarını attığın sırada elini tutan kadın."

"Arkadaşça," diye açıklama yaptım ve dönüp onu da yanağından öptüm.

"Bana çok arkadaşçaymış gibi gelmedi," dedi Augustus sadece benim duyabileceğim bir sesle. Büyük Jestlerin Metaforlara Meyilli Augustusu'ndan ortaya şaşkın, heyecanlı ve masum Gus çıktığı zaman kelimenin gerçek anlamıyla ona karşı koyamıyordum.

Detroit'e yaptığımız kısa uçuştan sonra uçaktan indiğimizde küçük, elektrikli bir araba bizi karşıladı ve Amsterdam uçağının kapısına götürdü. Bu uçaktaki her koltuğun arkasında televizyon ekranı vardı, bulutların üstüne çıktığımızda Augustus'la kendi ekranlarımızdan aynı anda aynı romantik komedi filmini seyredebilmek için zaman ayarlaması yapmaya çalıştık. Fakat oynatma düğmesine mükemmel bir zamanlamayla basmamıza rağmen onun filmi hep benimkinden birkaç saniye önce başladığı için her komik sahnede ben esprinin ne olduğunu henüz duymaya başlamışken o kahkahalara boğuluyordu.

Annemin, uçuşun son birkaç saatinde uyumamız konusunda büyük planları vardı, böylece sabah sekizde indiğimizde hayatı iliklerine kadar sömürebilmemiz filan için kendimizi şehrin sokaklarına vuracaktık. Bu yüzden film bittikten sonra hepimiz uyku hapı aldık. Annem saniyeler içinde bayıldı ama Augustus'la ikimiz bir süre daha pencereden dışarıyı seyrettik. Bulutsuz bir gündü ve güneşin batışını göremesek de gökyüzünün buna nasıl karşılık verdiğini izleyebiliyorduk.

"Tanrım, çok güzel," dedim daha çok kendi kendime.

"'Doğan güneş sönmekte olan gözlerini alıyordu,'" dedi, *Görkemli Izdırap*'tan alıntı yaparak.

"Ama güneş doğmuyor ki," dedim.

"Bir yerlerde doğuyor," diye karşılık verdi, hemen ardından ekledi: "Gözlem: Bir süreliğine dünyanın çevresinde gündoğumunu kovalayabilecek kadar hızlı bir uçakla uçmak muhteşem olurdu."

"Ayrıca daha uzun yaşardım." Yan yan bana baktı. "Görecelilikten filan işte." Hâlâ kafası karışık görünüyordu. "Olduğumuz yerde durmaya nazaran hızlı hareket ettiğimizde daha yavaş yaşlanıyoruz. Yani şu anda bizim için zaman yerdeki insanlara göre daha yavaş akıyor."

"Üniversiteli hatunlar," dedi. "Çok zeki oluyorlar."

Gözlerimi devirdim. (Gerçek) diziyle benimkine vurdu, ben de aynı şekilde karşılık verdim. "Uykun geldi mi?" diye sordum.

"Kesinlikle hayır," diye yanıt verdi.

"Evet," dedim. "Benim de gelmedi." Uyku hapları ve narkotik ilaçlar beni, normal insanları etkilediği gibi etkilemiyordu.

"Bir film daha izleyelim mi?" diye sordu. "Hazel Dönemi'nden bir Portman filmi var."

"Senin seyretmediğin bir şey olsun."

En sonunda *300 Spartalı*'yı izledik: Sparta'yı, yaklaşık bir milyar kişilik işgalci Pers ordusundan koruyan 300 Spartalıya dair bir savaş filmiydi. Augustus'un filmi yine benimkinden önce başladı ve ne zaman birileri feci şekillerde ölse "Çaat!" veya "Morto!" demesini bir süre dinledikten sonra kolçağın üstünden uzanıp başımı omzuna koydum, böylece onun ekranına bakabildim ve filmi gerçekten birlikte izleyebildik.

300 Spartalı'da oldukça geniş bir üstü çıplak, bol bol yağlanmış, dalyan gibi genç koleksiyonu sergilendiği için gözlere hitap etmediği söylenemezdi ama büyük kısmı pek etkileyici olmayan kılıç kullanma sahnelerinden oluşuyordu. Perslerin ve Spartalıların bedenleri üst üste yığılıyordu ve ben neden Perslerin bu kadar şeytani ya da Spartalıların bu kadar muhteşem olduğunu bir türlü anlayamıyordum. *Görkemli Izdırap*'tan alıntı yapmam gerekirse, "Çağdaşlık –belki hayatları dışında–, kimsenin herhangi bir değere sahip bir şey kaybetmediği türde savaşlar yapılması konusunda uzmanlaşmıştı." Bu dövüşen titanlarda da durum aynıydı.

Filmin sonuna doğru neredeyse herkes ölmüştü ve Spartalıların cesetlerden bir duvar örmek için bedenleri üst üste yığdığı delice bir sahne vardı. Ölüler, Persler ile Sparta'ya giden yol arasında devasa bir barikat halini almıştı. Vahşeti biraz yersiz bulduğum için bir saniyeliğine başımı çevirip Augustus'a, "Kaç kişi ölmüştür sence?" diye sordum.

Beni geçiştirircesine elini salladı. "*Şişşt. Şişşt.* Muhteşem bir hale geldi."

Persler saldırırken ölüm duvarına tırmanmak zorunda kaldılar ve Spartalılar ceset dağının zirvesini tutmayı başardılar ve giderek daha fazla ceset yığıldığı için şehit duvarı gittikçe yükseldi ve buna bağlı olarak tırmanılması zorlaştı ve herkes kılıçlarını savurdu/oklarını fırlattı ve Ölüm Dağı'ndan aşağı kan nehirleri aktı, filan falan.

Vahşetten biraz uzaklaşabilmek için omzundan bir an kafamı kaldırıp Augustus'un filmi seyretmesini izledim. O şapşal gülümsemesini yüzünden silemiyordu. Dağ, Perslerin ve Spartalıların cesetleriyle yükseldiği sırada gözlerimi kısıp kendi ekranıma baktım. Persler en sonunda Spartalıları ezip geçtiğinde tekrar Augustus'a döndüm. İyi adamlar az önce kaybetmiş olsa da Augustus alenen *sevinçli* görünüyordu. Tekrar ona sokuldum ama savaş bitene kadar gözlerimi kapadım.

Jenerik akarken kulaklığını çıkarıp, "Kusura bakma. Fedakârlığın asaletine kapılmıştım. Bir şey mi dedin?" dedi.

"Kaç kişi ölmüştür sence?"

"Yani kurgu filmde kaç tane kurgu insanın öldüğünü mü soruyorsun? Yeterince değil," diye espri yaptı.

"Hayır, yani, toplamda. Yani şimdiye dek sence kaç kişi ölmüştür?"

"İlginçtir ki bu sorunun yanıtını biliyorum," dedi. "Yedi milyar yaşayan ve yaklaşık doksan sekiz milyar ölmüş insan var."

"Ya," dedim. Hani nüfus artışı hızlandığı için tüm ölenlerin toplamından daha fazla yaşayan insan vardır diye düşünmüştüm.

"Yaşayan her insan başına yaklaşık on dört ölü düşüyor," dedi. Jenerik akmaya devam ediyordu. Tüm cesetlerin isimlerini saymak uzun zaman alıyordu herhalde. Başım hâlâ omzundaydı. "Birkaç yıl önce bu konuda biraz araştırma yapmıştım," diye devam etti. "Herkesin hatırlanıp hatırlanamayacağını merak ediyordum. Yani organize olabilsek ve hayattaki her insana belli sayıda ölü insan ayırsak tüm ölenleri hatırlayabilecek yeterince insan olur muydu?"

"Olur muydu?"

"Olması gerek. Herkes ölmüş on dört insanın ismini sayabilir. Ama organize olamayan ağıtçılarız, bu yüzden çok sayıda insan Shakespeare'i hatırlıyor ama kimse *Elli Beşinci Sone*'yi kime yazdığını hatırlamıyor."

"Evet," dedim.

Bir süre sessizlik oldu, sonra, "Bir şey okumak ister misin?" diye sordu. Tabii ki dedim. Şiir dersim için Allen Ginsberg'in *Uluma* isimli uzun şiirini okuyordum, Gus da *Görkemli Izdırap*'ı tekrar okuyordu.

Bir süre sonra, "İyi mi?" diye sordu.

"Şiir mi?" dedim.

"Evet."

"Evet, harika. Bu şiirdeki tipler benden bile çok ilaç alıyor. *Görkemli Izdırap* nasıl?"

"Hâlâ mükemmel," dedi. "Seninkinden biraz okusana."

"Uyuklayan annenin yanında otururken sesli okunacak türde bir şiir değil. İçinde eşcinsellik ve melek tozu filan geçiyor."

"En sevdiğim iki meşgaleden bahsettin," dedi. "Peki, başka bir şey oku o zaman."

"Şey," dedim. "Başka bir şeyim *yok*."

"Çok fena. Tam da şiir dinleme havamdaydım. Ezbere bildiğin bir şeyler var mı?"

"'Haydi gidelim o zaman, senle ben,'" diye başladım tedirgince. "'Gece, gökyüzüne yayılınca / Ameliyat masasında yatan baygın bir hasta gibi.'"

"Daha yavaş," dedi.

Ona *Görkemli Izdırap*'tan ilk bahsettiğim zamanki gibi kendimi çekingen hissediyordum. "Şey, peki. 'O bilindik terk edilmiş sokaklardan geçelim, / Tek gecelik ucuz otellerdeki erinçsiz gecelerin mırıltılı kuytularından / Ve istiridye kabuklu, talaş tozlu restoranlardan: / Usandırıcı bir tartışma gibi uzayıp giden sokaklardan / Sinsi amaçlar güden / Seni kaçınılmaz bir soruya yönlendiren... / Ah, sorma sakın, "Nedir?" diye / Gel gidelim ziyaret etmeye.'"

"Seni seviyorum," dedi kısık sesle.

"Augustus," dedim.

"Seviyorum," dedi. Bana bakıyordu, göz kenarlarının kırıştığını görebiliyordum. "Seni seviyorum ve doğru şeyleri söylemek gibi basit zevklerden kendimi mahrum etmeye pek meyilli değilim. Seni seviyorum ve sevginin boşluğa atılan bir çığlık olduğunu ve unutulmanın kaçınılmazlığını, herkesin ölüme mahkûm olduğunu ve tüm çabamızın toza dönüşeceği bir günün geleceğini biliyorum ve güneşin elimizdeki tek dünyayı yutacağını da biliyorum ve seni seviyorum."

"Augustus," dedim tekrar, ne diyeceğimi bilemeden. Sanki içimdeki her şey kabarıyormuş ve tuhaf bir şekilde acı veren bir neşenin içinde boğuluyormuşum gibi hissediyordum ama bunu söyleyemiyordum. Hiçbir şey söyleyemiyordum. Sadece ona baktım, bana bakmasını seyrettim, ta ki başını sallayıp dudaklarını büzdükten sonra öteki yana dönene ve kafasını pencereye yaslayana kadar.

ON BİRİNCİ BÖLÜM

Uyuyakalmış olmalıydı. Ben de en sonunda uyuyakaldım ve iniş sırasında uyandım. Ağzımda korkunç bir tat vardı, tüm uçağı zehirlemekten korktuğum için dudaklarımı sımsıkı kapalı tuttum.

Pencereden dışarı bakan Augustus'a döndüm ve alçak bulutların arasından geçerken Hollanda'yı görebilmek için dikeldim. Toprak okyanusa gömülmüş gibi duruyordu, kanallar tarafından kuşatılmış yeşil renkli küçük kareler vardı. Hatta biz de bir kanala paralel olarak indik, sanki iki pist varmış gibiydi: biri bizim, öteki su kuşları için.

Bavullarımızı alıp kontrol noktasından geçtikten sonra mükemmel İngilizcesiyle benden bile iyi konuşan, kel ve solgun bir adamın kullandığı taksiye doluştuk. "Hotel Filosoof'a gideceğiz," dedim.

O da, "Amerikalı mısınız?" dedi.

"Evet," dedi annem. "*Indianalıyız.*"

"Indiana," dedi adam. "Kızılderililerin elinden topraklarını çalıp ismi aynen bırakıyorsunuz, değil mi?"

"Öyle bir şey," dedi annem. Taksici trafiğe girdi ve sesli harflerin çifter çifter ve bol bol yer aldığı mavi tabelalarla dolu bir otobanda yol almaya başladık: Oosthuizen, Haarlem. Otobanın yanında düz ve boş arazi kilometrelerce uzanıyor, ara sıra devasa şirketlerin merkez binalarıyla bölünüyordu. Kısacası Hollanda tıpkı Indianapolis gibi görünüyordu, tek fark daha ufak arabalardı. "Amsterdam burası mı?" diye sordum taksiciye.

"Hem evet hem hayır," diye yanıt verdi. "Amsterdam bir ağacın yaş halkalarına benzer: Merkeze yaklaştıkça tarihîleşir."

Her şey bir anda oldu: Otobandan çıktık ve hayalimde canlandırdığım, kanallara doğru tehlikeli şekilde eğilen evler, her tarafa yayılmış bisikletler ve SİGARA İÇİLEBİLİR GENİŞ SALON tabelalarıyla kafeler ortaya çıktı. Bir kanalın üstünden geçerken köprüden kıyıya palamar bağlamış düzinelerce tekneyi görebiliyordum. Hiç Amerika'ya benzemiyordu. Eski bir resme benziyordu fakat gerçekti -her şey sabah ışığında acı verecek kadar huzurluydu- ve neredeyse her şeyin ölmüş insanlar tarafından inşa edildiği bir yerde yaşamanın ne kadar muhteşem bir tuhaflığı olacağını düşündüm.

"Bu evler çok mu eski?" diye sordu annem.

"Kanal evlerinin çoğu Altın Çağ'dan, on yedinci yüzyıldan kalma," dedi adam. "Turistlerin çoğunun derdi Kırmızı Işık Bölgesi'ni görmek olsa da şehrimizin tarihi zengindir." Duraksadı. "Bazı turistler Amsterdam'ı günah şehri gibi görüyor ama özünde bir özgürlük şehri. Ve çoğu insan özgürlükte günah buluyor."

Hotel Filosoof'un tüm odalarına filosoofların isimleri verilmişti: Annem ile ben giriş katındaki Kierkegaard'da kalıyorduk; Augustus üst katımızdaki Heidegger'de. Odamız ufaktı: çift kişilik yatak, ucundaki BiPAP makinem, bir oksijen konsantratörü ve bir düzine doldurulabilir oksijen tüpüyle duvarın dibindeydi. Ekipmanların yanında şal desenli yastıkları çökmüş ve oldukça tozlu bir koltuk, bir masa ve yatağın üstünde, Søren Kierkegaard'ın derlemelerinin durduğu bir raf vardı. Masanın üstünde Cinler'den gelen hediyelerle dolu bir sepet duruyordu: ahşap takunyalar, turuncu bir Hollanda tişörtü, çikolatalar ve buna benzer birkaç şey daha.

Filosoof, Amsterdam'ın en ünlü parkı Vondelpark'ın hemen yanındaydı. Annem yürüyüşe çıkmak istiyordu ama ben inanılmaz yorulduğum için BiPAP'ı çalıştırdı ve ucunu bana taktı. O şey çalışırken konuşmaktan nefret ediyordum ama "Sen parka git, uyandığımda seni ararım," dedim.

"Tamam," dedi. "İyi uykular, tatlım."

Fakat birkaç saat sonra uyandığımda köşedeki antika koltukta oturmuş, bir gezi rehberini karıştırıyordu.

"Günaydın," dedim.

"Aslında öğleden sonra oldu," diye yanıtladı iç geçirerek koltuktan kalkarken. Yatağın başına geldi, çekçeğe tüpü yerleştirdi ve ben BiPAP'ın ucunu çıkartırken o da tüpü bağlayıp kanülü burnuma taktı. Dakikada 2.5 litreye ayarladı –altı saat sonra değiştirmem gerekecekti–, ben de ayağa kalktım. "Nasılsın?" diye sordu.

"İyiyim," dedim. "Harikayım. Vondelpark nasıldı?"

"Gitmedim," dedi. "Ama nasıl bir yer olduğunu rehberden okudum."

"Anne, burada kalmana gerek yoktu."

Omzunu silkti. "Biliyorum. Canım istedi. Seni uyurken seyretmeyi seviyorum."

"... dedi sapık." Güldü ama ben kendimi hâlâ kötü hissediyordum. "Gidip eğlen filan istiyorum."

"Tamam. Bu akşam eğleneceğim, tamam mı? Sen Augustus'la yemek yemeye gittiğinde gidip çılgın annelik yapacağım."

"Sensiz mi gideceğiz?" diye sordum.

"Evet, bensiz gideceksiniz. Oranjee diye bir yerde sizin adınıza rezervasyon yapılmış. Van Houten'in asistanı ayarlamış. Jordaan diye bir yerde. Çok şık yermiş, rehberde öyle yazıyordu. Hemen köşede tramvay durağı var. Augustus nasıl gidileceğini biliyor. Bahçesinde yemek yiyip tekneleri seyredebiliyormuşsunuz. Çok güzel olacak. Çok romantik."

"Anne."

"Ne var canım, hayret bir şey," dedi. "Giyinmen lazım. Elbiseni giysene."

Vaziyetin çılgınlığına şaşırmamak işten değildi: Bir anne on altı yaşındaki kızını, on yedi yaşındaki bir çocukla, serbestîsiyle ünlü yabancı bir şehirde tek başına dışarı yolluyordu. Ama bu da ölmenin yan etkilerinden biriydi: Koşamıyor, dans edemiyor veya azotlu yiyecekler yiyemiyor olabilirdim ama özgürlük şehri sakinlerinin en özgürlerinden biriydim.

Gerçekten de elbiseyi giydim. Mavi renkli, tiril tiril, dize kadar gelen bir Forever 21 ürünüydü, altına külotlu çorabımı ve bantlı pabuçlarımı giydim çünkü Augustus'tan çok daha kısa olmak hoşuma gidiyordu. Minicik banyoya gidip her şey 2000'lerin ortası Natalie Portman'ı gibi görünene dek bir süre saçlarımla savaştım. Akşam saat tam altıda (bizim orada öğlendi) kapı tıklatıldı.

"Kim o?" dedim kapıyı aralayıp. Hotel Filosoof'ta gözetleme deliği yoktu.

"Peki," diye yanıtladı Augustus. Sesinden ağzında sigara olduğunu anlayabiliyordum. Kendime şöyle bir baktım. Elbise göğüs kafesi ve köprücük kemiği açısından Augustus'un şimdiye kadar gördüğü en geniş alanı açıkta bırakıyordu. Müstehcen bir durum söz konusu değildi ama azıcık ten göstermeye en yaklaştığım an buydu. (Annemin bu konuda katıldığım bir mottosu vardı: "Lancaster'lar diyaframlarını açmaz.")

Kapıyı açtım. Augustus üstüne tam oturan dar yakalı siyah bir takım elbisenin içine açık mavi bir gömlek giymiş ve siyah, ince bir kravat takmıştı. Dudaklarının gülümsemeyen ucundan bir sigara sarkıyordu. "Hazel Grace," dedi, "harika görünüyorsun."

"Ben," dedim. Ses tellerimden geçen havadan çıkacak cümlenin geri kalanını düşünüp duruyordum ama hiçbir şey olmadı. Ardından nihayet, "Yemek için hafif giyinmişim gibi hissediyorum," diyebildim.

"Aman, bu paçavra mı?" dedi gülümseyerek.

"Augustus," dedi annem arkamdan, "*çok* yakışıklı olmuşsun."

"Teşekkür ederim," dedi. Kolunu uzattı. Anneme bakarak koluna girdim.

"On birde görüşürüz," dedi annem.

Yoğun trafiğin olduğu geniş bir sokakta bir numaralı tramvayı beklerken, "Bu takımı cenazelere giderken giyiyorsun, değil mi?" diye sordum.

"Aslında hayır," dedi. "O takım bunun kadar güzel değil."

Mavi-beyaz tramvay geldi, Augustus biletlerimizi sürücüye uzattı, o da dairesel bir sensöre okutmamız gerektiğini açıkladı. Kalabalık tramvaya adım attığımızda yaşlı bir adam yan yana oturabilelim diye oturduğu yerden kalktı, ona oturmasını söylemeye çalıştım ama ısrarla koltuğu işaret etti. Üç durak boyunca yola devam ettik, pencereden dışarıya birlikte bakabilelim diye Gus'a doğru eğilmiştim.

Augustus ağaçları gösterip, "Gördün mü?" diye sordu.

Görüyordum. Kanallar boyunca karaağaçlar vardı ve tohumları rüzgârda etrafa saçılıyordu. Ama tohum gibi görünmüyorlardı. Rengi uçmuş minik gül yapraklarına benziyorlardı. Soluk çiçek yaprakları rüzgârda uçuşan kuşlar gibi sürükleniyordu... binlercesi... tıpkı bir bahar tipisi gibi.

Koltuğunu bize veren yaşlı adam onları fark ettiğimizi görünce İngilizce konuşmaya başladı. "Amsterdam'ın bahar karı. Baharı karşılamak için *iepen* konfeti atıyor."

Bir başka tramvaya bindik ve dört durak sonra güzel bir kanalın ikiye ayırdığı bir sokağa vardık; eski bir köprü ile pitoresk kanal evlerinin yansımaları suda dalgalanıyordu.

Oranjee tramvaydan birkaç adım ötedeydi. Restoran sokağın bir yanında; dışarıda oturulabilecek alan ise öteki yanında, kanalın hemen kenarındaki beton bir çıkıntının üstündeydi. Ona doğru yürüdüğümüz sırada garson kadının gözleri parladı. "Bay ve Bayan Waters mı?"

"Öyle de denebilir sanırım," dedim.

"Masanız," dedi sokağın karşı tarafında, kanalın birkaç santim yanında duran masayı göstererek. "Şampanya ikramımız."

Gus'la gülümseyerek birbirimize baktık. Karşıdan karşıya geçince sandalyemi tuttu ve oturmama yardım etti. Gerçekten de beyaz örtülü masamızda iki kadeh şampanya vardı. Havadaki hafif serinlik güneş ışığıyla şahane bir şekilde dengeleniyordu; bir yanımızdan bisikletliler geçiyordu, iyi giyimli erkekler ile kadınlar işten eve dönüyor, inanılmaz güzellikteki sarışın kızlar arkadaşlarının bisikletlerine yanlamasına oturuyor, kasksız minik çocuklar ebeveynlerinin arkasındaki plastik oturma yerlerinde zıplayıp duruyordu. Öteki yanımızda kanal suyu milyonlarca konfeti tohuma boğulmuştu. Tuğlalı kıyılara ufak tekneler bağlanmıştı, kimi yağmur suyuyla yarı yarıya dolmuştu, batmak üzerelerdi. Kanalın biraz ötesinde pontonlara bağlı yüzen evleri görebiliyordum; kanalın ortasında, üstü açık bir tekne portatif sandalyeleri ve müzik setiyle aheste aheste bize yaklaşıyordu. Augustus şampanya kadehini alıp kaldırdı. Daha önce babamın birasından aldığım küçük yudumlar dışında hiç içki içmemiş olmama rağmen ben de kendiminkini aldım.

"Peki," dedi.

"Peki," dedim ve kadehlerimizi tokuşturduk. Ufak bir yudum aldım. Minik kabarcıklar ağzımda eriyip beynime doğru yola koyuldu. Tatlıydı. Keskindi. Lezzetliydi. "Çok güzelmiş," dedim. "Daha önce hiç şampanya içmemiştim."

Dalgalı sarı saçları olan, yapılı ve genç bir garson geldi. Augustus'tan bile uzun olabilirdi. Tatlı bir aksanla, "Dom Pérignon ilk kez şampanya ürettikten sonra ne demiş biliyor musunuz?" diye sordu.

"Hayır?"

"Diğer keşişlere, 'Çabuk gelin, yıldızları tadıyorum,' diye seslenmiş. Amsterdam'a hoş geldiniz. Menüye bakmak ister misiniz yoksa şefin seçimini mi tercih edersiniz?"

Augustus'la bakıştık. "Şefin seçimi gayet güzel olur ama Hazel vejetaryen." Bunu Augustus'a sadece bir kez, onu da tanıştığımız ilk gün söylemiştim.

"Hiç sorun değil," dedi garson.

"Harika. Bir de bundan biraz daha alabilir miyiz?" diye sordu Gus şampanyayı göstererek.

"Tabii ki," diye karşılık verdi garson. "Bu akşam tüm yıldızları şişeledik, genç dostlarım. Ah, konfeti!" Çıplak omzuma düşen bir tohumu kibarca attı. "Uzun zamandır bu kadar kötü olmamıştı. Her yerdeler. Rahatsızlık veriyorlar."

Yanımızdan ayrıldı. Konfetilerin gökyüzünden düşmesini, esintiyle yerde dolanmasını ve kanala savrulmasını seyrettik. "İnsanların bunu rahatsız edici bulmasına inanmak zor," dedi Augustus bir süre sonra.

"Gerçi insanlar bir süre sonra güzelliğe alışıyor."

"Ben henüz sana alışamadım," diye karşılık verdi gülümseyerek. Kızardığımı hissettim. "Amsterdam'a geldiğin için teşekkür ederim," dedi.

"Dileğini çalmama izin verdiğin için teşekkür ederim," dedim.

"O elbiseyi giydiğin için teşekkür ederim, kendisi fena," dedi. Başımı sallayıp gülümsememeye çalıştım. El bombası olmak istemiyordum. Ama neticede ne yaptığını biliyordu, değil mi? Bu, onun da seçimiydi. "Ya şu şiir nasıl bitiyor?" diye sordu.

"Hangi şiir?"

"Uçakta okuduğun hani."

"Hımm, *Prufrock* mı? Sonu şöyle: 'Denizin odalarında oyalandık / Kızıl kahve yosun taçlı deniz-kızlarla / İnsan sesleriyle uyanınca boğulduk sonra.'"

Augustus bir sigara çıkarıp filtresini masaya vurdu. "Aptal insan sesleri hep her şeyi mahvediyor zaten."

Garson iki şampanya dolu kadeh ve "lavantada pişirilmiş Belçika usulü beyaz kuşkonmaz" dediği bir şeyle geri geldi.

"Ben de hiç şampanya içmemiştim," dedi Gus, garson gittikten sonra. "Hani merak ediyorsan diye dedim. Ayrıca beyaz kuşkonmaz da yemedim."

İlk lokmamı çiğniyordum. "Muhteşem," dedim.

O da bir ısırık aldı, sonra yuttu. "Tanrım. Kuşkonmazın tadı hep böyle olsa ben de vejetaryen olurdum." Kanalda vernikli bir tekneyle birkaç kişi bize yaklaşıyordu. Aralarındaki kıvırcık sarı saçlı, yaklaşık otuz yaşlarında görünen bir kadın birasından yudumlayıp bardağını bize doğru kaldırarak bir şey haykırdı.

"Felemenkçe bilmiyoruz," diye bağırdı Gus da.

Diğerlerinden biri çevirisini yaptı: "Güzel çift çok güzel."

Yemekler o kadar güzeldi ki sohbetimiz gelen her tabakla birlikte lezzetliliğini kutlama cümlecikleriyle bölünüyordu: "Bu havuçlu risottonun insan halini almasını istiyorum ki onu Las Vegas'a götürüp evlenebileyim." "Itırşahi püresi, o kadar şaşırtıcı bir muhteşemliğe sahipsin ki." Daha aç olsaydım keşke.

Kırmızı hardal yapraklı ve taze sarımsaklı *gnocchi*'den sonra garson, "Ardından tatlı var. Biraz daha yıldız?" diye sordu. Başımı salladım. İki kadeh bana yetmişti. Yatıştırıcılara ve ağrı kesicilere karşı bağışıklığım şampanyayı da kapsıyordu; içim ısınmıştı ama çakırkeyif bile olmamıştım. Fakat sarhoş olmak istemiyordum. Böyle geceler sık yaşanmıyordu ve hatırlamak istiyordum.

"Hımm," diye mırıldandım garson gittikten sonra kanala bakarak, Augustus da suya bakarken yüzünde yine o yamuk sırıtış vardı. Bakacak çok şey olduğundan sessizlik tuhaf gelmiyordu ama her şeyin mükemmel olmasını istiyordum. Aslında sanırım her şey *mükemmeldi* ama birisi hayallerimdeki Amsterdam'ı sahneye koymaya çalışmış gibi hissettiriyordu ki bu da akşam yemeğinin, tıpkı bu gezi gibi bir kanser avantası olduğunu unutmayı zorlaştırıyordu. Evdeki kanepede oturuyormuşuz gibi sadece konuşmak ve rahat rahat şakalaşmak istiyordum ama her şeyin altında bir gerilim yatıyordu.

"Bu benim cenazelerde giydiğim takım değil," dedi bir süre sonra. "Hasta olduğumu ilk öğrendiğimde... Yani bana iyileşme ihtimalimin yüzde seksen beş olduğunu söylediler. Bunun büyük bir oran olduğunu biliyorum ama Rus ruleti gibi olduğunu düşünüp durdum. Yani altı ay ya da bir yıl boyunca cehennem azabı çekecektim ve bir bacağımı kaybedecektim ve sonunda *yine de* işler yoluna girmeyebilirdi, tamam mı?"

"Anlıyorum," dedim ama aslında anlamıyordum, tam olarak değil. Benim durumum hep ölümcül olmuştu; tüm tedavi yöntemleri hayatımı uzatmaya yönelikti, kanserimi tedavi etmeye değil. Palanksifor kanser öyküme bir nebze belirsizlik katmıştı ama Augustus'tan farklıydım: Öykümün son bölümü teşhis konduğu anda kaleme alınmıştı. Oysa kanser felaketzedelerinin çoğu gibi Gus da belirsizlikle yaşıyordu.

"Neyse," dedi. "Ölüme hazırlanma olaylarından geçtim. Crown Hill'de bir yer satın aldık, bir gün babamla dolaşıp kendime mezar seçtim. Tüm cenaze törenimi filan planladım, ameliyattan hemen önce bizimkilere bir takım elbise ama hani iyisinden bir takım elbise alıp alamayacağımı sordum, olur da nalları dikersem diye. Neyse. Daha önce giyme fırsatı bulamamıştım. Bu geceye kadar."

"Yani bu ölüm takımın."

"Aynen. Senin ölüm giysin var mı?"

"Evet," dedim. "On beşinci doğum günü partim için aldığım elbise. Ama birisiyle çıkarken onu giymiyorum."

Gözleri parladı. "Biz çıkıyor muyuz?"

Yere baktım, utanmıştım. "Şansını zorlama."

Aslında ikimiz de fazlasıyla doymuştuk ama meyve kaplı, leziz kremalı tatlı o kadar güzeldi ki ucundan tırtıklamamak mümkün değildi, bu yüzden tekrar acıkabilmek için tatlıyı çatallayıp durduk. Güneş yatmamak için direten ufak bir çocuk gibiydi. Saat sekiz buçuğu geçiyordu ama hava hâlâ aydınlıktı.

Bir anda Augustus, "Ölümden sonra hayata inanıyor musun?" diye soruverdi.

"Sonsuzluk yanlış bir kavram bence," diye yanıt verdim.

Sırıttı. "Sensin yanlış kavram."

"Biliyorum. Bu yüzden hayat döngüsünden çıkartılıyorum."

"Hiç komik değil," dedi sokağa bakarak. Yanımızdan, biri bisikletin arka tekerleğinin üstüne yan oturmuş iki kız geçti.

"Yapma," dedim. "Şakaydı."

"Hayat döngüsünden çıkarılman düşüncesi bana komik gelmiyor," dedi. "Ama ben ciddiydim. Ölümden sonra yaşam diyorum."

"Bence yok," dedim, sonra söylediğim şeyi gözden geçirdim. "Belki de yok diyecek kadar ileri gitmemeliyim. Ya sen ne düşünüyorsun?"

"Ben inanıyorum," dedi kendinden emin bir ses tonuyla. "Kesinlikle var. Tek boynuzlu atlara binip arp çaldığın ve bulutların üstündeki bir konakta kaldığın tarzda cennetten bahsetmiyorum. Ama var. Bir Şey'e inanıyorum, büyük harfle yazılan türden. Her zaman inandım."

"Gerçekten mi?" diye sordum. Şaşırmıştım. Açıkçası cennet inancını her zaman bir çeşit entelektüel yoksunlukla bağdaştırmıştım. Ama Gus aptal değildi.

"Evet," dedi kısık sesle. "*Görkemli Izdırap*'taki o lafa inanıyorum. 'Doğan güneş, sönmekte olan gözlerini alıyor.' Doğan güneş bence Tanrı ve ışık çok parlak ve kızın gözleri sönüyor ama henüz tamamen sönmemiş. Yaşayanlara musallat olmak veya onları avutmak için filan geri döndüğümüze inanmıyorum ama bence bize bir şeyler oluyor."

"Ama unutulmaktan korkuyorsun."

"Evet tabii ki, dünyevi bir unutulmadan korkuyorum. Yani annemle babam gibi konuşmak istemiyorum fakat insanların ruhları olduğuna ve bu ruhların korunduğuna inanıyorum. Unutulmaktan korkmak başka şey, hayatım karşılığında hiçbir şey veremeyecek olma korkusu o. Eğer hayatını başkaları uğruna yaşamazsan en azından başkaları uğruna ölmelisin, tamam mı? Ben de ne yaşarken ne ölürken anlam ifade edecek bir hayatım olmamasından korkuyorum."

Başımı sallamakla yetindim.

"Ne oldu?" diye sordu.

"Bir şey uğruna ölmek ya da ne bileyim, kahramanlığına dair geride büyük bir hatıra filan bırakma saplantını düşünüyorum. Çok tuhaf."

"Herkes sıradışı bir hayat yaşamak ister."

"Herkes değil," dedim, rahatsız olduğumu gizleyemeden.

"Sinirlendin mi?"

"Bu sadece," dedim ama cümlemi tamamlayamadım. "Sadece," dedim tekrar. Aramızda mumun alevi titreşiyordu. "Sırf bir şey uğruna yaşanmış veya bir şey uğruna sonlanmış hayatların önemli olduğunu söylemen çok acımasızca. Bu, bana söylenecek gerçekten acımasızca bir söz."

Nedense küçücük bir çocukmuşum gibi hissediyordum, sanki çok umurumda değilmiş gibi tatlıdan bir çatal daha aldım. "Özür dilerim," dedi. "Böyle demek istememiştim. Sadece kendimi düşünüyordum."

"Evet, öyle," dedim. Bitiremeyecek kadar doymuştum. Aslında kusmaktan korkuyordum çünkü yemek yedikten sonra sık sık kusuyordum. (Bulimia değil, sadece kanser.) Tatlı tabağımı Gus'a doğru ittim ama başını salladı.

"Özür dilerim," dedi tekrar masanın üstünden elime uzanarak. Tutmasına izin verdim. "Daha kötü biri olabilirdim, biliyor musun?"

"Hadi ya?" dedim dalga geçercesine.

"Tuvalet kapımın üstünde el yazısıyla 'Her Gün Tanrı'nın Sözleriyle Yıkan' yazıyor, Hazel. Çok daha kötü olabilirdim."

"Kulağa hiç hijyenik değilmiş gibi geliyor," dedim.

"Daha beter olabilirdim."

"Daha beter olabilirdin." Gülümsedim. Benden gerçekten hoşlanıyordu. Belki narsist filandım ama bunu o anda, Oranjee'de fark ettiğim saniyede ondan daha çok hoşlanmaya başladım.

Garson tatlıyı almaya geldiğinde, "Yemeğiniz Bay Peter Van Houten'in ikramı," dedi.

Augustus gülümsedi. "Şu Peter Van Houten denen eleman hiç fena değilmiş."

Hava kararırken kanal boyunca yürüdük. Oranjee'den bir sokak ötede, etrafında birbirine ve demirlere kilitlerle tutturulmuş eski ve paslı bisikletlerin olduğu bir bank bulduk. Kanala bakarak yan yana oturduk ve Augustus bana sarıldı.

Kırmızı Işık Bölgesi'nden yayılan ışığı görebiliyordum. *Kırmızı* Işık Bölgesi olmasına rağmen etrafa yayılan ışık tekinsiz bir yeşil tondaydı. Binlerce turistin sarhoş olup daracık sokaklarda bir oraya bir buraya yalpaladığını gözümde canlandırdım.

"Bize yarın söyleyeceğine inanamıyorum," dedim. "Peter Van Houten gelmiş geçmiş en iyi kitabın o meşhur yazılmamış sonunu söyleyecek."

"Ayrıca yemeğin parasını ödedi," dedi Augustus.

"Bize söylemeden önce kayıt cihazı var mı diye üstümüzü arayacakmış gibi geliyor. Sonra salondaki kanepede ortamıza oturacak ve Anna'nın annesinin Hollandalı Lale Adam'la evlenip evlenmediğini fısıldayacak."

"Hamster Sisyphos'u unutma," diye ekledi Augustus.

"Hamster Sisyphos'u ne gibi bir kaderin beklediğini de tabii." Kanalı görebilmek için öne eğildim. Suda saçmalık derecesinde yaprak vardı. "Sadece bizim için var olacak bir devam," dedim.

"Sence ne olacak?" diye sordu.

"Hiç bilmiyorum. Bin kez filan enine boyuna düşündüm. Her okuyuşumda başka bir şey düşünüyorum." Başıyla onayladı. "Sen fikir yürütebiliyor musun?"

"Evet. Bence Hollandalı Lale Adam sahtekâr değil ama onları inandırdığı şekilde zengin de değil. Ve bence Anna öldükten sonra, Anna'nın annesi onunla birlikte Hollanda'ya gidiyor ve sonsuza kadar yaşayacaklarını düşünüyor ama işler yürümüyor çünkü kızının olduğu yere yakın olmak istiyor."

Gus'ın kitaba dair bu kadar çok şey düşündüğünü, *Görkemli Izdırap*'ın ona benden bağımsız olarak da bir şeyler ifade ettiğini daha önce fark etmemiştim.

Su, kanalın taş duvarlarına hafif şıpırtılarla vuruyordu; bir grup bisikletli yanımızdan geçti, makineli tüfek gibi gırtlaksı Felemenkçeyle bağırıyorlardı; benden pek uzun olmayan minik tekneler kanala yarı yarıya gömülmüştü; suyun fazla uzun süre, fazla durgun kalmış kokusu havadaydı; kolu beni kendisine çekiyordu; gerçek bacağı kalçadan ayağa kadar gerçek bacağıma dayalıydı. Ona yaslandım. Yüzünü buruşturdu. "Pardon, iyi misin?"

Can acısıyla *evet* diye soludu.

"Özür dilerim," dedim. "Kemikli omzum yüzünden."

"Önemli değil," dedi. "Aslında güzel."

Orada uzun süre oturduk. Sonunda eli omzumu yalnız bıraktı ve bankın sırtına dayandı. Çoğunlukla kanala baktık. Genel olarak, aslında suya gömülmüş olması gerekirken bu bölgeyi nasıl var ettiklerini ve Doktor Maria için bir çeşit Amsterdam olduğumu, yarı yarıya boğulmuş bir anomali teşkil ettiğimi düşünüyordum ki bu da bana ölümü düşündürttü. "Caroline Mathers'la ilgili bir şey sorabilir miyim?"

"Bir de ölümden sonra hayat yok diyorsun," dedi bana bakmadan. "Tabii ki sorabilirsin. Ne bilmek istersin?"

Öldüğüm takdirde kendisini kötü hissetmeyeceğini bilmek istiyordum. El bombası olmamak, sevdiğim insanların hayatlarında yıkıcı bir kuvvet haline gelmemek istiyordum. "Sadece neler olduğunu filan işte."

İç geçirdi ve o kadar uzun süre nefes verdi ki bu, işe yaramaz ciğerlerime hava atmak gibi gelmişti. Ağzına bir sigara koydu. "Hani hastane bahçesinden daha az oyun oynanan bir yer yoktur ya?" Başımla onayladım. "İşte ben de bacağımı aldıklarında filan Memorial'daydım. Beşinci kattaydım ve tabii ki her zaman ıssız olan bahçeyi görebiliyordum. Hastanenin boş bahçesinin metaforik yankılarına dalıp gidiyordum. Ama sonra bir kız her gün tek başına bahçeye gelmeye ve yalnız başına salıncakta sallanmaya başladı, hani filmlerde filan olur ya, işte aynen öyle. Ben de daha sevimli hemşirelerin birinden kızın neci olduğunu öğrenmesini istedim, hemşire de kızı tanıştırmaya getirdi, kız Caroline'dı, ben de muhteşem karizmamı konuşturup kalbini kazandım." Duraksayınca bir şey söylemeye karar verdim.

"O kadar karizmatik değilsin," dedim. İnanmazmış gibi hıhladı. "Sadece yakışıklısın," diye detaylandırdım.

Gülerek geçiştirdi. "Ölen insanlarla ilgili mesele," dedi, sonra durdu. "Eğer onları romantikleştirmezsen pislikmişsin gibi bir hava doğuyor ama aslında olay... karışık. Yani insan ötesi kuvvetiyle kansere karşı muzafferce savaşan, acılara göğüs geren, kararlı kanser kurbanı vardır ya hani hiç yakınmaz veya en son anında bile gülümsemekten filan vazgeçmez vesaire."

"Evet," dedim. "İyi kalpli ve cömert ruhlu bu insanların her nefesi Hepimiz İçin İlham Kaynağı'dır. Çok güçlüdürler! Onlara gıpta ederiz!"

"Evet ama yani istatistiki olarak kanserli çocuklar, tabii doğal olarak bizim dışımızdakiler, daha muhteşem veya şefkatli veya sebatlı vesaire değil. Caroline her zaman huysuz ve mutsuzdu ama bu benim hoşuma gidiyordu. Sanki dünyada nefret etmediği tek kişi olarak beni seçmiş gibi hissetmek hoşuma gidiyordu ve birlikte olduğumuz tüm zamanı milleti çekiştirerek geçiriyorduk. Hemşireleri, diğer çocukları, aileleri, kimi bulursak. Ama bunun ondan mı yoksa tümörden mi kaynaklandığını bilmiyorum. Yani hemşirelerinden biri bana bir defasında Caroline'ın tümörünün tıbbi tiplerin arasında Aşağılık Tümör diye bilindiğini çünkü seni canavarın teki yaptığını söylemişti. Beyninin beşte biri olmayan ve Aşağılık Tümör'ü nüksetmiş bir kızdan bahsediyoruz ve kendisi hiç de acılara göğüs geren bir kahraman kanserli çocuk öyküsünün kusursuz örneği değildi. Kendisi... aslına bakarsan cadalozun tekiydi. Ama böyle söyleyemiyorsun işte çünkü tümörü vardı ve tabii bir de öldü. Ama çekilmez olması için çok sebebi vardı, anlıyor musun?"

Anlıyordum.

"Hani *Görkemli Izdırap*'ta Anna beden eğitimi dersine mi ne gitmek için futbol sahasından geçiyor da çimlere yüzüstü düşüyor ve o anda kanserin geri döndüğünü, sinir sistemine yerleştiğini anlıyor ve ayağa kalkamıyor, yüzü futbol sahasının çimlerinden bir santim ötede çivilenip kalmışken çimlere şöyle yakından filan bakıyor da ışığın onları nasıl aydınlattığını fark ediyor ya... Tam cümleyi hatırlamıyorum ama Whitmanvari bir farkındalık anında, insanilik tanımının, yaradılışın haşmetine mi ne hayret etme fırsatı olduğunu keşfetmesi gibi bir şeydi. O kısmı biliyor musun?"

"O kısmı biliyorum," dedim.

"Yani sonra, kemoterapi içimi boşaltırken nedense umutla dolmaya karar verdim. Spesifik olarak hayatta kalmakla ilgili değil ama Anna'nın kitapta hissettiği gibi hissediyordum, hani sırf her şeye hayret edebilmenin heyecanı ve minnettarlığı gibi bir şeydi.

"Ama bu esnada Caroline her geçen gün daha da kötüleşiyordu. Bir süre sonra eve döndü ve ara sıra hani normal bir ilişki sürdürebileceğimize dair anlar yaşıyorduk ama aslında bu mümkün değildi çünkü düşünceleri ile ağzından çıkanlar arasında bir filtre yoktu ki gerçekten üzücü ve keyifsiz ve sık sık can yakıcı oluyordu. Ama... yani demem o ki beyin tümörü olan bir kızı terk etmen mümkün değil. Hem annesi ile babası da beni seviyordu ve bayağı kafa bir erkek kardeşi vardı. Ama yani, hani kızı nasıl terk edebilirsin ki? *Ölüyor* sonuçta.

"Çok uzun sürdü. Neredeyse bir yıl devam etti, durup dururken kahkaha atmaya başlayan ve protezime bakıp bana Güdük diyen bir kızla çıkmaya devam ettim."

"Ciddi olamazsın."

"Ciddiyim. Yani tümörden kaynaklanıyordu. Beynini yiyordu. Ya da belki de tümörden değildi. Bilmem mümkün değil çünkü tümör ile ikisini ayırmak mümkün değildi. Ama kötüleştikçe aynı öyküleri filan tekrar tekrar anlatıyordu ve aynı şeyi o gün yüz kez söylemiş olsa da söylediği o lafa yine de gülüyordu. Mesela haftalarca aynı şakayı tekrar etti: 'Gus'ın bacakları muhteşem. Yani bacağı.' Sonra da manyak gibi gülmeye başlardı."

"Ah, Gus," dedim. "Bu..." Ne diyeceğimi bilmiyordum. Bana bakmıyordu, benim de ona bakmam sanki alanına giriyormuşum gibi hissetmeme sebep olmuştu. Öne doğru kaydığını hissettim. Sigarayı ağzından çıkarıp işaret ve başparmağı arasında ileri geri yuvarladıktan sonra tekrar ağzına koydu.

"Aslında," dedi, "dürüst olmam gerekirse bacağım *gerçekten* muhteşem."

"Bilmiyordum," dedim. "Gerçekten üzgünüm."

"Önemli değil, Hazel Grace. Ama açık açık söylüyorum, Destek Grubu'nda Caroline Mathers'ın hayaletini gördüğüme pek memnun olmamıştım. Gözümü dikip bakıyordum ama özlem filan duymuyordum, bilmem anlatabiliyor muyum." Cebinden sigara kutusunu çıkarıp sigarayı içine koydu.

"Üzgünüm," dedim tekrar.

"Ben de," dedi.

"Sana asla böyle bir şey yapmak istemiyorum."

"Ah, Hazel Grace, hiç sorun değil. Kalbimin senin tarafından kırılması bir onur olurdu."

ON İKİNCİ BÖLÜM

Hollanda sabahının dördünde güne hazır bir şekilde uyandım. Tüm tekrar uyuma çabalarım başarısızlıkla sonuçlandığı için BiPAP ciğerlerime hava pompalayıp çekerken çıkan ejderha seslerinden keyif alarak ama nefeslerimi seçebilmeyi dileyerek uzandım.

Annem saat altı gibi uyanıp bana dönene dek *Görkemli Izdırap*'ı tekrar okudum. Annem kafasını omzuma yasladı; rahatsızlık verici ve hafifçe Augustusvari bir his yaratıyordu.

Otel kahvaltıyı odamıza gönderdi, müthiş bir mutlulukla kahvaltıda *salam* çeşitlerinin yanında Amerikan kahvaltı kurumunun reddettiği pek çok başka yiyecek olduğunu gördüm. Peter Van Houten'le tanışacağım gün giymeyi planladığım elbise, Oranjee'deki akşam yemeği sebebiyle rotasyonda bir sıra öne geçtiğinden duş alıp saçlarımı yarıya kadar düzleştirdim ve annemle elimdeki giysilerin çeşitli avantajları ile dezavantajlarını yaklaşık yarım saat filan tartıştıktan sonra olabildiğince *Görkemli Izdırap*'taki Anna gibi giyinmeye karar verdim: Converse, Anna'nın hep giydiği türde koyu renk bir kot ve açık mavi bir tişört.

Tişörtün üstünde René Magritte'in çizdiği pipo ile altındaki *Ceci n'est pas une pipe* ("Bu bir pipo değildir") el yazısının bulunduğu ünlü sürrealist sanat eseri vardı.

"Bu tişörtü hiç anlamıyorum," dedi annem.

"İnan bana, Peter Van Houten anlayacaktır. *Görkemli Izdırap*'ta yedi bin tane Magritte göndermesi var."

"Ama bu gerçekten bir *pipo*."

"Hayır, değil," dedim. "Bu bir pipo *çizimi*. Anladın mı? Bir şeyin tüm tasvirleri doğaları gereği soyuttur. Çok zekice."

"Sen ne zaman antika annenin kafasını karıştıran şeyleri anlayabilecek kadar büyüdün?" diye sordu annem. "Sanki daha dün yedi yaşındaki Hazel'a gökyüzünün neden mavi olduğunu anlatıyormuşum gibi hissediyorum. O zamanlar dâhi olduğumu düşünüyordun."

"Sahi, gökyüzü *neden* mavi?"

"Öyle işte," diye yanıt verdi. Güldüm.

Saat ona yaklaştıkça endişem de arttı: Augustus'u görme endişesi; Peter Van Houten'le tanışma endişesi; giysimin iyi olmadığı endişesi; Amsterdam'daki tüm evler birbirine benzediği için doğru evi bulamayacağımız endişesi; kaybolacağımız ve Filosoof'a asla geri dönemeyeceğimiz endişesi; endişe endişe endişesi. Annem sürekli benimle konuşmaya çalışıyordu ama pek dinlemiyordum. Tam üst kata çıkmasını ve Augustus'un uyanıp uyanmadığına bakmasını isteyecektim ki kapı çaldı.

Kapıyı ben açtım. Augustus tişörte bakıp gülümsedi. "Komikmiş," dedi.

"Memelerime komik diyemezsin," diye karşılık verdim.

"Tam buradayım," dedi annem arkamızdan. Augustus'u öylesine utandırıp dengesini bozmuştum ki sonunda kafamı kaldırıp yüzüne bakabildim.

"Gelmek istemediğine emin misin?" diye sordum anneme.

"Rijksmuseum'a, sonra da Vondelpark'a gideceğim," dedi. "Ayrıca o kitabı anlamıyorum. Alınma tabii. Bizim adımıza ona ve Lidewij'e teşekkür et, olur mu?"

"Tamam," dedim. Anneme sarıldım, o da tam kulağımın üstünden başımı öptü.

Peter Van Houten'in evi parka bakan Vondelstraat'ta, otelin biraz ilerisindeydi. Numara 158. Augustus bir koluma girip öteki eliyle oksijen tüpünün çekçeğini tuttu ve laklı mavi-siyah kapıya varan üç basamaktan çıktık. Kalbim güm güm atıyordu. O tamamlanmamış son sayfayı ilk okuduğumdan bu yana hayalini kurduğum yanıtlardan bir kapalı kapı kadar uzaktım.

İçeriden pencereleri titretecek kadar yüksek bir bas ritim duyuluyordu. Peter Van Houten'in *rap* müzikten hoşlanan bir çocuğu mu var acaba diye düşündüm.

Aslan başı şeklindeki kapı tokmağını tutup tereddütle kapıyı çaldım. Ritim devam ediyordu. "Belki de müzik yüzünden duyamıyordur," dedi Augustus. Aslan başını tutup kapıyı daha yüksek sesle çaldı.

Müzik sustu, yerini ayak sürüme sesleri aldı. Bir kilit dili kaydı. Sonra bir tane daha. Kapı gıcırdayarak aralandı. Göbeği, seyrek saçları, sarkık gıdısı ve bir haftalık sakalıyla bir adam güneş ışığına gözlerini kısarak baktı. Eski filmlerdeki adamlarınkine benzeyen, açık mavi bir pijama giyiyordu. Yüzü ile göbeği o kadar yuvarlak ve kolları o kadar sıskaydı ki üstüne dört tane kürdan batırılmış bir hamur topuna benziyordu. "Bay Van Houten?" diye sordu Augustus hafifçe çatlayan bir sesle.

Kapı güm diye kapandı. Kapının ardından tiz bir ses, "LİİİDAA-VİG!" diye bağırdı. (O ana kadar asistanının ismini hep li-de-vij diye telaffuz etmiştim.)

Kapıdan her şeyi duyabiliyorduk. "Geldiler mi Peter?" diye sordu bir kadın.

"Dışarıda... Lidewij, dışarıda iki ergen tayf var."

"Tayf mı?" diye sordu kadın hoş bir Felemenk aksanıyla.

Van Houten büyük bir hızla karşılık verdi. "Fantasma hayalet hortlak gulyabani heyula öteki dünyadan gelen *tayf*, Lidewij. Amerikan edebiyatı doktorası yapan birisi nasıl böyle felaket bir İngilizce becerisine sahip olabilir aklım almıyor."

"Peter, onlar öteki dünyadan gelmiyor. Onlar iletişime geçtiğin genç hayranların, Augustus ile Hazel."

"Onlar ne? Onlar... Ben onlar Amerika'da sanıyordum!"

"Evet ama hatırlarsan onları buraya davet ettin."

"Amerika'dan neden ayrıldım biliyor musun Lidewij? Bir daha asla Amerikalılarla karşılaşmak zorunda kalmayayım diye."

"Ama sen de Amerikalısın."

"Görünüşe bakılırsa bu onulmaz bir durum. Ama *buradaki* Amerikalılar konusuna gelirsek, kendilerine derhal gitmelerini, korkunç bir yanlışlık olduğunu, sevgili Van Houten'in gerçek değil, sadece retorik bir tanışma teklifi yaptığını, böyle tekliflerin sembolik olarak algılanması gerektiğini söyle."

Kusacak gibi hissediyordum. Gözlerini kapıya dikmiş Augustus'a baktım, omuzları düşmüştü.

"Böyle bir şey yapmayacağım, Peter," diye yanıtladı Lidewij. "Onlarla tanışman *gerek*. Onları görmeye, çalışmanın nasıl önem teşkil ettiğini görmeye ihtiyacın var."

"Lidewij, bunu ayarlamak için beni kandırdın mı?"

Uzun bir sessizlikten sonra nihayet kapı tekrar açıldı. Van Houten yine kısık gözlerle kafasını bir Augustus'a bir bana çeviriyordu. "Augustus Waters hanginiz?" diye sordu. Augustus tereddütle elini kaldırdı. Van Houten başını sallayıp, "O hatunla işi pişirebildin mi?" diye sordu.

Bu söz üzerine ilk defa olmak üzere, hakikaten dili tutulmuş bir Augustus Waters gördüm. "Ben," diye başladı. "Şey, ben, Hazel, eee. Şey."

"Bu çocukta bir çeşit gelişim geriliği var galiba," dedi Peter Van Houten, Lidewij'e.

"*Peter*," diye azarladı onu Lidewij.

"Her neyse," dedi Peter Van Houten elini bana uzatarak. "Böyle ontolojik açıdan imkânsız yaratıklarla tanışmak her şeye rağmen güzel." Tombul elini sıktım, sonra Augustus'la el sıkıştı. *Ontolojik* kelimesinin ne anlama geldiğini merak ediyordum.

Her şeye rağmen hoşuma gitmişti. Augustus ile İmkânsız Yaratıklar Kulübü'ne üyeydik: bir biz, bir de ornitorenkler.

Tabii Peter Van Houten'in aklı başında bir adam olmasını ummuştum fakat dünya bir dilek gerçekleştirme fabrikası değildi. Önemli olan kapının açık olması ve *Görkemli Izdırap*'ın sonundan sonra ne olduğunu öğrenmek için eşiği geçiyor olmamdı. Bu yeterliydi. İkisinin peşine düşüp sadece iki sandalyesi olan devasa bir meşe yemek masasının yanından, tüyler ürpertecek kadar temiz görünen bir salona girdik. Müzeye benziyordu ancak boş beyaz duvarlarda sanat eserleri yoktu. Çelik ve siyah deriden yapılmış kanepe ile sedire benzeyen koltuk dışında salon boş sayılırdı. Ardından kanepenin arkasında ağzına kadar dolu ve düğümlenmiş iki büyük, siyah çöp poşeti olduğunu fark ettim.

"Çöp mü?" diye mırıldandım Augustus'a, başka kimsenin duymayacağını düşündüğüm kadar kısık bir sesle.

"Hayran mektupları," diye yanıtladı Van Houten koltuğa otururken. "On sekiz yılın mirası. Açamıyorum. Korkutucular. Sizinkiler yanıtladığım ilk mektuplardı ve bakın sonu ne oldu. Açıkçası okuyucu gerçeğini kesinlikle iştah kaçırıcı buluyorum."

Mektuplarıma neden hiç yanıt vermediği de açıklığa kavuşmuş oluyordu: Hiç okumamıştı ki. Neden atmadığını merak ettim, özellikle de salon neredeyse tamamen boşken. Van Houten ayaklarını sedire uzattı ve terlikli ayaklarını üst üste attı. Kanepeyi gösterdi. Augustus'la yan yana oturduk ama *o kadar da* yan yana değil.

"Kahvaltı yapmak ister misiniz?" diye sordu Lidewij.

Tam kahvaltı yaptığımızı söyleyecektim ki Peter araya girdi. "Kahvaltı için fazla erken, Lidewij."

"Amerika'dan geliyorlar, Peter. Yani vücutlarına göre saat on ikiyi geçiyor."

"O zaman kahvaltı için çok geç. Gelgelelim vücutta saatin on ikiyi geçmesi vesaire sebebiyle bir içki içebiliriz. Viski içer misin?" diye sordu bana.

"Viski... şey, hayır, böyle iyi," dedim.

"Augustus Waters?" diye sordu Van Houten, Gus'a doğru başını kaldırarak.

"Şey, almayayım."

"Sadece ben alacağım öyleyse, Lidewij. Viski ve su, lütfen." Gus'a döndü. "Bu evde viski ve suyu nasıl hazırlıyoruz, biliyor musun?"

"Bilmiyorum," dedi Gus.

"Viskiyi bardağa döküp zihnimizi su düşüncesiyle dolduruyoruz, sonra da hakiki viskiyi suyun soyut düşüncesiyle karıştırıyoruz."

Lidewij, "Önce biraz kahvaltı yapsan, Peter," dedi.

Peter bize bakıp yapmacıktan fısıldadı. "Alkol sorunum olduğunu düşünüyor da."

"Bir de güneşin doğduğunu düşünüyorum," diye karşılık verdi Lidewij. Yine de salondaki bar tezgâhına gidip viski şişesine uzandı ve bir bardağı yarısına kadar doldurdu. Sonra da ona götürdü. Peter Van Houten küçük bir yudum alıp oturduğu yerde doğruldu. "Bu kadar iyi bir içki insanın düzgün oturmasını gerektirir."

Kendi oturma tarzımın farkına varıp biraz dikleştim. Kanülümü düzelttim. Babam hep garsonlara ve asistanlara nasıl davrandıklarından yola çıkarak insanlara dair bir hükme varılabileceğini söylerdi. Buna göre Peter Van Houten dünyanın en korkunç pisliğinden de pislikti. "Demek kitabımı beğendin," dedi Augustus'a bir yudum daha aldıktan sonra.

"Evet," dedim Augustus'un yerine konuşarak. "Ve şey, biz, Augustus sizinle tanışmak için dileğini kullandı, böylece buraya gelebildik, böylece *Görkemli Izdırap*'ın sonundan sonra ne olduğunu bize söyleyebileceksiniz."

Van Houten hiçbir şey söylemedi, sadece uzun uzun içkisini yudumladı.

Bir dakika kadar sonra Augustus, "Kitabınız bizi bir araya getirdi gibi bir şey," dedi.

"Ama birlikte değilsiniz," diye bir gözlem yaptı Van Houten bana bakmadan.

"Bizi neredeyse bir araya getirdi," dedim.

Bunun üstüne bana döndü. "Bilerek mi onun gibi giyindin?"

"Anna gibi mi?" diye sordum.

Bana bakmaya devam ediyordu.

"Sayılır."

Büyük bir yudum aldıktan sonra yüzünü ekşitti. "Alkol sorunum yok," dedi olması gerekenden yüksek sesle. "Alkolle Churchillvari bir ilişkim var: Espri patlatıp İngiltere'yi yönetebilir, istediğim her şeyi yapabilirim. İçmemek dışında." Göz ucuyla Lidewij'e bakıp bardağını gösterdi. Lidewij bardağı alıp tekrar bara yürüdü. "Sadece su *fikri* ekle, Lidewij," dedi Van Houten.

"Evet, biliyorum," dedi neredeyse Amerikan aksanıyla.

İkinci içki de geldi. Van Houten'in omurgası yine saygıyla dikleşti. Terliklerini ayağından atarak çıkardı. Gerçekten çirkin ayakları vardı. Tüm o yazarsal deha olayını gözümün önünde yerle bir ediyordu. Ama cevaplar da ondaydı.

"Şey," dedim, "öncelikle dün akşamki yemek için size teşekkür etmek istiyoruz ve..."

"Onlara akşam yemeği mi ısmarladık?" diye sordu Lidewij'e.

"Evet, Oranjee'de."

"Ah, evet. Bana değil de Lidewij'e teşekkür etmeniz gerektiğini söyleyeyim, kendisi benim paramı harcama konusunda sıradışı bir yeteneğe sahip."

"Rica ederiz," dedi Lidewij.

"Neyse, her halükârda teşekkürler," dedi Augustus. Ses tonundan rahatsız olduğunu algılayabiliyordum.

"İşte buradayım," dedi Van Houten bir saniye sonra. "Ne soracaktınız?"

"Şey..." dedi Augustus.

"Yazılarında çok zeki görünüyordu," dedi Van Houten, Lidewij'e. "Belki de kanser beynine çıkarma yapmıştır."

"Peter," dedi Lidewij dehşetle.

Ben de dehşete düşmüştüm ama bize saygılı davranamayacak kadar rezil bir adamda hoş bir yan vardı. "Bazı sorularımız olacaktı," dedim. "E-mailimde bahsetmiştim. Hatırlıyor musunuz bilmiyorum."

"Hatırlamıyorum."

"Hafızası hiç iyi değil," dedi Lidewij.

"Keşke durum öyle olsa," diye karşılık verdi Van Houten.

"Sorularımıza gelelim," diye araya girdim.

"Kendisinden biz diye bahsediyor," dedi Peter ortaya. Bir yudum daha aldı. Viskinin tadının neye benzediğini bilmiyordum ama şampanyaya benziyorsa nasıl bu kadar erken, bu kadar çok ve bu kadar hızlı içtiğini tahmin edemiyordum. Bana, "Zenon'un kaplumbağa paradoksunu biliyor musun?" diye sordu.

"Kitabın sonundan sonra karakterlere neler olduğuna dair sorularımız var, özellikle de Anna'nın..."

"Cevaplamam için sorunu duymam gerektiğine dair yanlış bir fikir yürütüyorsun. Filozof Zenon'u biliyor musun?" Başımı hafifçe iki yana salladım. "Heyhat. Zenon, Sokrates öncesi filozoflardandı, kendisinin Parmenides'in öne sürdüğü dünya görüşüne göre kırk paradoks yarattığı söylenir, Parmenides'i biliyorsundur herhalde," dedi, bildiğimi belirtircesine başımı salladım ama bilmiyordum. "Tanrı'ya şükür," dedi. "Zenon, Parmenides'in yanlışlarını ve fazla basitleştirdiği şeyleri ortaya koyma konusunda uzmanlaşmıştı ki Parmenides'in her yerde ve her zaman muhteşem derecede hatalı olduğu düşünülürse bu pek zor değil. Parmenides tıpkı hipodroma götürdüğünüz ve her defasında yanlış ata oynayacağı kesin olan bir tanıdığın değerli olmasına benzer bir değere sahip. Ama Zenon'un en önemli... bir saniye, İsveç *hip-hop*'una ne kadar aşina olduğunuzu söylesenize."

Peter Van Houten'in dalga geçip geçmediğini anlayamıyordum. Kısa bir an sonra Augustus benim yerime cevap verdi. "Pek bilmiyoruz."

"Peki, ama muhtemelen Afasi och Filthy'nin çığır açıcı albümü *Fläcken*'i biliyorsunuzdur."

"Bilmiyoruz," dedim ikimiz adına.

"Lidewij, hemen *Bomfalleralla*'yı çal." Lidewij müzik çaların yanına gitti, biraz kurcaladıktan sonra bir düğmeye bastı. Ortalığı bir *rap* şarkısı kapladı. Oldukça sıradan gibiydi ancak sözler İsveççeydi.

Bittikten sonra Peter Van Houten beklentiyle bize baktı, küçük gözlerini olabildiğince açmıştı. "Eee?" diye sordu. "Nasıl?"

"Kusura bakmayın ama İsveççe bilmiyoruz," dedim.

"Tabii ki bilmiyorsunuz. Ben de bilmiyorum. Kim biliyor ki zaten? Önemli olan seslerin *söylediği* tüm o saçmalıklar değil, seslerin *hissettikleri*. Sadece iki his olduğunu ve bunların da sevgi ile korku olduğunu bildiğinize eminim, Afasi och Filthy de İsveç dışında yapılan *hip-hop* müzikte kolay kolay bulunamayacak bir ustalıkla bunların arasında gidip geliyor. Tekrar dinleteyim mi?"

"Dalga mı geçiyorsun?" dedi Gus.

"Pardon?"

"Bu bir tür gösteri filan mı?" Lidewij'e baktı. "Öyle mi?"

"Korkarım ki değil," diye yanıt verdi Lidewij. "Her zaman böyle değil... Şu an biraz fazla..."

"Sus, Lidewij. Rudolf Otto, akıl almaz olanla karşılaşmadıysanız, *mysterium tremendum*'la mantığa aykırı bir şekilde yüz yüze gelmediyseniz çalışmalarının bize göre olmadığını söylüyordu. Ben de size Afasi och Filthy'nin korkuya verdiği meydan okuyan karşılığı duyamıyorsanız çalışmam size göre değil diyorum, genç dostlarım."

Şunun altını ne kadar çizsem az: Baştan sona normal bir *rap* şarkıydı, tek farkı İsveççe olmasıydı. "Şey," dedim. "*Görkemli Izdırap*'a dönüyorum. Anna'nın annesi, kitap bittiğinde tam..."

Van Houten sözümü kesti ve Lidewij tekrar doldurana kadar bardağını çınlatarak konuşmaya başladı. "Zenon en çok kaplumbağa paradoksuyla tanınıyor. Bir kaplumbağayla yarışıyorsun diyelim. Kaplumbağa senden on metre önde başlıyor. Senin o on metreyi koşman için gereken zamanda kaplumbağa belki bir metre daha yol alıyor. Sen o mesafeyi aştığın sırada kaplumbağa biraz daha ilerliyor ve bu sonsuza dek sürüyor. Sen kaplumbağadan daha hızlısın ama onu asla yakalayamazsın, sadece aranızdaki mesafeyi kısaltabilirsin.

"Tabii işin içine giren mekanik kısma kafa yormadan kaplumbağanın yanından koşup gidersin ama bunu yapabilme şeklin inanılmaz derecede karmaşık ve Cantor bize bazı sonsuzların başka sonsuzlardan daha büyük olduğunu gösterene kadar da bunu kimse çözümleyememişti."

"Şey..."

"Bunun sorunu cevapladığını tahmin ediyorum," dedi kendinden emin bir tavırla, sonra da bardağından büyük bir yudum aldı.

"Pek sayılmaz," dedim. "Merak ettiğimiz şey, *Görkemli Izdırap*'ın sonunda..."

"O leş kitaptaki her şeyi inkâr ediyorum," dedi Van Houten lafımı bölerek.

"Hayır," dedim.

"Anlayamadım?"

"Hayır. Bunu kabul etmiyorum," dedim. "Anna öldüğü veya devam edemeyecek kadar hastalandığı için öykünün ortasında bittiğini anlıyorum ama herkese neler olduğunu anlatacağınızı söylediniz, biz de bu yüzden buraya geldik ve bizim, benim bunu söylemenize ihtiyacım var."

Van Houten iç geçirdi. Bir içki daha aldı. "Pekâlâ. Kimin hikâyesini duymak istiyorsun?"

"Anna'nın annesi, Hollandalı Lale Adam, Hamster Sisyphos, yani... herkes işte."

Van Houten gözlerini kapadı, nefes verirken yanaklarını şişirdi, ardından tavandan geçen ahşap kirişlere baktı. "Hamster," dedi bir süre sonra. "Hamsteri Christine alıyor." Ki kendisi Anna'nın hastalık-öncesi arkadaşlarından biriydi. Bu mantıklıydı. Christine ve Anna birkaç sahnede Sisyphos'la oynamıştı. "Onu Christine sahipleniyor ve hayvan birkaç yıl daha yaşayıp hamster uykusunda huzurla ölüyor."

Sonunda bir yerlere varıyorduk. "Harika," dedim. "Harika. Peki ya Hollandalı Lale Adam? Sahtekâr mı? Anna'nın annesiyle evleniyor mu?"

Van Houten hâlâ tavan kirişlerine bakıyordu. Bir içki aldı. Bardağındaki yine bitmek üzereydi. "Lidewij, yapamıyorum. *Yapamıyorum.*" Bana baktı. "Hollandalı Lale Adam'a *hiçbir şey* olmuyor. Sahtekâr ya da değil diye bir şey yok; o *Tanrı.* Tanrı'nın aleni ve belirsizliğe mahal vermeyen metaforik bir temsili ve başına neler geldiğini sormak *Gatsby*'deki Dr. T. J. Eckleburg'un bedensiz gözlerine ne olduğunu sormakla entelektüel açıdan eşdeğer. Anna'nın annesiyle evleniyorlar mıymış? Burada bir romandan bahsediyoruz, tarihî bir olaydan değil."

"Evet ama başlarına neler geldiğini düşünmüş olmalısınız, yani karakter olarak, yani metaforik anlamlarından filan bağımsız olarak."

"Onlar kurgu," dedi tekrar bardağını çınlatarak. "Onlara hiçbir şey olmuyor."

"Bana anlatacağınızı söylemiştiniz," diye ısrar ettim. İnatçı olmam gerektiğini kendime hatırlattım. Dağılan ilgisini sorularıma odaklamam gerekiyordu.

"Mümkündür fakat senin bir transatlantik seyahate çıkamayacağın gibi yanlış bir fikre kapılmıştım. Sanırım sana... teselli sunmaya çalışıyordum ki böyle bir şeye kalkışmamam gerektiğini bilmem gerekirdi. Ancak dürüst olmam gerekirse, bir roman yazarının romandaki karakterlere has özel bir içgörüye sahip olduğuna dair çocuksu düşünce gerçekten saçma. O roman bir sayfanın üstündeki çiziklerden oluşuyor, hayatım.

Orada ikamet eden karakterlerin o çizikler dışında bir hayatı yok. Onlara *ne* mi oldu? Roman bittiği anda varlıkları son buldu."

"Mümkün değil," dedim. Kendimi iterek kanepeden kalktım. "Mümkün değil, söylediğiniz şeyi anlıyorum ama onlar için bir gelecek hayal etmemek imkânsız. Böyle bir geleceği hayal edebilecek en yetkili kişi sizsiniz. Anna'nın annesine bir şey olmuş olmalı. Evlenmiştir veya evlenmemiştir. Hollandalı Lale Adam'la Hollanda'ya taşınmıştır veya taşınmamıştır. Başka çocuğu olmuştur veya olmamıştır. Ona ne olduğunu öğrenmem gerek."

Van Houten dudaklarını büzdü. "Çocukça kaprislerine yüz vermediğim için kusura bakma ama sana hep alıştığın şekilde davranarak acımayı reddediyorum."

"Acımanızı filan istemiyorum," dedim.

"Tüm hasta çocuklar gibi," diye karşılık verdi ruhsuz bir sesle, "sana acınmasını istemediğini söylüyorsun fakat tüm varlığın buna dayanıyor."

"Peter," dedi Lidewij ama Van Houten arkasına yaslanıp sarhoşluğuyla kelimeleri daha fazla geveleyerek konuşmaya devam etti. "Hasta çocuklar eninde sonunda aynı noktaya takılıp kalıyor: Kalan günlerinizi teşhis konduğu günkü çocuk olarak yaşamak kaderinizde var, bir roman bittikten sonra hayat olduğuna inanan bir çocuk gibi. Biz de yetişkinler olarak buna acıyoruz, bu yüzden tedavileriniz için, oksijen makineleriniz için para veriyoruz. Size yemek ve su veriyoruz ancak sizin yeterince uzun yaşayamayacağınız o kadar..."

"PETER!" diye bağırdı Lidewij.

Van Houten devam etti. "Bireylerin hayatlarına zerre önem vermeyen evrim sürecinin yan etkilerisiniz. Mutasyonun başarısızlığa uğramış deneklerisiniz."

"İSTİFA EDİYORUM!" diye haykırdı Lidewij. Ağlıyordu. Ama ben öfkelenmemiştim. Gerçeği dile getirebilmek için en acı verici yöntemi bulmaya çalışıyordu ama ben çoktandır gerçeği biliyordum zaten. Yıllar boyunca yatak odamdan yoğun bakıma kadar tavanlara bakıp durmuş ve uzun zaman önce kendi hastalığımı en acı verici şekillerde hayal etmenin yöntemlerini bulmuştum. Ona doğru bir adım attım. "Bana bak, pislik herif," dedim. "Bana hastalığa dair bilmediğim bir şey söylemen mümkün değil. Hayatından sonsuza dek çıkmadan önce senden istediğim yegâne şey: ANNA'NIN ANNESİNE NE OLUYOR?"

Sarkık gıdısını hafifçe bana doğru kaldırıp omzunu silkti. "Proust'un anlatıcısına veya Holden Caulfield'ın kız kardeşine ya da yabana kaçmaya karar verdikten sonra Huckleberry Finn'e ne olduğunu söyleyemeyeceğim gibi ona ne olduğunu söylemem de mümkün değil."

"Bok gibi yalan söylüyorsun! Söyle diyorum! Bir şeyler uydur!"

"Hayır ve evimde küfretmezsen müteşekkir olurum. Bir bayana hiç yakışmıyor."

Aslında hâlâ tam olarak öfkelenmemiştim, sadece bana vadedileni almaya odaklanmıştım. İçimden bir şeyler taşınca elimi uzatıp viski bardağını tutan o tombul eline vurdum. Viskinin kalanı koca suratına saçıldı, bardak burnuna çarpıp havada bale yaparcasına döndükten sonra antik ahşap döşemeye şangırtıyla düştü.

"Lidewij," dedi Van Houten sükûnetle, "bir martini alabilir miyim? Vermutu değdir yeter."

"İstifamı vermiştim," dedi Lidewij bir saniye sonra.

"Saçmalama."

Ne yapacağımı bilmiyordum. Sevimli olmak işe yaramamıştı. Kötü davranmak işe yaramamıştı. Bir cevaba ihtiyacım vardı. Onca yol katetmiş, Augustus'un dileğini çalmıştım. Öğrenmem gerekiyordu.

"Hiç durup düşündün mü," dedi Van Houten kelimeleri geveleyerek, "acaba neden o aptal sorularına bu kadar önem veriyorsun?"

"SÖZ VERMİŞTİN!" diye bağırdım, Isaac'in kırılan kupalar gecesinden yankılanarak gelen âciz iniltilerini duyuyordum âdeta. Van Houten karşılık vermedi.

Hâlâ başında dikiliyor, bir şeyler söylemesini bekliyordum ki Augustus'un kolumu tuttuğunu hissettim. Beni kapıya doğru çekiştirdi; Van Houten, Lidewij'e şimdiki gençlerin nankörlüğünden ve kibar toplumun ölümünden yakınırken ve Lidewij neredeyse isterik bir şekilde taramalı tüfek gibi Felemenkçe bir şeyler bağırırken Augustus'un peşine düştüm.

"Eski asistanımın kusuruna bakmayın," dedi. "Felemenkçe lisan değil, âdeta boğaz hastalığı."

Augustus beni odadan çıkarıp baharın ve karaağaç konfetilerinin hüküm sürdüğü sokağa sürükledi.

Benim hızla uzaklaşmam filan mümkün değildi tabii ki. Augustus çekçeği tutarken merdivenlerden indik, sonra da iç içe geçmiş dörtgen taşlardan oluşan engebeli kaldırımdan Filosoof'a doğru yürümeye başladık. Salıncaktan bu yana ilk kez ağlamaya başladım.

"Yapma," dedi Augustus belime dokunarak. "Hadi ama yapma." Başımı sallayıp elimin tersiyle yüzümü sildim. "Pisliğin teki," dedi Gus. Tekrar başımı salladım. "O son bölümü sana ben yazacağım." Bunu demesiyle hüngür hüngür ağlamaya başladım. "Yazacağım," dedi. "Yazacağım. O sarhoşun yazabileceği her şeyden daha iyi olacak. Herifin beyni pelteye dönmüş. Kitabı yazdığını bile hatırlamıyor. Ben onun yazacağı hikâyenin on kat iyisini yazarım. İçinde kan olur, cesaret olur, özveri olur. *Görkemli Izdırap*'ın *Şafağın Bedeli*'yle karşılaşması gibi. Bayılacaksın." Başımı sallamaya devam ettim, gülümsüyormuş gibi yapıyordum, sonra bana sarıldı, kuvvetli kolları beni kaslı göğsüne çekiyordu, ben de gömleğini azıcık ıslatmıştım ancak konuşabilecek kadar kendime gelmiştim.

"O beyinsiz için dileğini harcadım," dedim göğsüne doğru.

"Hazel Grace. Hayır. Tek dileğimi harcadığın doğru ama onun için harcamadın. Bizim için harcadın."

Arkamızda yüksek topuklu ayakkabıların tıkırdadığını duydum. Arkamı döndüm. Gelen Lidewij'di, göz kalemi yanaklarına akmıştı, dehşete kapılmış gibi görünüyordu. "Anne Frank Huis'e gidebiliriz," dedi.

"O canavarla hiçbir yere gitmiyorum," dedi Augustus.

"O gelmeyecek," diye karşılık verdi Lidewij.

Augustus koruyucu bir tavırla bana sarılmaya devam etti, eli yanağımdaydı. "Bence..." diye başladı ama lafını böldüm.

"Gidelim." Van Houten'den sorularımın cevaplarını almayı hâlâ istiyordum fakat tek istediğim bu değildi. Augustus Waters'la Amsterdam'da sadece iki günüm kalmıştı. Yaşlı ve mutsuz bir adamın bunu mahvetmesine izin vermeyecektim.

Lidewij, motoru dört yaşındaki heyecanlı bir kız gibi sesler çıkaran, hantal bir gri Fiat kullanıyordu. Amsterdam sokaklarında dolanırken tekrar tekrar ve bol bol özür diledi. "Çok özür dilerim. Bunun mazur görülecek bir yanı yok. Çok hasta," dedi. "Sizinle tanışmasının ona iyi geleceğini düşünmüştüm, eğer çalışmalarının gerçek hayatları şekillendirdiğini görürse diye ama... Çok özür dilerim. Bu çok utanç verici bir durum." Ne ben konuştum ne de Augustus bir şey söyledi. Onun arkasında oturuyordum. Elimi kapı tarafından koltuğuna doğru uzatıp elini bulmaya çalıştım ama bulamadım. Lidewij devam ediyordu. "Bu işi yapmaya devam ettim çünkü bir dâhi olduğuna inanıyorum ve parası da çok iyiydi ama tam bir canavara dönüştü."

"O kitap sayesinde zengin olmuştur herhalde," dedim bir süre sonra.

"Ah, hayır hayır, o Van Houten ailesinden geliyor," dedi. "On yedinci yüzyılda atalarından biri suya kakao karıştırmayı keşfetmiş. Van Houten'lerin bir kısmı uzun süre önce Amerika Birleşik Devletleri'ne gitmiş ve Peter da onlardan biriymiş ama romanı yazdıktan sonra Hollanda'ya taşınmış. Köklü bir aile için utanç kaynağı."

Motor âdeta çığlık atıyordu. Lidewij vites değiştirdi ve kanallardan birinin üstündeki köprüye çıktık. "Koşullardan," dedi. "Koşullar onu böyle acımasız yaptı. Kötü bir adam değil. Ama bugün böyle olacağını tahmin edemedim, o korkunç şeyleri söylediğinde kulaklarıma inanamadım. Çok özür dilerim. Çok çok özür dilerim."

Anne Frank Evi'nden bir sokak öteye park etmek zorunda kaldık, Lidewij bilet almak için sıraya girdiği sırada ben de Prinsengracht Kanalı'na demirlemiş yüzen evlere bakarak sırtımı küçük bir ağaca dayayıp oturdum. Augustus tepemde dikiliyor, oksijen tüpünü uyuşuk hareketlerle ileri geri iterken tekerleklerin dönüşünü izliyordu. Yanıma oturmasını istiyordum ama oturmanın onun için zor olduğunu, tekrar ayağa kalkmanınsa daha büyük zorluk yaratacağını biliyordum. "İyi misin?" diye sordu bana bakarak. Omzumu silkip elimi bacağına uzattım. Takma bacağıydı ama yine de tutundum. Bana bakıyordu.

"İsterdim ki..."

"Biliyorum," dedi. "Biliyorum. Belli ki dünya bir dilek gerçekleştirme fabrikası değil." Bu söz beni biraz gülümsetmeyi başarmıştı.

Lidewij biletlerle birlikte döndü ama ince dudakları endişeli bir biçimde büzülmüştü. "Asansör yok," dedi. "Çok çok özür dilerim."

"Sorun değil," dedim.

"Ama çok fazla merdiven var. Dik merdivenler."

"Sorun değil," dedim tekrar. Augustus bir şey söylüyordu ki lafını böldüm. "Sorun değil. Çıkabilirim."

Hollanda'daki Yahudiler, Nazi istilası ve Frank ailesine dair bir videonun oynadığı odadan başladık. Sonra Otto Frank'in şirketinin olduğu kanal evine çıktık. Basamaklar hem benim hem de Augustus için zorlayıcıydı ama kendimi güçlü hissediyordum. Biraz sonra kendimi Anne Frank'i, ailesini ve diğer dört kişiyi saklayan ünlü kitaplığa bakarken buldum. Kitaplık yarı yarıya açıktı ve ardında sadece bir kişinin geçebileceği daha da dik merdivenler vardı. Etrafımızda bizim gibi gezenler vardı ve kimseyi bekletmek istemiyordum ama Lidewij, "Biraz bekleyebilir misiniz lütfen?" dedi, ben de yukarı çıkmaya başladım, Lidewij arkamda çekçeği taşıyordu, Gus onun arkasındaydı.

On dört basamak vardı. Sürekli arkamdaki insanları düşündüm –çoğu farklı diller konuşan yetişkinlerdi– ve mahcubiyet filan gibi bir şey hissederken insana hem teselli veren hem de musallat olan bir hayaletmişim gibi düşüncelere kapıldım ama sonunda yukarı çıkmayı başardım ve tüyler ürpertecek kadar boş bir odaya girip duvara yaslandım, beynim ciğerlerime *sorun yok sorun yok sakin ol sorun yok* derken ciğerlerim de beynime *ah, Tanrım, ölüyoruz galiba* diyordu. Augustus'un merdivenden çıktığını bile görmemiştim fakat yanıma geldi, alnını elinin tersiyle *oh be* der gibi sildi ve bana, "Şampiyon," dedi.

Birkaç dakikalık duvara yaslanma sürecinin ardından bir sonraki odaya geçebildim, bu odayı Anne, dişçi Fritz Pfeffer'la paylaşmıştı. Küçücüktü, mobilyasızdı. Anne'in dergiler ile gazetelerden kesip duvarlara yapıştırdığı fotoğraflar hâlâ orada olmasa burada herhangi birinin yaşadığını aklınıza bile getirmezdiniz.

Bir başka merdiven van Pels ailesinin yaşadığı odaya çıkıyordu, bu merdiven diğerinden de dikti, on sekiz basamaklıydı, esasen merdivenlerin hası denebilirdi. Eşiğe varıp yukarıya baktım ve yapamayacağımı düşündüm ama aynı zamanda tek yolun yukarı çıkan yol olduğunu da biliyordum.

"Hadi geri dönelim," dedi Gus arkamdan.

"Sorun değil," diye karşılık verdim kısık sesle. Aptalca belki ama bunu ona -Anne Frank'e yani- *borçlu* olduğumu düşünüp duruyordum çünkü o ölmüştü ve ben ölmemiştim, çünkü o sessiz kalabilmiş ve panjurları kapalı tutmuş ve her şeyi doğru yapmış ama yine de ölmüştü ve ben de basamaklardan çıkmalı ve Gestapo gelmeden önceki o yıllarda yaşadığı dünyanın geri kalanını görmeliydim.

Basamaklardan tıpkı küçük bir çocuk gibi emekleyerek çıkmaya başladım, nefes alabileyim diye ilk başta yavaştan alıyordum ama sonra hızlandım çünkü zaten nefes alamayacağımı biliyordum ve her şey tükenmeden önce tepeye varmak istiyordum. Kendimi deli gibi dik on sekiz basamaktan yukarıya çekmeye çalışırken karanlık bir perde görüş alanımın çevresini sarmaya başladı. En sonunda merdivenin zirvesine yarı kör ve midem bulanarak tırmandım, kol ve bacaklarımdaki kaslar oksijen alabilmek için çığlık atıyordu. Bir duvara yaslanarak yere kaydım, sulu öksürüklerle soluk almaya çalışıyordum. Üzerimde, duvara tutturulmuş boş bir cam dolap vardı, onun içinden tavana bakıp bayılmamaya çalıştım.

Lidewij yanıma çömelip, "En tepeye çıktın, bu kadardı," deyince başımı salladım. Etraftaki yetişkinlerin endişeyle bana baktığını; Lidewij'in önce bir dilde, sonra başka bir dilde, ardından bir başka dilde farklı ziyaretçilere kısık sesle bir şeyler söylediğini; elini başıma koymuş Augustus'un saçlarımı okşayarak tepemde durduğunu hayal meyal fark edebiliyordum.

Uzun bir süre sonra Lidewij ile Augustus beni ayağa kaldırdı ve cam dolapla neyi koruduklarını gördüm: Evin bu ek bölümünde yaşamış olan tüm çocukların boy çizgileri duvar kâğıdının üstüne bir kurşun kalemle işaretlenmişti, santim santim, artık uzayamayacakları zamana dek.

Buradan sonra Frank'lerin yaşadıkları kısmı geride bıraktık ama hâlâ müzenin içindeydik: Uzun ve dar bir koridorda, ek bölümde yaşamış sekiz kişinin fotoğrafları, nerede ve ne zaman öldüklerini anlatan yazılar vardı.

"Tüm aile fertleri arasında savaştan sağ kurtulan tek kişi," dedi Lidewij, Anne'in babası Otto'yu kastederek. Sanki kilisedeymişiz gibi kısık sesle konuşuyordu.

"Ama aslında sağ kurtulduğu şey bir savaş değildi," dedi Augustus. "Bir soykırımdan kurtuldu."

"Öyle," dedi Lidewij. "Ailen olmadan hayatını nasıl devam ettirirsin bilmiyorum." Ölen yedi kişiye dair yazıları okurken Otto Frank'in artık bir baba olmadığını, bir eş ve iki kızı yerine elinde sadece bir günlük kaldığını düşünüyordum. Koridorun sonunda sözlükten de büyük bir kitapta Yahudi Soykırımı'nda Hollanda'da ölen 103.000 kişinin ismi vardı. (Sürgün edilen Yahudi Felemenklerin sadece 5.000'inin hayatta kaldığı yazıyordu duvarda. 5.000 Otto Frank.) Kitapta Anne Frank'in isminin geçtiği sayfa açıktı ama bana asıl koyan onun isminin hemen altında dört tane Aron Frank olmasıydı. *Dört tane.* Müzesi olmayan, tarihî bir işarete sahip olmayan, arkalarından yas tutacak kimsesi olmayan dört Aron Frank. İçimden, hayatta olduğum sürece bu dört Aron Frank'i hatırlamaya ve onlara dua etmeye karar verdim (Kimi insan dua etmek için her şeye kadir bir Tanrı'ya ihtiyaç duyuyor olabilir ama ben duymuyorum.)

Odanın öteki ucuna giderken Gus durup, "İyi misin?" diye sordu. Başımı onaylarcasına salladım.

Anne'in fotoğrafını gösterdi. "En kötü tarafı da neredeyse hayatta kalacak olması. Kurtuluştan haftalar önce ölmüş."

Lidewij videoyu seyretmeye gitti, ben de diğer odaya geçerken Augustus'un elini tuttum. Tavanı dik üçgen şeklindeydi ve içinde Otto Frank'in kızlarını aradığı aylar boyunca birilerine yazdığı mektupların bazıları vardı. Duvarda Otto Frank'in bir videosu oynuyordu. İngilizce konuşuyordu.

"Peşine düşüp adalete teslim edebileceğim Naziler kaldı mı?" diye sordu Augustus, Otto'nun mektupları ile hiç kimsenin kurtuluştan sonra çocuklarını görmediğine dair aldığı, iç burkan yanıtları okumak için cam mahfazaların üstüne eğilirken.

"Sanırım hepsi öldü. Ama kötülük Nazilerin tekelinde filan değil."

"Doğru," dedi. "Bence böyle bir şey yapmalıyız, Hazel Grace. Bir takım olup dünyayı ayağa kaldıran, yanlışları yoluna koyan, zayıfları savunan, nesli tükenenleri koruyan engelli bir infazcı ikili olmalıyız."

Benim değil, onun hayali olmasına rağmen onu teşvik ettim. Ne de olsa o benimkini teşvik etmişti. "Korkusuzluğumuz gizli silahımız olacak," dedim.

"Serüvenlerimize dair hikâyeler insan sesi varlığını sürdürdüğü sürece var olacak," dedi.

"Hatta ondan sonra bile... robotlar insanlara özgü fedakârlık ve merhamet saçmalıklarını anımsadıklarında bizi hatırlayacaklar."

"Gözüpek budalalıklarımıza robotça gülecekler," dedi. "Ama o demirden robot kalplerindeki bir şey, tıpkı bizim gibi yaşayıp ölmeye özlem duyacak: Kahramanın yaptıklarına."

"Augustus Waters," dedim kafamı kaldırıp ona bakarken ama Anne Frank Evi'nde birini öpmenin mümkün olmadığını düşündüm, sonra Anne Frank'in de neticede Anne Frank Evi'nde birisini öptüğünü ve muhtemelen evinin, gençler ile onulmayacak kadar hasarlı olanların kendilerini aşkın kollarına bıraktığı bir yer haline gelmesini ne çok isteyeceğini aklımdan geçirdim.

"Aslında," diyordu Otto Frank aksanlı İngilizcesiyle videoda, "Anne'in derin düşünceleri beni çok şaşırtmıştı."

Ve sonra öpüştük. Çekçeği bırakıp Augustus'un boynuna uzandım, o da beni belimden tutup parmak uçlarıma kaldırdı. Aralanan dudakları benimkilere değerken yepyeni ve heyecan verici bir başka nefessizlikle tanıştım. Etrafımızdaki her şey havaya karıştı ve tuhaf da olsa bir anlığına bedenimi gerçekten beğendim, yanımda sürükleyerek yıllarımı sömüren bu kanserle mahvolmuş varlık mücadele etmeye değermiş gibi hissettiriyordu; göğse takılan borulara, PICC kateterlerine ve tümörlerin ardı arkası kesilmeyen fiziksel ihanetlerine değermiş gibi.

"Kızım diye bildiğim Anne oldukça farklıymış. Böylesine derin hisleri olduğunu göstermezdi," diye devam etti Otto Frank.

O arkamda konuşurken uzun uzun öpüştük. "Anne'le aramız çok iyiydi," dedi Otto Frank, "ve bundan şu sonucu çıkarıyorum: Çoğu anne baba çocuklarını gerçekten tanımıyor."

Gözlerimin kapalı olduğunu fark edince açtım. Augustus bana bakıyordu, mavi gözleri hiç olmadığı kadar yakınımdaydı ve üç sıra insan etrafımızı sarmıştı. Kızgın olduklarını düşündüm. Dehşete düşmüş olmalıydılar. Hormonların esiri gençler bir eski babanın titreyen sesinin duyulduğu videonun önünde öpüşüyor...

Augustus'tan uzaklaştım, Converse'ime bakarken o da alnıma minik bir öpücük kondurdu. O anda alkışlamaya başladılar. Odadaki herkes, tüm o yetişkinler alkışlamaya başladı ve aralarından birisi bir Avrupa aksanıyla, "Bravo!" diye bağırdı. Augustus gülümseyip başıyla selam verdi. Ben de gülüp hafifçe reverans yaptım ve bu, bir alkışın daha kopmasına yol açtı.

Önce yetişkinlerin inmesi için yol verip yavaş yavaş aşağıya indik ve kafeye girmeden hemen önce (neyse ki bir asansörle giriş katı ile hediyelik dükkânına inebilmiştik) Anne'in günlüğünden sayfaları ve yayımlanmamış alıntılar defterini gördük. Alıntı defterinin Shakespeare alıntıları sayfası açıktı. *Aklı çelinmeyecek kadar kuvvetlisi var mıdır?* yazıyordu.

Lidewij bizi yine arabayla Filosoof'a götürdü. Otelin önündeydik, yağmur yağıyordu ve Augustus'la taş kaldırımda yavaşça ıslanarak oturduk.

Augustus: "Biraz dinlenmen lazım muhtemelen."

Ben: "Ben iyiyim."

Augustus: "Peki." (Duraksama.) "Ne düşünüyorsun?"

Ben: "Seni."

Augustus: "Ne gibi?"

Ben: "'Hangisini tercih etsem bilmiyorum, / Sesinin güzelliğini mi / Yoksa imasının güzelliğini mi, / Karatavuğun ötüşünü mü / Yoksa hemen ardını mı.'"

Augustus: "Tanrım, çok seksisin."

Ben: "Odana gidebiliriz."

Augustus: "Daha kötü fikirler duymuşluğum var."

Minicik asansöre sıkıştık. Yer dâhil olmak üzere her yüzey aynalıydı. Kendimizi içeriye kapatmak için kapıyı çekmemiz gerekti, ardından eski alet ikinci kata gıcırdayarak çıktı. Yorgundum ve terlemiştim ve genel olarak iğrenç görünüp koktuğuma dair endişelerim vardı ama buna rağmen o asansörde onu öptüm, sonra Augustus geri çekilip aynayı göstererek, "Bak, sonsuz Hazel'lar," dedi.

"Bazı sonsuzlar başka sonsuzlardan büyüktür," diye geveledim Van Houten'i taklit ederek.

"Tam bir soytarıydı," dedi Augustus ve altı üstü ikinci kata çıkabilmemiz için bir bu kadar zaman daha geçmesi gerekti. Nihayetinde asansör sarsılarak durdu ve Augustus aynalı kapıyı iterek açtı. Kapı yarıya kadar açıldığında acıyla yüzü buruştu ve bir saniyeliğine eli kapıdan kaydı.

"İyi misin?" diye sordum.

Bir saniye sonra konuşabildi. "Evet, evet, kapı ağırmış biraz." Tekrar itip açtı. Elbette önce benim inmem için yol verdi ama koridorda ne yöne gideceğimi bilmediğim için asansörün önünde öylece durdum, o da hâlâ buruşuk bir yüzle dikildiği için yine, "İyi misin?" dedim.

"Kondisyonsuzum o kadar, Hazel Grace. Her şey yolunda."

Koridorda öylece duruyorduk ve o odasına giden yolu filan göstermiyordu ve ben odasının nerede olduğunu bilmiyordum ve açmaz sürerken benimle sevişmemek için bir yol bulmaya çalıştığına, bu fikri ilk başta hiç öne sürmemem gerektiğine, bir kadına yakışmadığına ve bu yüzden orada gözlerini bile kırpmadan bana bakan, durumdan kendisini kibarca kurtarmaya çalışan Augustus Waters'ı iğrendirdiğime kani olmuştum. Ve sonra, sonsuzluk gibi gelen sürenin ardından konuştu. "Dizimin üstünde, ucu hafifçe inceliyor ve sonrası sadece deri. Çirkin bir yara var ama tipi..."

"Ne?" diye sordum.

"Bacağım," dedi. "Hani olur da... Yani hani ne bileyim olur da görürsen hazırlıklı olman için..."

"Aş kendini," deyip iki adımda yanına gittim. Onu öptüm, hem de sertçe, ardından onu duvara doğru bastırdım, anahtarlarını ararken öpmeye ara bile vermedim.

Yatağa girdik, hareketlerim oksijen yüzünden biraz kısıtlanıyordu ama buna rağmen üstüne çıkıp gömleğini çıkarabildim ve köprücük kemiğinin altından ter tadı alırken tenine doğru, "Seni seviyorum, Augustus Waters," diye fısıldadım, sözlerimi duyduğunda altımdaki bedeni gevşedi. Uzanıp tişörtümü çıkarmaya çalıştı ama boruya takıldı. Güldüm.

"Bunu her gün nasıl yapıyorsun?" diye sordu ben tişörtümü borulardan kurtarırken. Aptalca belki ama sanki erkekler böyle şeyleri fark edermiş gibi pembe külotumun mor sütyenimle uyuşmadığını düşündüm. Örtünün altına girip pantolonumu ve çoraplarımı çıkardıktan sonra yorganın inip kalkmasını seyrettim, altında Augustus kendi pantolonunu ve bacağını çıkarıyordu.

Sırtüstü yan yana yatıyorduk, her şey örtülerin altında gizliydi ve bir saniye sonra bacağına uzanıp elimi uca, sertleşmiş yaranın olduğu yere doğru götürdüm. Kısa bir an tuttum. İrkildi. "Acıyor mu?" diye sordum.

"Hayır," dedi.

Yan yatıp beni öptü. "Çok yakışıklısın," dedim elim hâlâ bacağındayken.

"Ampüte fetişin olduğunu düşünmeye başlayacağım," diye karşılık verdi beni öpmeye devam ederek. Güldüm.

"Augustus Waters fetişim var," diye karşılık verdim.

Tüm olay tahmin ettiğimin tam tersiydi: yavaş ve sabırlı ve sessiz ve ne özellikle acı verici ne de özellikle mest edici. Pek yakından inceleyemediğim çok fazla prezervatifsel sorun oldu. Karyola başlıkları kırılmadı. Çığlıklar atılmadı. Aslında birlikteyken konuşmadan geçirdiğimiz en uzun vakitti muhtemelen.

Sadece tek bir şey tipikti: Sonrasında yüzümü Augustus'un göğsüne yaslayıp kalp atışlarını dinlerken Augustus, "Hazel Grace, kelimenin gerçek anlamıyla gözlerimi açık tutamıyorum," dedi.

"Gerçek anlamın yanlış kullanımı," dedim.

"Hayır," dedi. "Çok yorgunum."

Yüzünü diğer yana çevirdi, kulağım göğsüne yapışmış bir halde ciğerlerinin uyku ritmine girmesini dinledim. Bir süre sonra kalktım, giyindim, Hotel Filosoof'un kâğıt kalemini buldum ve ona bir aşk mektubu yazdım:

Çok sevgili Augustus,

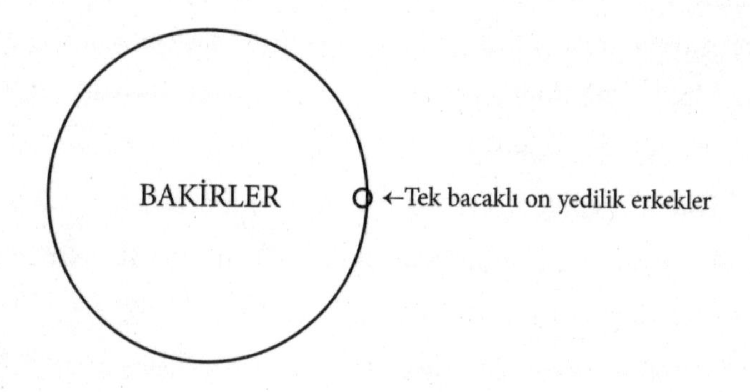

Sevgiler,

Hazel Grace

ON ÜÇÜNCÜ BÖLÜM

Ertesi sabah, Amsterdam'daki son günümüzde annem ve Augustus'la otelden Vondelpark'a kadar yürüdük ve Hollanda Film Müzesi'nin gölgesinde bir kafe bulduk. Elimizdeki sütlü kahvelerle -ki garson bize Felemenklerin buna "yanlış kahve" dediğini çünkü içinde kahveden çok süt olduğunu açıkladı- devasa bir kestane ağacının benekli gölgesinde oturduk ve anneme ulu Peter Van Houten'le buluşmamızı anlattık. Öyküyü komikleştirdik. Herkesin, üzücü öykülerin nasıl anlatılacağına dair bir tercih yapma şansı var, biz de eğlenceli şıkkı seçtik: Augustus dili dolanan, sözcükleri geveleyen ve oturduğu yerden bile kalkamayan bir Van Houten taklidi yaparak kafenin sandalyesinde kaykıldı; ben de son derece küstah ve maço tavırlarla, "Ayağa kalk, seni şişman ve çirkin yaşlı adam!" diye bağırdım.

"Ona çirkin demiş miydin?" diye sordu Augustus.

"Takılma şimdi ona," dedim

"Beğn çiğkin değilim. Sensin çiğkin, buğnu tüplü kız."

"Korkaksın!" diye gürledim ve Augustus gülerek taklidi bozdu. Oturdum. Anneme öpüşme kısmını atlayarak Anne Frank Evi'ni anlattık.

"Sonrasında Van Houten'in evine döndünüz mü?" diye sordu annem.

Augustus yüzümün kızarmasına imkân dahi vermedi. "Yoo. Bir kafede takıldık. Hazel beni Venn diyagramı geyikleriyle eğlendirdi." Göz ucuyla bana baktı. Tanrım, çok yakışıklıydı.

"Çok hoş," dedi annem. "Peki, ben biraz yürümek istiyorum. Hem konuşmak için vaktiniz olur," diye devam etti Gus'a bakarak ve hafiften iğneleyici bir sesle. "Belki sonra kanal tekneleriyle bir tura katılırız."

"Hımm, olabilir," dedim. Annem kahve tabağının altına beş avro bırakıp alnımı öperken, "Seni çok çok çok seviyorum," dedi ki her zamankinden iki "çok" fazla söylemişti.

Gus birbiriyle kesişip ayrılan dalların zemine düşen gölgelerini gösterdi. "Güzel değil mi?"

"Öyle," dedim.

"Çok güzel bir metafor," diye mırıldandı.

"Öyle mi?" diye sordum.

"Bir araya gelen ve birbirlerinden ayrılan şeylerin negatif görüntüsü," dedi. Önümüzden yüzlerce insan geçiyordu, koşuyor ve bisiklete biniyor ve paten kayıyorlardı. Amsterdam hareket ve aktivite için tasarlanmış bir şehirdi, arabayla seyahat etmeyi tercih etmeyen bir şehir... bu yüzden kaçınılmaz olarak kendimi dışlanmış hissediyordum. Tanrım. O kadar güzeldi ki... devasa ağacın etrafından kendine yol açan dere, suyun kenarında duran ve yüzen milyonlarca karaağaç yaprağı arasında yemek arayan balıkçıl.

Ama Augustus fark etmedi. Gölgelerin hareketlerini seyretmekle meşguldü. Sonunda konuştu. "Bunu tüm gün seyredebilirim ama otele gitsek iyi olurdu."

"Zamanımız var mı?" diye sordum.

Hüzünle gülümsedi. "Keşke olsaydı."

"Bir sorun mu var?" diye sordum.

Oteli göstererek başını salladı.

Hiç konuşmadan yürüdük, Augustus bir adım önden gidiyordu. Korkmamı gerektirecek bir şey olup olmadığını sormaya fena halde korkuyordum.

Şimdi, Maslow'un İhtiyaçlar Hiyerarşisi diye bir şey var. Temel olarak Abraham Maslow denilen bir adam ancak belli başlı ihtiyaçların karşılanmasıyla insanın başka tür ihtiyaçlara sahip olabileceğine dair bir teoriyle ünlü olmuş. Şöyle bir şey:

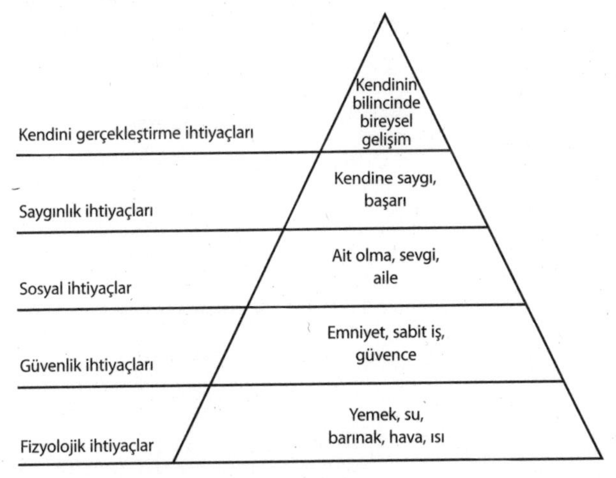

MASLOW'UN İHTİYAÇLAR HİYERARŞİSİ

Yemek ve su ihtiyaçlarınız karşılandığında, bir sonraki ihtiyaçlar dizisine, yani güvenliğe çıkıyorsunuz ve bu şekilde sonrakine ve sonrakine tırmanıyorsunuz ama burada önemli olan, fizyolojik ihtiyaçlarınız karşılanana kadar, sanat yapmaya ve ahlak veya kuantum fiziği hakkında düşünmeye filan başlanan "kendini gerçekleştirme" aşamasını bir kenara bıraktım, güvenlik ve sosyal ihtiyaçlar hakkında endişelenmenizin bile mümkün olmaması.

Maslow'a göre ben piramidin ikinci basamağında takılıp kalmıştım, sağlığımın güvence altında olduğunu hissedemiyordum ve bu sebeple sevgi ve saygı ve sanat ve artık başka ne varsa o şeylere ulaşmam da mümkün değildi ki bu tabii ki tam bir saçmalıktı: Sanat yapma veya felsefi düşüncelere dalma dürtüsü hasta olduğunuzda ortadan kaybolmuyordu. Sadece bu dürtüler hastalıkla farklı bir forma bürünüyordu.

Maslow'un piramidi diğer insanlardan daha az insan olduğumu ima ediyordu ki çoğu insan da onunla aynı fikri paylaşıyordu. Ama Augustus böyle değildi. Hep beni sevebileceğini çünkü kendisinin de bir zamanlar hasta olduğunu düşünmüştüm. Ancak o anda belki de hâlâ hasta olabileceği fikri aklıma düşmüştü.

Odam Kierkegaard'a girdik. Yanıma gelmesini bekleyerek yatağa oturdum ama o tozlu koltuğa çöktü. Şu koltuk... Kaç yıllıktı? Elli mi?

Paketten bir sigara çıkarıp dudaklarının arasına koyuşunu seyrederken boğazımda bir yumru oluştuğunu hissettim. Arkasına yaslanıp iç geçirdi. "Sen yoğun bakıma girmeden kısa süre önce kalçam ağrımaya başladı."

"Olamaz," dedim. Panik hissi beni boğmaya başlamıştı.

Başını salladı. "Ben de PET taraması yaptırdım." Duraksadı. Ağzından sigarayı çıkarıp dişlerini sıktı.

Hayatımın büyük kısmını beni seven insanların önünde ağlamamaya adadığım için Augustus'un ne yaptığını biliyordum. Dişlerinizi sıkarsınız. Yukarıya bakarsınız. Kendinize, sizi ağlarken görürlerse üzüleceklerini söylersiniz ve hayatlarında Bir Mutsuzluk olacağınızı ve mutlak bir mutsuzluğa dönüşmemeniz gerektiğini ve ağlamayacağınızı söylersiniz ve tüm bunları tavana bakarken kendi kendinize dile getirirsiniz ve boğazınız kabul etmek istemese bile yutkunursunuz ve sizi seven insana bakarsınız ve gülümsersiniz.

Bana yamuk gülümsemesiyle baktı. "Taramada yılbaşı ağacı gibi ışıl ışıldım, Hazel Grace. Göğsüm, sol kalçam, ciğerim, her yer."

Her yer. Sözcük bir süre havada asılı kaldı. İkimiz de bunun ne anlama geldiğini biliyorduk. Ayağa kalktım, bedenimi ve çekçeği Augustus'un asla olamayacağı kadar yaşlı halının üstünden sürükleyerek koltuğun yanında diz çöktüm ve başımı kucağına koyup beline sarıldım.

Saçımı okşuyordu. "Çok üzgünüm," dedim.

"Sana söylemediğim için ben üzgünüm," dedi sakin bir ses tonuyla. "Annen öğrenmiş olmalı. Bana öyle bir baktı ki... Annem ona söylemiş olabilir. Sana söylemem gerekirdi. Çok aptalcaydı. Bencillik yaptım."

Bana neden hiçbir şey söylemediğini anlıyordum tabii ki. Onun beni yoğun bakımda görmesini istemememle aynı sebeptendi. Ona bir saniye bile kızmam mümkün değildi ve ancak şimdi bir el bombasını sevince diğerlerini eli kulağında parçalanmamdan korumaya çalışmanın saçmalığını anlıyordum: Augustus Waters'ı sevmemem mümkün değildi. Zaten böyle bir şey istemiyordum.

"Hiç adil değil," dedim. "Hiç ama hiç adil değil."

"Dünya," dedi, "bir dilek gerçekleştirme fabrikası değil." Ve sonra, sadece bir anlığına çözüldü, hıçkırığı şimşeklerin eşlik etmediği bir gökgürültüsü gibi âcizce bir kükreme, acı çekme sahnesindeki amatörlerin zayıflıkla karıştırabileceği korkunç bir dehşet anıydı... Sonra beni kendisine çekti, yüzü benimkinden birkaç santim uzaktaydı ve kararlıydı. "Savaşacağım. Senin için savaşacağım. Sen beni merak etme, Hazel Grace. Ben iyiyim. Daha uzun süre buralardayım ve seni rahatsız etmeye devam edeceğim."

Ağlıyordum. Ama o anda bile güçlüydü, beni sıkı sıkı tutuyordu, kollarındaki kaslarla bana sarıldığını görebiliyordum. "Özür dilerim. Her şey düzelecek. Söz veriyorum," deyip yamuk bir şekilde gülümsedi.

Alnımı öptü ve ardından güçlü göğsünün az da olsa söndüğünü hissettim. "Neticede bir *hamartia*'m varmış belli ki."

Bir süre sonra onu yatağa çektim, yan yana yatarken bana, normalde palyatif kemoterapi başlatacaklarını anlattı ama annesi ile babası çok kızmış olsa da Amsterdam'a gitmek için bundan vazgeçmişti. Bedeninin ona ait olduğunu haykırdığını duyduğum sabaha kadar onu engellemeye çalışmışlardı. "Başka zamana erteleyebilirdik," dedim.

"Hayır, böyle bir şey mümkün değildi," diye karşılık verdi. "Her neyse, zaten işe yaramıyordu. Nasıl anlatacağımı bilmiyorum ama yaramadığını hissediyordum."

Başımla onayladım. "Tüm bu olay çok boktan," dedim.

"Ben döndüğümde başka şey denerler. Hep yeni bir fikirleri oluyor."

"Öyle," dedim deneysel ilaçlar konusunda iğneliğe dönmüş bir insan olarak.

"Seni sağlıklı bir insana âşık olduğuna inandırarak bir nevi kandırmış oldum," dedi.

Omzumu silktim. "Ben de aynısını yapardım."

"Hayır, yapmazdın ama hepimiz senin kadar muhteşem olamayız." Beni öptü, sonra yüzünü buruşturdu.

"Ağrın mı var?" diye sordum.

"Hayır. Sadece..." Konuşmadan önce uzun süre tavana baktı. "Bu dünyayı seviyorum. Şampanya içmeyi seviyorum. Sigara içmemeyi seviyorum. Felemenkçe konuşan Felemenklerin sesini seviyorum. Ama şimdi... Bir savaş bile veremiyorum. Mücadele etme şansım yok."

"Kanserle mücadele ediyorsun," dedim. "Bu da senin savaşın. Ve mücadele etmeye devam edeceksin." İnsanların beni mücadeleye hazırlama konuşmaları yapmalarından nefret ediyordum ama yine de ona böyle bir konuşma yapıyordum. "Sen... sen... bugün hayatını en iyi şekilde yaşayacaksın. Artık senin savaşın bu." Dandik duygusal cümleler kurduğum için kendimden tiksindim ama başka ne diyebilirdim ki?

"Ne savaş ama," dedi umursamaz bir tavırla. "Neye karşı savaşıyorum? Kanserimle. Peki ya kanserim ne? Kanser de benim. Tümörler benden oluşuyor. Beynim ve kalbim ne kadar benden oluşmuşsa onlar da bir o kadar benden oluştu. Bu bir iç savaş ve galibi önceden saptanmış, Hazel Grace."

"Gus," dedim. Başka bir şey söyleyemedim. Ağzımdan çıkacak teselliler için fazla zekiydi.

"Tamam," dedi. Ama tamam değildi işte. Bir süre sonra yine konuşmaya başladı. "Rijksmuseum'a gidecek olursan ki ben çok gitmek istiyordum ama kimi kandırıyoruz... ikimiz de bir müzede dolaşabilecek durumda değiliz. Ama her neyse, yola çıkmadan önce internetten koleksiyonlarına bakmıştım. Eğer gidecek olursan, yani bir gün gidersin umarım, bir sürü ölü insan resmi göreceksin. Haça gerilmiş İsa, boynundan bıçaklanan bir tip, denizde veya savaşta ölen insanlar, bir sürü aziz filan. Ama TEK BİR TANE BİLE kanserli çocuk yok. Vebadan veya çiçek hastalığından veya sarıhummadan filan nalları diken kimse yok çünkü hastalık görkemli bir şey değil. Anlamı yok. *Bir şeyden* ölmek şerefli bir şey değil."

Abraham Maslow, sana varoluşsal merakı iyi beslenen ve sevilen sağlıklı kardeşlerininkini gölgede bırakan Augustus Waters'ı takdim ediyorum. İnsan kitleleri hiçbir şekilde inceleme konusu olmayan, korkunç tüketim hayatları idame ettirirken Augustus Waters, Rijksmuseum koleksiyonunu uzaktan inceliyordu.

"Ne oldu?" diye sordu Augustus bir süre sonra.

"Hiç," dedim. "Ben sadece..." Cümlemi tamamlayamadım, nasıl tamamlayabileceğimi bilmiyordum. "Ben sadece senden çok ama çok hoşlanıyorum."

Yarım ağızla gülümsedi, burnu benimkinin birkaç santim ötesindeydi. "Aynı hisleri paylaşıyoruz. Sanırım bunu unutman ve bana ölmüyormuşum gibi davranman mümkün değildir."

"Öldüğünü düşünmüyorum," dedim. "Bence sadece birazcık kanserin var."

Gülümsedi. Darağacı mizahı. "Sadece yukarı çıkan bir hız trenindeyim," dedi.

"Ve seninle en tepeye çıkmak benim için bir onur."

"Sevişmeye çalışmak gerçekten çok mu aptalca olur?"

"Denemek yoktur," dedim. "Sadece yapmak vardır."

ON DÖRDÜNCÜ BÖLÜM

Eve dönüş yolunda, yerden on bin fit yüksekteki bulutların yirmi bin fit üstünde Gus, "Eskiden bulutların üstünde yaşamanın güzel olacağını düşünürdüm," dedi.

"Evet," dedim. "Hani şu ayda yürüyormuşsun gibi hissettiren şişme aletlerdeki gibi olurdu ama tabii sürekli."

"Ortaokulda fen dersinde Bay Martinez kimlerin bulutların üstünde yaşamayı hayal ettiğini sorunca herkes elini kaldırmıştı. Bay Martinez de bulutların üstünde rüzgârın saatte iki yüz elli kilometre hızla estiğini ve sıcaklığın eksi otuz derece olduğunu ve oksijen olmadığını ve birkaç saniye içinde öleceğimizi söylemişti."

"Hoş adammış."

"Hayalleri katletme konusunda uzmanlığı vardı, Hazel Grace. Yanardağların harika olduğunu mu düşünüyorsun? Aynı şeyi Pompeii'deki çığlık atan on bin cesede söyle. Gizliden gizliye bu dünyada hâlâ büyülü bir şeyler olabileceğine mi inanıyorsun? Her şey birbirine rastgele çarpıp duran ruhsuz moleküllerden oluşuyor. Annen baban ölürse sana kimin bakacağından mı endişeleniyorsun? Endişelenmen de lazım zaten çünkü zaman içinde solucanlara yemek olacaklar."

"Cehalet erdemdir," dedim.

Bir hostes troleyle oldukça kısık sesle, "İçecek bir şey? İçecek. İçecek," diyerek sıraların arasından geçiyordu. Gus üstümden uzanıp elini kaldırdı. "Şampanya alabilir miyiz acaba?"

"Yirmi bir yaşında mısınız?" diye sordu kadın şüpheyle. Gözüne sokarcasına burnumdaki kanülü düzelttim. Hostes gülümseyip uyuyan anneme baktı. "Sorun eder mi?"

"Hayır."

Bunun üstüne iki plastik bardağa şampanya koydu. Kanser Avantası.

Gus'la bardaklarımızı havaya kaldırdık. "Sana," dedi.

"Sana," dedim bardağımı onunkine dokundururken.

Minik birer yudum aldık. Oranjee'dekinden daha sönük yıldızlardı ama yine de iyiydi.

"Aslına bakarsan," dedi Gus bana, "Van Houten'in söylediği her şey doğruydu."

"Olabilir ama öyle pislik gibi davranmak zorunda değildi. Hamster Sisyphos için bir gelecek düşünüp Anna'nın annesi için düşünmemiş olduğuna inanamıyorum."

Augustus omzunu silkti. Bir anda konudan kopmuş gibiydi. "İyi misin?" diye sordum.

Kafasını mikroskobik bir hareketle salladı. "Ağrıyor," dedi.

"Göğsün mü?"

Başıyla onayladı. Yumruklarını sıkmıştı. Daha sonra bu hissi, topuklu ayakkabı giymiş tek bacaklı şişman bir adamın göğsünün ortasında dikilmesine benzetecekti. Koltuğun arkasındaki masayı kapatıp sırt çantasından ilaç çıkarmak için öne eğildim. Birini şampanyayla yuttu. "İyi misin?" diye sordum tekrar.

Gus orada oturmuş yumruğunu sıkıyor, acıyı (ve beni) kendisinden uzaklaştırmayan ilacın işe yaramasını bekliyordu.

"Sanki kişisel bir şey gibiydi," dedi Gus kısık sesle. "Sanki bir sebepten bize kızmış gibiydi. Van Houten yani." Şampanyasının kalanını birkaç yudumda içti ve kısa süre sonra uykuya daldı.

Babam havalimanının çıkışında bizi bekliyordu, JOHNSON, BARRINGTON, CARMICHAEL gibi soyadların yazılı olduğu kâğıtlar tutan limuzin şoförlerinin arasındaydı. Kendisi de bir yazı hazırlamıştı. GÜZEL AİLEM kelimelerinin altında (VE GUS) yazıyordu.

Ona sarıldığımda ağlamaya başladı (tabii ki). Eve dönerken Gus'la babama Amsterdam maceralarımızı anlattık ama ancak eve dönüp Philip'e bağlandıktan, babamla hakiki Amerikan programları izleyip kucağımızdaki peçetelerin üstünden Amerikan pizzası yerken ona Gus'tan bahsettim.

"Gus'un kanseri yineledi," dedim.

"Biliyorum," diye karşılık verdi. Bana doğru kayıp devam etti. "Siz gitmeden önce annesi bize söyledi. Senden sakladığı için üzgünüm. Ben... ben üzgünüm, Hazel." Uzun süre bir şey söylemedim. İzlediğimiz program satın alacakları evi seçmeye çalışan insanlarla ilgiliydi. "Siz yokken *Görkemli Izdırap*'ı okudum," dedi babam.

Ona döndüm. "Ah, süper. Nasıl buldun?"

"İyiydi. Anlaması zor biraz. Biyokimya okudum hatırlarsan, edebiyatçı sayılmam. Keşke kitap bitseydi."

"Evet," dedim. "Klasik şikâyet."

"Ayrıca biraz umutsuzdu," dedi. "Yenilgiyi kabul ediyor gibi."

"Eğer yenilgiyi kabul etmekten kastın *dürüst* ise, katılıyorum."

"Bence yenilgiyi kabul etmek dürüstlük değil," diye karşılık verdi. "Bunu kabul etmeyi reddediyorum."

"Yani her şeyin olmasının bir sebebi var ve hepimiz bulutların üstüne çıkacağız ve arp çalıp malikânelerde mi yaşayacağız?"

Babam gülümsedi. Kocaman kolunu omzuma atıp beni kendisine çekti ve başımı öptü. "Neye inandığımı bilmiyorum, Hazel. Yetişkin olmanın inandığın şeyi bilmek anlamına geldiğini düşünürdüm ama şimdiye kadar böyle bir deneyimim olmadı."

"Peki," dedim. "Tamam."

Tekrar Gus'la ilgili üzgün olduğunu söyledi ve sonra programı izlemeye devam ettik ve insanlar bir ev seçtiler ve babamın kolu hâlâ omzumdaydı ve uykuya dalmak üzereydim ama yatmak istemiyordum ve babam o anda tekrar konuştu. "Neye inanıyorum biliyor musun? Üniversitede bir matematik dersi vardı, hocamız ufak tefek ve yaşlı bir kadındı. Hızlı Fourier dönüşümlerinden bahsediyordu ve bir cümlenin ortasında durup, 'Bazen evren fark edilmek istiyormuş gibi görünüyor,' dedi.

"Ben de buna inanıyorum. Bence evren fark edilmek istiyor. Bence evren beklenmedik bir şekilde bilince eğilimli ve kısmen de zekâyı mükâfatlandırıyor çünkü zarafetinin gözlemlenmesinden keyif alıyor. Ve ben kim oluyorum da tarihin ortasında yaşarken evrene, onun –veya gözlemlediğim kadarının– geçici olduğunu söylüyorum ki?"

"Bayağı zekisin," dedim bir süre sonra.

"İltifat etmekte bayağı iyisin," diye karşılık verdi.

Ertesi gün Gus'ın evine gittim, annesi ve babasıyla fıstık ezmeli ve reçelli sandviç yiyip onlara Amsterdam maceralarımızı anlatırken Gus oturma odasında, *V for Vendetta* seyrettiğimiz kanepede uyukluyordu. Onu mutfaktan görebiliyordum: Sırtüstü yatıyordu, başı diğer yöne dönüktü, çoktan bir PICC kateteri takmışlardı. Kansere yeni bir kokteylle saldırıyorlardı: İki kemoterapi ilacı ve Gus'ın kanserindeki onkojeni engellemesini umdukları bir protein reseptörü. Deneysel araştırmaya katılabildiği için şanslı olduğunu söylemişlerdi bana. Şanslıymış. İlaçlardan birini biliyordum. İsmini duyduğumda bile kusacak gibi oluyordum.

Bir süre sonra annesi Isaac'i getirdi.

"Isaac, selam, Destek Grubu'ndan Hazel, hain eski kız arkadaşın değil." Annesi onu yanıma getirdi, ben de sandalyeden kalkıp sarıldım, Isaac'in beni bulması kısa bir an aldı ama sonra bana sıkı sıkı sarıldı.

"Amsterdam nasıldı?" diye sordu.

"Harikaydı," dedim.

"Waters," dedi. "Neredesin, dostum?"

"Uyuyor," derken sesim çatladı. Isaac başını salladı, herkes sessizleşti.

"Fena," dedi Isaac bir saniye sonra. Annesi onu bir sandalyenin yanına götürdü. Isaac oturdu.

"Kontrgerilla Harekâtı'nda kör kıçını hâlâ çok pis alaşağı edebilirim," dedi Augustus bize dönmeden. İlaçlar konuşmasını yavaşlatıyordu... ancak normal bir insanın konuşma hızına getirecek kadar.

Isaac annesini ararken hafifçe elini kolunu sallayarak, "Tüm kıçların kör olduğuna eminim aslında," diye karşılık verdi. Annesi onu tutup kaldırdıktan sonra kanepeye doğru götürdü, Gus ile Isaac tuhaf bir şekilde sarıldılar. "Nasılsın?" diye sordu Isaac.

"Her şey metal tadı veriyor. Onun dışında sadece yukarı çıkan bir hız trenindeyim, dostum." Isaac güldü. "Gözlerinden haber ver."

"Ah, mükemmeller," dedi Isaac. "Aslında tek sorun kafamda olmamaları."

"Harika gerçekten. Sana hava atmak filan istemiyorum ama tüm vücudum kanserden yapılma şu an."

"Evet, duydum," dedi Isaac etkilenmemiş gibi davranmaya çalışarak. Gus'ın elini tutmaya çalıştı ama ancak bacağını yakalayabildi.

"Kız arkadaşım var," diye karşılık verdi Gus.

Isaac'in annesi iki sandalye getirince Isaac ile Gus'ın yanına oturduk. Gus'ın elini tuttum ve başparmağı ile işaret parmağının arasında daireler çizmeye başladım.

Büyükler dertleşmek mi artık ne içinse bodruma inip üçümüzü salonda yalnız bıraktılar. Bir süre sonra Augustus bize döndü, yavaş yavaş uyanıyordu. "Monica nasıl?" diye sordu.

"Hiç haber almadım," dedi Isaac. "Ne mektup, ne e-mail. E-maillerimi okuyan bir alet var. Harika bir şey. Okuyanın sesini veya aksanını filan değiştirebiliyorsun."

"Yani sana porno öykü gönderirsem yaşlı bir Alman herife okutabiliyorsun, öyle mi?"

"Aynen," dedi Isaac. "Gerçi kullanmama hâlâ annem yardımcı oluyor o yüzden Alman pornosunu birkaç hafta daha yollamazsan iyi olur."

"Nasıl olduğunu filan sormak için bile bir mesaj atmadı mı yani?" diye sordum. Bu bana akıl erdiremeyeceğim kadar insafsızca geliyordu.

"Tam bir sessizlik."

"Çok saçma," dedim.

"Ben o konuda düşünmeyi bıraktım. Kız arkadaşa ayıracak vaktim yok. Nasıl Kör Olunur isimli bir işe girdim."

Gus başını diğer yana çevirip arka bahçeye bakan pencereden dışarıyı izlemeye başladı. Gözleri kapanıyordu.

Isaac nasıl olduğumu sordu, iyi olduğumu söyledim, Destek Grubu'nda seksi sesli yeni bir kız olduğunu ve gidip gerçekten seksi olup olmadığını ona söylemem gerektiğini filan söyledi. Sonra bir anda Augustus araya girdi. "Gözleri kafasından kesilip çıkartılan eski erkek arkadaşını aramazlık yapamazsın, tamam mı?"

"Bu sadece..." diye başladı Isaac.

"Hazel Grace, dört doların var mı?" diye sordu Gus.

"Şey," dedim. "Var?"

"Harika. Sehpanın altında bacağım var." Oturur pozisyona gelene kadar kendisini itip kanepenin ucuna kaydı. Protezi uzattım; yavaş hareketlerle taktı.

Ayağa kalkmasına yardımcı olduktan sonra kolumu Isaac'e uzatıp bir anda engel oluşturmaya başlamışlar gibi hissettiren mobilyaların etrafından geçebilmesi için onu yönlendiriyordum ki yıllardır ilk defa odadaki en sağlıklı insan olduğumu fark ettim.

Arabayı ben sürdüm. Augustus yanımdaydı. Isaac arkada oturuyordu. Bir markette durup Augustus'un talimatlarına uyarak bir kutu yumurta aldım, bu sırada ikisi arabada bekliyordu. Sonra Isaac hatırlayabildiği kadarıyla bizi Monica'nın evine yönlendirdi, ev iki katlı ve abartılı derecede düzenli görünüyordu. Monica'nın parlak yeşil, 1990 model Pontiac Firebird'ü kalın tekerlekleriyle garaj yolunda duruyordu.

"Orada mı?" diye sordu Isaac durduğumu hissettiği anda.

"Kesinlikle orada," dedi Augustus. "Nasıl görünüyor, biliyor musun Isaac? Umacak kadar aptal olduğumuz tüm umutlar gerçekleşmiş gibi görünüyor."

"Yani evde mi?"

Gus, Isaac'e bakabilmek için yavaş yavaş başını çevirdi. "Nerede olduğundan kime ne? Bu onunla ilgili değil. Bu, *seninle* ilgili." Gus kucağındaki yumurta kutusunu tutup kapıyı açtı ve bacaklarını dışarı çıkardı. Isaac için kapıyı tuttu, ben de aynadan Gus'ın onu dışarı çıkarmasını ve ikisinin sanki dua eden ama ayaları birbirine tam değmeyen iki el gibi omuz omuza verişini seyrettim.

Pencereyi indirmiş, arabadan seyrediyordum çünkü Vandallık fikri beni geriyordu. Arabaya doğru birkaç adım daha attılar, sonra Gus yumurta kutusunu açıp Isaac'e bir yumurta uzattı. Isaac yumurtayı fırlattı fakat arabayı rahat on metre farkla kaçırdı.

"Biraz sol," dedi Gus.

"Ben mi sola doğru attım yoksa sola doğru mu atmam lazım?"

"Sola doğru at." Isaac hedef alıp fırlattı. "Daha sola," dedi Gus. Isaac tekrar fırlattı. "Evet. Harika. Daha kuvvetli at." Ona bir yumurta daha verdi, Isaac attı fakat yumurta arabanın üstünden yay çizerek evin eğimli çatısına çarptı. "Tam on ikiden!" dedi Gus.

"Gerçekten mi?" diye sordu Isaac heyecanla.

"Hayır, arabanın yaklaşık beş metre yukarısına attın. Kuvvetli fırlat ama aşağıdan olsun." Isaac uzanıp Gus'ın tuttuğu kutudan bir yumurta daha aldı. Fırlattı ve bu sefer stop lambasını tutturdu. "İşte!" dedi Gus. "İşte! STOP LAMBASI!"

Isaac bir yumurta daha aldı, fazla sağa atarak ıskaladı, bir diğerini fazla aşağı fırlattı, bir tane daha atarak arka camı vurdu. Sonra üç defa üst üste bagajı tutturdu. "Hazel Grace," diye bağırdı Gus. "Bir fotoğraf çek ki robot göz icat ettiklerinde Isaac de görebilsin." Kendimi yukarıya doğru çekip aşağı indirdiğim cama oturdum, dirseklerimi arabanın tavanına dayayarak cep telefonumla bir fotoğraf çektim: Augustus ağzında yanmayan sigarasıyla, leziz bir yamuk gülümsemeyle çoğu boşalmış yumurta kutusunu kafasının üstünde tutuyordu. Diğer elini güneş gözlüğü kameraya tam dönük olmayan Isaac'in omzuna koymuştu. Arkalarında yumurta sarıları yeşil Firebird'ün arka camı ile bagajından aşağı damlıyordu. Ve onun da arkasında bir kapı açılıyordu.

"Tanrı aşkına..." dedi orta yaşlı bir kadın, ben fotoğrafı çektikten bir saniye sonra. "Burada ne oluyor..." Sonra susuverdi.

"Merhaba," dedi Augustus ona dönüp. "Kör bir adam kızınızın arabasına layıkıyla yumurta fırlatıyor. Lütfen içeri girip kapıyı kapatın yoksa polisi aramamız gerekecek." Bir an ne yapacağını bilemeyen Monica'nın annesi kapıyı kapatıp ortalıktan kayboldu. Isaac kalan son üç yumurtayı da arka arkaya attıktan sonra Gus onu tekrar arabaya yönlendirdi. "Gördün mü Isaac, eğer ellerinden –kaldırımdan inmek üzereyiz– haklı oldukları hissini çekip alırsan ve arabalarına yumurta atılmasını izleyerek sanki *onlar* bir suç işliyorlarmış gibi –birkaç adım daha–

hissettirecek şekilde işleri tersine çevirirsen kafaları karışıyor, korkuyorlar, endişeleniyorlar ve -kapı kolu hemen önünde- içten içe umutsuz olduğunu bildikleri kendi hayatlarına çekiliyorlar." Arabanın önüne doğru koşup yanıma yerleşti. Kapılar kapanır kapanmaz gaza bastım, yüz metre kadar gitmiştim ki çıkmaz sokakta olduğumuzu fark ettim. Ters döndüm ve Monica'nın evinin önünden büyük bir hızla geçtim.

Bir daha hiç fotoğrafını çekmedim.

ON BEŞİNCİ BÖLÜM

Birkaç gün sonra Gus'ların evinde onun annesi ile babası, benim annem babam, Gus ve ben yemek masasının etrafına doluşup Gus'ın babasının deyimiyle en son geçen yüzyılda kullanılmış olan masa örtüsünün üstünde biber dolması yedik.

Babam: "Emily, bu risotto..."

Annem: "Çok lezzetli."

Gus'ın annesi: "Teşekkürler. İstersen tarifini verebilirim."

Ağzındakini yutmakta olan Gus: "Aslına bakarsanız tadı bir Oranjee kadar değil."

Ben: "İyi gözlem, Gus. Bu yiyecek lezzetli olmasına rağmen tadı Oranjee'ninki gibi değil."

Annem: "Hazel."

Gus: "Tadı şey gibi..."

Ben: "Yiyecek."

Gus: "Evet, aynen. Tadı yiyecek gibi, mükemmel bir şekilde pişirilmiş olabilir ama tadı nasıl söylesem…"

Ben: "Tadı sanki Tanrı'nın Ta Kendisi cenneti beş tabaklık bir öğün olarak pişirmiş ve bunlar sana fermente edilmiş, kabarcıklı birkaç ışıltılı top eşliğinde servis edilmiş ve kanal kenarındaki yemek masasının çevresinden hakiki çiçek yaprakları akıp gidiyormuş gibi değil."

Gus: "İyi söyledin."

Gus'ın babası: "Çocuklarımız gerçekten tuhaf."

Babam: "İyi söyledin."

O akşam yemeğinden bir hafta sonra Gus göğüs ağrısıyla acil servise gitti ve hemen ardından hastaneye kaldırıldı, ben de ertesi sabah Memorial'a gidip dördüncü kattaki odasına çıktım. Isaac'i ziyaretimden sonra Memorial'a gitmemiştim. Burada, Çocuk Hastanesi'ndeki insanı bıktıracak kadar parlak renklere boyanmış duvarlar veya araba süren köpek resimleri yoktu ama mekânın kesif sterilliği Çocuk Hastanesi'nin o mutlu çocuk saçmalığını özlememe sebep oluyordu. Memorial son derece *fonksiyoneldi.* Âdeta bir depoydu. Bir prematoryum…

Asansörün kapıları dördüncü katta açıldığında Gus'ın annesinin bekleme odasını arşınladığını, bir yandan da telefonla konuştuğunu gördüm. Hızla kapatıp bana sarıldı ve çekçeği benim yerime tutmayı teklif etti.

"Sorun değil," dedim. "Gus nasıl?"

"Zor bir gece geçirdi, Hazel. Kalbi fazla çalışıyor. Daha az hareket etmesi gerekecek. Bundan sonra sadece tekerlekli sandalye kullanacak. Ağrıları için daha çok işe yarayacak yeni bir ilaca başlatıyorlar. Kız kardeşleri demin geldi."

"Peki," dedim. "Onu görebilir miyim?"

Kolunu omzuma atıp hafifçe sıktı. Tuhaf bir histi. "Seni sevdiğimizi biliyorsun, Hazel. Ama şu anda bir aile olmamız gerekiyor. Gus da aynı fikirde. Tamam mı?"

"Peki," dedim.

"Uğradığını söyleyeceğim."

"Peki," dedim tekrar. "Ben biraz burada oturup bir şeyler okuyacağım sanırım."

Koridorun öteki ucuna, Gus'ın olduğu yere yürüdü. Anlıyordum ama yine de onu özlüyordum ve ona veda etmek için son şansımı kaçırıyormuşum filan gibi hissediyordum. Bekleme odasına kahverengi halı döşenmişti ve kahverengi kumaş kaplı pofuduk koltuklar vardı. Bir süre oksijen tüpüm ayaklarımın dibinde, çift kişilik koltukta oturdum. Converse'imi ve *Ceci n'est pas une pipe* tişörtümü giymiştim, iki hafta önce Venn Diyagramı İkindisi'nde giydiğim kıyafetin aynısıydı ve o bunu göremeyecekti. Telefonumdaki fotoğraflara bakmaya başladım, son birkaç ayın tersten giden andacı gibiydi, Monica'nın evinin önünde duran Gus ile Isaac'ten başlayarak *Funky Bones* yolunda çektiğim ilk fotoğrafa kadar gidiyordu. Sanki sonsuzluk kadar önce yaşanmıştı, sanki kısa ama yine de sınırsız bir sonsuzluk yaşamışız gibi. Bazı sonsuzlar başka sonsuzlardan büyüktü.

İki hafta sonra Gus'ı tekerlekli sandalyesiyle parktan *Funky Bones*'a doğru götürüyordum, gayet pahalı bir şampanya ile oksijen tüpüm Gus'ın kucağındaydı. Gus doktorları çocuklara en iyi şampanya şişelerini vermeye ikna edebilen türde bir insan olduğundan şampanyayı Gus'a bir doktor hediye etmişti. Gus tekerlekli sandalyedeydi, ben de çimlere oturdum, *Funky Bones*'a olabildiğince yaklaşmıştık. Göğüs kafesinden omza doğru atlamaları için birbirini kışkırtan çocukları ona gösterince tüm o şamatada zar zor duyduğum bir sesle, "Son geldiğimizde kendimi çocuk olarak görüyordum, şu ansa iskelet," diye karşılık verdi.

Şampanyayı Winnie-the-Pooh'lu kâğıt bardaklardan içtik.

ON ALTINCI BÖLÜM

Son evre Gus'la tipik bir gün:

Gus kahvaltı yapıp kahvaltısını kustuktan sonra, öğlen gibi evine gidiyordum. Tekerlekli sandalyesiyle beni kapıda karşılıyordu, artık bana Destek Grubu'nda gözlerini dikip bakan o kaslı ve yakışıklı çocuktan eser yoktu fakat hâlâ yamuk yamuk gülümsüyor ve yakmadığı sigarayı içiyordu, gözleri berrak mavi ve parlaktı.

Yemek masasında ailesiyle öğlen yemeği yiyorduk. Fıstıklı ve reçelli sandviçler ile akşamdan kalma kuşkonmaz. Gus yemiyordu.

Nasıl olduğunu sordum.

"Harika," dedi. "Ya sen?"

"İyiyim. Dün akşam ne yaptın?"

"Bayağı uyudum. Senin için bir son bölüm yazmak istiyorum, Hazel Grace. Ama sürekli o kadar yorgun hissediyorum ki."

"Söylesen de olur."

"Hollandalı Lale Adam'la ilgili Van Houten öncesi analizimin arkasındayım. Sahtekâr değil ama insanları inandırdığı kadar zengin de değil."

"Ya Anna'nın annesi?"

"O konuda bir karara varamadım. Sabırlı ol, çekirge." Augustus gülümsedi. Annesi ile babası konuşmadan onu izliyordu, başlarını bile çevirmiyorlardı, sanki Gus Waters Gösterisi hâlâ sahnedeyken keyfini çıkarmak istiyor gibiydiler. "Bazen anılarımı yazdığımı hayal ediyorum. Bir anı yazısı bana hayran olan toplumun kalbinde ve hatıralarında kalmam için ideal olurdu."

"Ben varken neden sana hayran olan bir toplum peşindesin ki?" diye sordum.

"Hazel Grace, benim kadar büyüleyici ve fiziksel olarak çekici olduğunda tanıştığın insanların kalbini kazanman kolay. Ama yabancıların seni sevmesini sağlamak... işte tüm *mesele* orada."

Gözlerimi devirdim.

Öğlen yemeğinden sonra arka bahçeye çıktık. Hâlâ kendi tekerlekli sandalyesini itebilecek, kapı eşiğinden tekerlekleri geçirebilecek kadar sağlıklıydı. Her şeye rağmen atletikti, bir dolu yatıştırıcının tamamen yok edemediği bir dengeye ve reflekslere sahipti.

Annesi ile babası içeride kaldı ama her baktığımda bizi izlediklerini görebiliyordum.

Bir dakika sessizce oturduk, sonra Gus konuştu. "Bazen o salıncak hâlâ bizde olsaydı diyorum."

"Bizim arka bahçedeki mi?"

"Evet. Öyle fena nostaljik hissediyorum ki popomun değmediği bir salıncağı bile özleyebiliyorum."

"Nostalji kanserin yan etkisi," dedim.

"Hayır, nostalji ölmenin yan etkisi," diye karşılık verdi. Tepemizde rüzgâr esiyor ve dalların gölgeleri tenimizde yer değiştiriyordu. Gus elimi sıktı. "Hayat güzel, Hazel Grace."

İlaç alması gerekince içeri girdik, ilaçlar sıvı besinlerle birlikte karnında kaybolan plastik bir G-tüpüyle pompalanıyordu. Bir süre sessiz kaldı, dalıp gitmiş gibiydi. Annesi uyumasını istiyordu ama o ne zaman bunu söylese Gus başını olumsuz anlamda salladığı için bir süre sandalyesinde yarı uyuklar vaziyette oturmasına karışmadık.

Annesi ile babası Gus'ın kız kardeşleriyle olduğu eski bir video seyrediyordu, kardeşleri muhtemelen benim yaşımda, Gus ise aşağı yukarı beş yaşındaydı. Başka bir evin garaj yolunda basketbol oynuyorlardı ve Gus küçücük olmasına rağmen sanki bu işi yapmak için doğmuş gibi top sürüyor, kardeşlerinin etrafında dönüyordu. Basketbol oynayışını ilk kez görüyordum. "Gerçekten iyiymiş," dedim.

"Bir de lisede görseydin," dedi babası. "İlk senesinde takıma girmişti."

Gus, "Aşağı inebilir miyim?" diye mırıldandı.

Annesi ile babası Gus hâlâ üstündeyken tekerlekli sandalyeyi basamaklardan zıplatarak aşağı indirdi; tehlike kelimesi tüm anlamını yitirmiş olmasaydı bu hareketi tehlikeli olarak görebilirdim belki... Gus yatağa yattı, örtülerin altına uzandık, ben yan dönmüştüm, o ise sırtüstü yatıyordu, kafamı kemikli omzuna dayamıştım, gömleğinden teninin ısısı yayılıp tenime vuruyordu, ayaklarımı gerçek ayağına dolamıştım, elim yanağındaydı.

Burnuna değebilecek kadar yaklaştığımda görebildiğim tek şey gözleriydi ve bu haldeyken hasta olduğunu anlamak mümkün değildi. Bir süre öpüştük, sonra The Hectic Glow'un aynı isimli albümünü dinleyerek yatmaya devam ettik ve nihayetinde boru ve bedenlerden oluşan bir düğüm şeklinde uyuyakaldık.

Daha sonra uyanıp yatağın kenarında rahat bir şekilde oturabilelim diye yastık ordusunu düzenledik ve Kontrgerilla Harekâtı 2: Şafağın Bedeli oynadık. Tabii ki korkunç oynuyordum ama korkunç oynamam onun işine geliyordu: Güzel bir şekilde ölmesini kolaylaştırıyor, bir keskin nişancının mermisinin önüne atlayarak kendisini benim için feda edebiliyor veya beni vurmak üzere olan bir muhafızı öldürebiliyordu. Beni kurtarmaktan nasıl da keyif alıyordu! "Kız arkadaşımı *öldüremeyeceksin,* Belirsiz Milliyetli Uluslararası Terörist!" diye bağırıyordu.

Beni kurtarabilmesi için boğulma taklidi filan yapmak aklımdan geçmedi değil. Belki hayatını hiçbir amaca hizmet edemeden yaşamış olma korkusundan kurtulmasına yardımı dokunurdu. Ama sonra fiziksel açıdan beni kurtarabilecek kuvvete sahip olmayabileceğini ve tüm her şeyin bir numara olduğunu açıklamak zorunda kaldığımı ve ardından ikimizin de nasıl utanacağını düşündüm.

Doğan güneş solmakta olan gözlerinizi alırken gururlu olmak felaket derecede zor ve var olmayan bir şehrin yıkıntılarında kötü adamların peşine düştüğümüz sırada tek düşünebildiğim buydu.

En sonunda babası gelip Gus'ı yukarı kata taşıdı ve antrede, bana *Dostluk Sonsuza Dek Sürer* diyen Teşvik'in altında iyi geceler dilemek için eğilip onu öptüm. Eve gidip bizimkilerle akşam yemeği yedim ve Gus'ı da kendi yemeğini yemesi (ve kusması) için geride bıraktım.

Biraz televizyon seyrettikten sonra yattım.

Uyandım.

Öğlen gibi tekrar Gus'ların evine gittim.

ON YEDİNCİ BÖLÜM

Amsterdam'dan döndükten bir ay sonra, bir sabah yine Gus'ların evine gitmiştim. Annesi ile babası Gus'ın aşağı katta uyuduğunu söyledi, ben de bodrum katının kapısını gürültüyle çalıp, "Gus?" diye seslendim.

Onu kendi yarattığı bir dilde mırıldanırken buldum. Yatağa pislemişti. Korkunçtu. Bakamadım bile. Annesi ile babasına seslendim, aşağı indiler, onlar Gus'ı temizlerken ben de yukarı çıktım.

Tekrar indiğimde yatıştırıcıların etkisinden sıyrılarak yavaş yavaş eziyet dolu güne uyanıyordu. Nevresimsiz çıplak yatakta Kontrgerilla oynayabilelim diye yastıkları düzelttim ama o kadar yorgun ve dalgındı ki en az benim kadar kötü oynuyordu ve ikimiz de ölmeden beş dakika bile devam edemiyorduk. Şık ve muzafferane ölümler de değil, sadece dikkatsiz ölümler.

Ona pek bir şey söylemedim aslında. Galiba orada olduğumu unutmasını istiyor, âşık olduğum çocuğu aklı yerinde değilken ve kendi pisliği içinde bulduğumu hatırlamamasını diliyordum. Sürekli bana dönüp, "Ah, Hazel Grace. Buraya ne zaman geldin?" demesini dileyip duruyordum.

Ama ne yazık ki hatırlıyordu. "Her geçen dakika *kepazelik* kelimesine dair daha derin bir algıya kavuşuyorum," dedi sonunda.

"Ben de yatağı pislettim, Gus, inan bana çok büyük bir olay değil."

"Bana eskiden," dedi ve sonra derin bir nefes aldı, "Augustus derdin."

"Biliyor musun," dedi bir süre sonra, "çocukluk belki ama hep ölüm haberimin tüm gazetelerde çıkacağını, anlatılacak bir hikâyem olacağını düşünmüştüm. Gizliden gizliye özel olduğuma dair bir düşüncem vardı."

"Öylesin," dedim.

"Ne demeye çalıştığımı anlıyorsun işte."

Ne demeye çalıştığını anlıyordum. Ama aynı fikirde değildim. "*New York Times* benim hakkımda bir ölüm ilanı basmış basmamış umurumda olmazdı. Sadece senin yazmış olmanı isterdim," dedim. "Özel olmadığını çünkü dünyanın seni tanımadığını söylüyorsun ama böyle diyerek bana hakaret ediyorsun. *Ben* seni tanıyorum."

"Senin ölüm ilanını yazabilecek kadar yaşayacağımı sanmıyorum," dedi özür dilemek yerine.

Sinirimi bozuyordu. "Sana yetmek istiyorum ama hiçbir zaman yetemeyeceğim. Bunlar senin için asla yeterli olmayacak. Ama sahip olduğun şey bu. Ben varım, ailen var ve bu dünya var. Bu senin hayatın. Boktan olduğu için üzgünüm ama ne Mars'a ayak basan ilk insan ne bir NBA yıldızı olabileceksin, Nazilerin peşine de düşemeyeceksin. Yani dönüp bir kendine bak, Gus." Karşılık vermedi. "Söylediklerimde ciddi değildim..." diye başladım.

"Ah, gayet ciddiydin," diye araya girdi. Özür dilemeye başladım ama, "Hayır, ben özür dilerim," dedi. "Haklısın. Hadi oyun oynayalım."

Biz de oyun oynadık.

ON SEKİZİNCİ BÖLÜM

Telefonumun The Hectic Glow'un bir şarkısını çalmaya başlamasıyla uyandım. Gus'ın en sevdiği şarkıydı. Yani o arıyordu... ya da onun telefonundan birisi. Saate baktım: 02:35. *Gitti,* diye düşündüm içimdeki her şey bir kara deliğe dönüşürken.

Doğru dürüst, "*Alo?*" bile diyemedim.

Bir ebeveynin paramparça sesini duymayı bekliyordum.

"Hazel Grace," dedi Augustus zayıfça.

"Ah, Tanrım. Çok şükür sensin. Selam. Selam. Seni seviyorum."

"Hazel Grace, benzincideyim. Bir sorun oldu. Bana yardım et."

"Ne? Neredesin?"

"Ditch ile 86. Cadde'nin oradaki Speedway'deyim. G-tüpüne bir şey oldu, ne olduğunu anlayamıyorum ve..."

"Ambulans çağırıyorum," dedim.

"Hayır hayır hayır hayır, beni hastaneye götürürler. Hazel, beni dinle. Ambulans veya bizimkileri arama seni asla affetmem sakın bak lütfen gel lütfen çabuk gel de şu lanet G-tüpünü düzelt. Ben, Tanrım, bu çok saçma. Çıktığımı bizimkiler öğrensin istemiyorum. Lütfen. İlaç yanımda, boruya sokamıyorum. Lütfen." Ağlıyordu. Amsterdam'a gitmeden önce evin önünde durduğum zaman hariç böyle hıçkırıklara boğulduğunu hiç duymamıştım.

"Tamam," dedim. "Şimdi çıkıyorum."

BiPAP'ı kapatıp oksijen tüpünü bağladım, tüpü çekçeğe yerleştirdim, pembe pijamama ve aslında Gus'ın olan Butler tişörtüme uyan bir çift spor ayakkabı buldum. Anahtarları annemin koyduğu mutfak çekmecesinden kaptıktan sonra ben yokken uyanmaları ihtimaline karşılık bir not bıraktım.

Gus'a bakmaya gittim. Çok önemli. Kusura bakmayın.

Sevgiler, H

Benzinliğe kadarki birkaç kilometrelik mesafede Gus'ın neden gecenin köründe evi terk ettiğini merak edebilecek kadar ayılmıştım. Belki halüsinasyon görüyordu ya da en sonunda şehit olma fantezilerine yenik düşmüştü.

Ditch Caddesi'nde yanıp sönen sarı ışıkların yanından hızla geçtim. Biraz ona ulaşmak için biraz da ölmek üzere olan erkek arkadaşımın bozulan G-tüpüyle bir benzinlikte kalakaldığını birilerine anlatabilmem için bahanem olsun diye bir polisin beni kenara çekmesi umuduyla fazla hızlı gidiyordum.

Park alanında sadece iki araba vardı. Onunkinin yanına çektim. Kapısını açtım. Tavandaki lamba yandı. Augustus sürücü koltuğunda, kendi kusmuğu içinde, elleri G-tüpünün karnına girdiği noktaya baskı yapar halde oturuyordu. "Selam," diye mırıldandı.

"Ah, Tanrım, Augustus, hastaneye gitmemiz lazım."

"Lütfen bir bak." Koku yüzünden öğürdüm ama göbek deliğinin üstündeki, ameliyatla takılan borunun deliğini incelemek için öne eğildim. Teni sıcak ve kıpkırmızıydı.

"Gus, sanırım bir şeyler enfekte olmuş. Bunu düzeltemem ki. Niye buraya geldin? Neden evde değilsin?" Kustu, ağzını kucağından başka yöne çevirebilecek kadar kuvveti dahi yoktu. "Ah, tatlım," dedim.

"Bir paket sigara almak istedim," diye mırıldandı. "Kendi paketim kayıp. Belki de almışlardır. Bilmiyorum. Bana bir tane daha vereceklerini söylediler ama ben... kendim yapmak istedim. Ufacık bir şeyi kendim yapmak istedim."

Dümdüz karşıya bakıyordu. Ses etmeden telefonumu çıkardım ve 911'i aramak için tuşlara bastım.

"Özür dilerim," dedim. *Dokuz yüz on bir, sorun nedir?* "Merhaba, Ditch ile 86. Cadde'nin oradaki Speedway'deyim, bir ambulans lazım. Hayatımın en büyük aşkının G-tüpü bozulmuş."

Kafasını kaldırıp bana baktı. Korkunçtu. Yüzüne bakamıyordum bile. Yamuk gülümsemeler ve içilmeyen sigaraların Augustus Waters'ı gitmiş, yerine benden aşağıda oturan sefil ve küçük düşmüş bir varlık gelmişti.

"Buraya kadarmış. Sigara içmemeyi bile beceremiyorum artık."

"Gus, seni seviyorum."

"Birilerinin Peter Van Houten'i olma fırsatım nerede hani?" Kafasını direksiyona gömdü, ağlarken korna çalıyordu. Başını tekrar kaldırıp gözlerini tepeye dikti. "Kendimden nefret ediyorum kendimden nefret ediyorum nefret ediyorum nefret ediyorum kendimden tiksiniyorum nefret ediyorum nefret ediyorum sikeyim bırakın da öleyim."

Janrın geleneklerine göre Augustus Waters son ana kadar espri yeteneğini kaybetmedi, cesareti bir an bile sarsılmadı ve dünya onun o şen ruhuna dar gelene kadar yılmaz bir kartal gibi göklerde süzüldü filan demek gerekiyor.

Ama gerçekler farklıydı, tüm çaresizliğiyle acınacak hale düşmek istemeyen acınası haldeki bir çocuk, çığlıklar atıp ağlıyor, onu hayatta tutan ancak yeterince hayatta tutamayan enfekte olmuş bir G-tüpüyle zehirleniyordu.

Çenesini silip yüzünü avuçlarımın arasına aldım ve hâlâ yaşayan gözlerini görebilmek için dibinde diz çöktüm. "Özür dilerim. Keşke her şey o Persliler ile Spartalıların olduğu filmdeki gibi olsaydı."

"Keşke," dedi.

"Ama öyle değil," dedim.

"Biliyorum," dedi.

"Kötü adamlar yok."

"Yok."

"Kanser bile kötü adam sayılmaz aslında. Kanser sadece hayatta kalmak istiyor."

"Öyle."

"Sorun yok," dedim. Sirenleri duyabiliyordum.

"Peki," dedi. Bilincini yitiriyordu.

"Gus, bir daha böyle bir şey denemeyeceğine dair bana söz vermen lazım. Sana sigara alacağım, tamam mı?" Bana baktı. Gözleri kayıyordu. "Söz vermen lazım."

Azıcık başını oynattı ama sonra gözleri kapandı, kafası düşüp duruyordu.

"Gus," dedim. "Sakın bayılma."

"Bir şey okusana," dedi lanet olasıca ambulans yanımızdan son hızla geçip giderken. Ben de onların geri dönüp bizi bulmasını beklerken aklıma gelen tek şiir olan William Carlos Williams'ın *Kırmızı El Arabası*'nı okumaya başladım.

onca şey

bağlı ki

kırmızı bir

el arabasına

parlayan yağmurun

suyuyla

yanında beyaz

tavukların.

Williams bir doktordu. Bu da bir doktor şiiri gibi geliyordu bana. Şiir bitmişti ama ambulans hâlâ ters yöne gittiği için yazmaya devam ettim.

Ve onca şey bağlı ki, dedim Augustus'a, tepedeki ağaçların mavi göğü delen dallarına. Onca şey bağlı ki mavi dudaklı bir oğlanın karnından fışkıran şeffaf G-tüpüne. Onca şey bağlı ki bu evren gözlemcisine.

Bilinci yarı kapalıyken bana bakmaya çalışıp, "Bir de şiir yazmıyorum diyorsun," dedi.

ON DOKUZUNCU BÖLÜM

Birkaç gün sonra hastaneden çıktığında tüm tutkularından geri dönüşü olmaksızın kopmuştu. Acısını dindirebilmek için daha fazla ilaç kullanılması gerekmişti. Temelli üst kata taşınmıştı, oturma odasındaki pencerenin yakınındaki bir hastane yatağında yatıyordu.

O günler pijama, kirli sakal, mırıldanmalar ve Gus'ın herkese onun için yaptıklarından dolayı sürekli teşekkür etme günleriydi. Bir ikindi vakti odanın köşesindeki kirli çamaşır sepetini göstermeye çalışarak bana, "O ne?" diye sordu.

"Çamaşır sepeti mi?"

"Hayır, yanında."

"Yanında bir şey yok ki."

"O benim gururumun son parçası. Çok ufak."

Ertesi gün eve kendim girdim. Onu uyandırabileceğim için artık kapıyı çalmamı istemiyorlardı. Banker kocaları ve yanıma koşarak antrede *sen kimsin sen kimsin sen kimsin* diye hep bir ağızdan bağırıp bir yandan ciğer kapasitesi yenilenebilir bir kaynakmışçasına etrafımda koşturmaya başlayan hepsi oğlan üç çocukla Gus'ın kız kardeşleri de gelmişti. Onlarla daha önce tanışmıştım ama ne çocukları ne de babalarını görmüştüm.

"Adım Hazel," dedim.

"Gus'ın *kız arkadaşı* var," dedi çocuklardan biri.

"Gus'ın kız arkadaşı olduğunun farkındayım," dedim.

"Memeleri var," dedi bir diğeri.

"Öyle mi?"

"Bu ne?" diye sordu ilki oksijen tüpümü göstererek.

"Nefes almamı sağlıyor," dedim. "Gus uyandı mı?"

"Hayır, uyuyor."

"Ölüyor," dedi biri.

"Ölüyor," diye onayladı diğeri bir anda ciddileşerek. Kısa bir sessizlik yaşandı, ne söylemem gerektiğini düşündüm ama hemen ardından biri diğerine tekme attı ve tekrar koşuşturmaya, mutfağa doğru taşınan bir şamata kopararak düşüp kalkmaya devam ettiler.

Gus'ın salonda oturan annesi ile babasının yanına giderek kayınbiraderleri Chris ve Dave'le tanıştım.

Kız kardeşleriyle pek sıkı fıkı olmamıştık ama yine de kalkıp bana sarıldılar. Julie yatağın kenarına oturmuş, uyuklamakta olan Gus'a tam da bir bebeğe sevimli olduğu söylenirken kullanılacak bir ses tonuyla, "Gusicik, Gusicik, bizim minik Gusiciğimiz," diyordu. Bizim Gusiciğimiz mi? Onu ele filan mı geçirmişlerdi de haberim yoktu?

"Nasılsın, Augustus?" dedim uygun bir davranış biçimi sergilemeye çalışarak.

"Güzel Gusiciğimiz," dedi Martha ona doğru eğilerek. Gerçekten uyukluyor mu, yoksa İyi Niyetli Kardeşlerin Saldırısı'nı savuşturabilmek için ağrı pompasına mı yüklenmişti emin değildim.

Bir süre sonra uyandı ve söylediği ilk şey, "Hazel," oldu ki bunun beni mutlu ettiğini itiraf etmem gerek, sanki ben de ailesinin bir parçası olmuşum gibiydi. "Dışarı," dedi kısık sesle. "Çıkabilir miyiz?"

Çıktık, annesi tekerlekli sandalyeyi itiyor, kardeşleri, kayınbiraderleri, babası ve yeğenleri ile ben peşinden gidiyorduk. Bulutlu bir gündü, hava durgundu ve yaz ayları etkisini göstermeye başladığından sıcaktı. Uzun kollu lacivert bir tişört ile yünlü bir eşofman altı giymişti. Nedense sürekli üşüyordu. Biraz su isteyince babası gidip su getirdi.

Martha, Gus'ı konuşturmaya çalışıyor, yanında diz çöküp, "Gözlerin hep güzeldi," gibi şeyler söylüyordu. Gus hafifçe başını salladı.

Eşlerden biri Gus'ın omzuna kolunu atıp, "Temiz hava nasıl geldi?" diye sordu. Gus omzunu silkti.

"İlaç istiyor musun?" diye sordu annesi, etrafındaki halkaya dâhil olarak. Bir adım gerileyip çiçek tarhlarından birini yararak Gus'ın arka bahçesindeki küçük çimenliğe doğru koşan çocuklara baktım. Birbirlerini yere fırlatmaya dayalı bir oyuna başlamaları saniye sürmemişti.

"Çocuklar!" diye seslendi Julia.

"Tek umudum," dedi Julia tekrar Gus'a dönerek, "büyüdüklerinde senin kadar düşünceli ve zeki gençler olmaları."

Sesli bir şekilde öğürmemek için kendimi tuttum. "O kadar da zeki değil," dedim ona.

"Haklı. Tipi güzel insanların çoğu aptal olduğu için beklentileri aşıyorum o kadar."

"Evet, olay seksiliğinden kaynaklanıyor," dedim.

"İnsanı kör edebiliyorum," dedi.

"Hatta arkadaşımız Isaac'i gerçekten kör etti," dedim.

"Korkunç bir trajediydi. Ama ölümcül bir güzelliğe sahipsem ben ne yapabilirim?"

"Hiçbir şey."

"Bu güzel surat bana külfet."

"Vücudundan bahsetmeye gerek bile yok."

"Seksi vücudumdan bahsetmeye başlamasam daha iyi. Beni çıplak görmek istemezsin, Dave. Beni çıplak görmek Hazel Grace'in nefesini kesmişti," dedi oksijen tüpümü başıyla işaret ederek.

"Tamam, bu kadarı yeter," dedi Gus'ın babası, sonra bir anda kolunu omzuma atıp başımı öptü ve "Tanrı'ya her gün senin için dua ediyorum," diye fısıldadı.

Her neyse, Gus'la Son İyi Gün'e kadar geçirdiğim son iyi gün buydu.

YİRMİNCİ BÖLÜM

Kanserli çocuk janrının en boktan olmayan geleneklerinden biri kanser kurbanının kendisini, amansız kötüye gidişat bir duraksama dönemine girmiş gibi görünen, beklenmedik birkaç saat yaşadığı ve acının kısa süreliğine de olsa katlanılabilir olduğu bir dönemde bulmasıdır. Tabii mesele son iyi gününüzün Son İyi Gün olup olmadığını bilmenin hiçbir yolunun olmamasında yatar. O sırada sadece bir başka iyi gün geçiriyormuşsunuz gibi gelir.

Augustus'u ziyaret etmeye bir gün ara vermiştim çünkü bu sefer ben kendimi iyi hissetmiyordum: Özel bir durum filan yoktu, sadece yorgundum. Tembellikle geçen bir gündü ve Augustus akşamüstü saat beşi biraz geçe aradığında, annem ile babamın yanında televizyon seyredebileyim diye salona götürdüğümüz BiPAP makinesine bağlanmıştım bile.

"Selam, Augustus," dedim.

Âşık olduğum o sesle karşılık verdi. "İyi akşamlar, Hazel Grace. Saat sekiz gibi İsa'nın Gerçek Anlamıyla Kalbi'ne gelebilmen mümkün olur mu sence?"

"Şey, tabii?"

"Harika. Ayrıca çok sorun olmazsa ölenin arkasından okunan cinsten bir anma konuşması da hazırlar mısın?"

"Şey..."

"Seni seviyorum," dedi.

"Ben de seni," diye karşılık verdim. Sonra telefon kapandı.

"Şey," dedim. "Bu akşam sekizde Destek Grubu'na gitmem lazım. Acil seans."

Annem televizyonun sesini kapattı. "Her şey yolunda mı?"

Kaşlarımı kaldırıp bir saniye ona baktım. "Bunun retorik bir soru olduğunu farz ediyorum."

"Ama neden o saatte..."

"Çünkü bir sebepten ötürü Gus'ın bana ihtiyacı var. Sorun değil. Arabayla giderim." Annem kapatmama yardımcı olsun diye BiPAP'ı kurcaladım ama yardım etmedi. "Hazel," dedi, "babanla seni artık neredeyse hiç göremiyoruz."

"Özellikle de tüm hafta çalışan bazılarımız," dedi babam.

"Bana ihtiyacı var," dedim sonunda BiPAP'ı kendi başıma çıkartarak.

"Bizim de sana ihtiyacımız var, ufaklık," dedi babam. Sanki caddeye koşmak üzere olan iki yaşındaki bir çocukmuşum gibi bileğimi yakaladı.

"Öyleyse ölümcül bir hastalığa yakalan ki daha uzun süre evde vakit geçireyim."

"Hazel," dedi annem.

"Evde oturup durmamı istemeyen sendin," dedim. Babam hâlâ kolumu tutuyordu. "Şimdi de gidip ölsün istiyorsun ki buraya zincirlenip kalayım, her zamanki gibi benimle ilgilenebil. Ama buna ihtiyaç duymuyorum, anne. Eskisi gibi sana ihtiyaç duymuyorum. Hayatını yaşaması gereken *sensin*."

"Hazel!" dedi babam bileğimi daha da sıkarak. "Annenden özür dile."

Kolumu kurtarmaya çalışıyordum ama bir türlü bırakmıyordu ve tek elle kanülüme uzanamıyordum. Delirmek üzereydim. Tek istediğim tam bir ergen gibi Yürüyüp Gidebilmek, odadan ayaklarımı yere vurarak çıkmak ve yatak odamın kapısını çarpıp The Hectic Glow eşliğinde bir anma yazısı hazırlamaktı. Ama yapamıyordum çünkü lanet olsun ki nefes alamıyordum. "Kanül," diye sızlandım. "Bırak."

Babam hızla kolumu bırakıp beni oksijene bağladı. Gözlerinden pişman olduğunu görüyordum ama hâlâ öfkeliydi. "Hazel, annenden özür dile."

"İyi, özür dilerim. Ama bırakın da şu işi halledeyim."

Bir şey söylemediler. Annem kollarını kavuşturmuş oturuyor, yüzüme bile bakmıyordu. Bir süre sonra ayağa kalktım ve Augustus'a dair bir şeyler yazabilmek için odama gittim.

Hem annem hem babam birkaç kez kapıyı filan tıklattı vesaire ama önemli bir şey yaptığımı söyleyip onları yolladım. Söylemek istediklerimi yazıya dökebilmem sonsuza dek sürmüş gibiydi ve buna rağmen yazdıklarımdan hâlâ memnun değildim. Bitiremeden önce saatin 19:40 olduğunu fark ettim ki bu da metni *düzeltmesem* bile geç kalacağım anlamına geldiğinden, üstümdeki açık mavi, pamuklu pijama altı, Gus'ın Butler tişörtü ve ayağımdaki şıpıdık terliklerle gittim.

Odadan çıkıp bizimkilerin yanından geçmeye çalıştım ama babam, "İznin olmadan evden çıkamazsın," dedi.

"Ah, Tanrım, baba! Ona *cenazesinde* okunacak bir yazı yazmamı istedi, tamam mı! HER LANET AKŞAM evde olacağım ki bu her an olabilir, tamam mı!" Bu en sonunda susmalarını sağlamıştı.

Tüm yol boyunca bizimkiler konusunda sakinleşmeye çalıştım. Kilisenin arkasına sapıp Augustus'un arabasının arkasına, yarım daire şeklindeki otoparka çektim. Kilisenin arka kapısına açık dursun diye yumruk büyüklüğünde bir taş konmuştu. İçeri girince merdivenlerden inmeyi düşündüm fakat gıcırdayan antika asansörü beklemeye karar verdim.

Asansör kapıları kayarak açılınca sandalyelerin yine daire şeklinde durduğu, Destek Grubu'nun toplandığı alana çıktım. Fakat tek görebildiğim tekerlekli sandalyesinde oturan, felaket derecede sıska kalmış Gus'tı. Dairenin ortasındaydı, yüzü bana dönüktü. Asansör kapılarının açılmasını bekliyordu.

"Hazel Grace," dedi, "enfes görünüyorsun."

"Biliyorum."

Odanın karanlık bir köşesinde birinin ayaklarını sürüdüğünü duydum. Isaac sıkı sıkıya tutunduğu ahşap kürsünün ardında dikiliyordu. "Oturmak ister misin?" diye sordum.

"Hayır, anma konuşması yapmak üzereyim. Geç kaldın."

"Sen... Ben... Ne?"

Gus oturmam için sandalyeyi işaret etti. Isaac'e dönebilmek için tekerlekli sandalyesini çevirirken dairenin ortasına doğru bir sandalye çektim. "Kendi cenazeme katılmak istiyorum," dedi Gus. "Bu arada cenazemde konuşma yapacaksın, değil mi?"

"Şey, tabii, evet," dedim başımı omzuna yaslayarak. Uzanıp hem ona hem de tekerlekli sandalyeye sarıldım. Yüzünü buruşturdu. Ben de bıraktım.

"Harika," dedi. "Hayalet olarak ben de katılırım diye umuyorum ama her şeyden emin olmak için şey diye düşündüm... hani sana baskı yapmak gibi olmasın ama bu ikindi vakti bir ön cenaze ayarlamaya karar verdim ve olabildiğince iyi hissettiğime göre şu an gibisi yok dedim."

"Buraya girmeyi nasıl başardın ki?" diye sordum.

"Tüm gece kapıyı açık bırakıyorlar desem inanacak mısın?" diye sordu Gus.

"Şey, hayır."

"İnanma zaten." Gülümsedi. "Her neyse, övüngenlik gibi olduğunun farkındayım."

"Hey, anma konuşmamı mahvediyorsun," dedi Isaac. "İlk kısım senin nasıl övüngen bir piç olduğunla ilgili."

Güldüm.

"Tamam, tamam," dedi Gus. "Ne zaman istersen başlayabilirsin."

Isaac boğazını temizledi. "Augustus Waters övüngen piçin önde gideniydi. Ama onu affediyoruz. Onu affetmemizin sebebi biyolojik kalbinin işe yaramaz oluşu kadar yüreğinin de yufka gibi olması veya tarihteki tüm sigara içmeyenlerden daha iyi sigara tutabilmesi ya da daha fazla yıl yaşaması gerekmesine rağmen sadece on sekizle sınırlı kalması değil."

"On yedi," diye düzeltti Gus.

"Daha vaktin var diye düşünüyorum, sözümü kesen piç.

"Yani demek istediğim şu," diye devam etti Isaac. "Augustus Waters o kadar çok konuşuyordu ki kendi cenazesinde bile lafınızı bölerdi. Kasıntıydı. Of, Tanrım, çocuk işerken bile insan atık üretiminin ne çok metaforik yankısı olduğunu düşünmeden edemiyordu. Üstüne üstlük kendini beğenmişti: Henüz fiziksel çekiciliğinin bu kadar farkında ve fiziksel açıdan daha çekici olan bir insanla tanışmış değilim.

"Ama şunu söyleyeyim: Geleceğin bilim insanları kapıma dayanıp icat ettikleri robot gözleri denememi istediklerinde onlara defolup gitmelerini söyleyeceğim çünkü, onsuz bir dünya görmek istemiyorum."

Gözlerim dolmuştu.

"Ardından, retorik olarak söylemek istediğim şeye dikkat çektikten sonra robot gözleri takacağım çünkü, yani robot gözlerle muhtemelen kızların tişörtlerinin filan içini görmek mümkün olur herhalde. Augustus, dostum, yolun açık olsun."

Augustus büzdüğü dudaklarıyla bir süre başını sallayıp Isaac'e çok iyi dercesine başparmağını kaldırdı. Kendisini toparladıktan sonra, "Ben olsam kızların tişörtlerinin içini görme kısmını çıkarırdım," diye ekledi.

Isaac hâlâ sıkı sıkıya kürsüye tutunuyordu. Ağlamaya başladı. Alnını kürsüye dayadı, omuzlarının sarsılışını seyrettim, en sonunda konuşabildi. "Lanet olsun Augustus, kendi anma konuşmanı düzeltiyorsun."

"İsa'nın Gerçek Anlamıyla Kalbi'nde küfretme," dedi Gus.

"Lanet olsun," dedi Isaac tekrar. Kafasını kaldırıp yutkundu. "Hazel, yardım eder misin?"

Tek başına daireye dönemeyeceğini unutmuştum. Ayağa kalkıp elini koluma geçirdim ve onu yavaş adımlarla Gus'ın yanında oturduğum sandalyeye yönlendirdim. Sonra da kürsüye gidip anma metnini yazdığım katlı kâğıdı açtım.

"Adım Hazel. Augustus Waters hayatımın yıldızı düşkün aşkıydı. Bizimki destansı bir aşk hikâyesiydi ve bu konuda gözyaşlarına boğulmadan bir cümle dahi kurmam mümkün değil. Gus biliyordu. Gus biliyor. Size aşk hikâyemizi anlatmayacağım çünkü tüm gerçek aşk hikâyeleri gibi olması gerektiği şekilde, bizimle ölecek. Ben onun bana bir anma konuşması hazırlamasını ummuştum çünkü kendisinden daha çok..." Ağlamaya başladım. "Peki, ağlamayacağım. Ben... peki. Peki."

Birkaç kez nefes alıp verdikten sonra kâğıda döndüm. "Aşk hikâyemizi anlatamayacağım için matematikten bahsedeceğim. Matematikçi olmayabilirim ama bildiğim bir şey var, o da 0 ile 1 arasında sonsuz sayı olduğu. .1, .12, .112 ve daha başka bir dizi sonsuz var. Tabii ki 0 ile 2 arasında veya 0 ile bir milyon arasında *daha büyük* sonsuz sayı dizileri var. Bazı sonsuzlar başka sonsuzlardan büyük. Bunu bize eskiden sevdiğimiz bir yazar öğretti. Bazı günler, aslında çoğu gün sınırı olmayan dizimin boyutuna içerliyorum. Tanrım, elime geçenden daha fazla sayıya sahip olmak istiyorum, tıpkı Augustus Waters'ın eline geçenden daha fazla sayıya sahip olmasını istediğim gibi. Ama Gus, sevgilim, kendi küçük sonsuzumuz için sana ne kadar teşekkür etsem az. Yaşadıklarımızı hiçbir şeye değişmem. Sayılı günler içinde bana bir sonsuzluk verdin ve bunun için sana müteşekkirim."

YİRMİ BİRİNCİ BÖLÜM

Augustus Waters ön cenazesinden sekiz gün sonra, Memorial'ın yoğun bakımında, ondan oluşan kanser yine ondan oluşan kalbini nihayetinde durdurduğunda öldü.

Annesi, babası ve kız kardeşleriyle birlikteydi. Annesi sabahın üç buçuğunda beni aradı. Ölmek üzere olduğunu biliyordum aslında. Yatmadan önce babasıyla konuşmuştum ve bana, "Bu gece olabilir," demişti ama her şeye rağmen komodinin üstünden telefonumu alıp arayanın Gus'ın Annesi olduğunu gördüğümde içimdeki her şey yıkıldı. Hattın öteki ucunda ağlıyordu ve bana çok üzgün olduğunu söyledi ve ben de üzgün olduğumu söyledim, sonra bana ölmeden birkaç saat önce bilincini kaybettiğini söyledi.

Ardından merak dolu bakışlarla annem ile babam içeri girdi, ben de başımı sallamakla yetindim, birbirlerine sarıldılar, eminim ki bir süre sonra direkt olarak kendilerinin de tecrübe edeceği ortak dehşeti duyumsuyorlardı.

Isaac'i aradım, o da hayata ve evrene ve Tanrı'nın Ta Kendisine küfredip durdu ve tam da ihtiyaç olduğunda lanet olası kupaların nerede olduğunu sorguladı ve sonra arayacak başka kimsenin olmadığını fark ettim ki bu da korkunç üzücüydü. Augustus Waters'ın ölümüne dair konuşmak istediğim tek kişi Augustus Waters'tı.

Bizimkiler sonsuzluk kadar uzun bir süre odamda oturdular, sabah olduğunda nihayet babam, "Yalnız kalmak ister misin?" diye sordu, başımla onayladım ve annem, "Hemen kapının önünde olacağız," dediğinde aklımdan geçen tek şey, *buna hiç şüphem yok*, oldu.

Kaldırılır gibi değildi. Tüm bu olay. Her saniye bir öncekinden beterdi. Sürekli onu aramayı, arasam ne olacağını, birinin açıp açmayacağını düşünüyordum. Son haftalarda birlikte geçirdiğimiz vaktin çoğu anılara dalmaya indirgenmişti fakat bu, "hiçbir şey" değildi: Hatırlamanın verdiği keyif elimden alınmıştı çünkü artık onları birlikte hatırlayabileceğim kimse yoktu. Hatıradaşını kaybetmek hatıranın kendisini kaybetmek gibi hissettiriyordu, sanki birlikte yaptıklarımız birkaç saat öncesine göre daha az gerçek ve önemsizmiş gibi.

Acil servise gittiğinizde sizden yapmanızı istedikleri ilk şey hissettiğiniz acıyı birden ona kadarki bir skalada değerlendirmenizdir, buna göre hangi ilaçları kullanacaklarına ve bunları ne kadar çabuk kullanmaları gerektiğine karar verirler. Yıllar içinde bu soruyla yüzlerce kez karşılaşmıştım ve bir keresinde, daha ilk zamanlarda nefes alamadığımdan göğsüm yanmaya başlamış da alevler bedenimden çıkabilmek için kaburgalarımın içini dağlıyormuş gibi hissettiğimde annem ile babam beni acil servise götürmüştü. Bir hemşire bana canımın ne kadar yandığını sormuş ama ben ağzımı bile açamadığım için dokuz parmağımı kaldırmıştım.

Daha sonra, bana bir şeyler verdiklerinde hemşire içeri girmiş ve elimi okşar gibi nabzımı ölçerken bana, "Senin savaşçı olduğunu nasıl anladım, biliyor musun? Onluk bir acıya dokuz dedin," demişti.

Ama bu pek doğru değildi. Dokuz demiştim çünkü on deme hakkımı sonraya saklıyordum. Ve o haşmetli ve dehşetengiz on işte tam buradaydı, yatağımda tek başıma yatıp tavana bakarken üstüme tekrar tekrar çarpıyordu; dalgalar beni önce kayalığa vurup yeniden denize doğru çekiyordu ki jilet gibi kayalara tekrar çarpabileyim, suyun içinde yüzüm göğe dönük ama boğulmadan sürükleneyim.

Sonunda aradım. Telefonu beş kez çalıp sesli mesaja düştü. "Augustus Waters'ın telesekreteri," dedi o âşık olduğum berrak ses. "Mesaj bırakabilirsiniz." Bip sesi geldi. Hattın sessizliği ürkütücüydü. Onunla telefonda konuştuğumuz zaman ziyaret ettiğimiz o gizli, dünyaötesi üçüncü mekâna geri dönmekten başka bir şey istemiyordum. Aynı şeyi hissedeyim diye bekledim ama olmadı: Hattın sessizliği teselli etmiyordu, ben de sonunda kapattım.

Yatağın altından dizüstü bilgisayarımı çıkarıp açtıktan sonra taziye mesajlarının sel gibi aktığı sayfasındaki duvara baktım. Sonuncusu şöyle diyordu:

Seni seviyorum, kardeşim. Öteki tarafta görüşürüz.

Hiç duymadığım birisi tarafından yazılmıştı. Aslında okuduğum hızla yenileri gelen duvar yazılarının hemen hepsi hiç tanışmadığım, onun hiç bahsetmediği, artık ölü olduğu için farklı erdemlerini yücelten insanlar tarafından yazılmıştı ancak onu aylardır görmediklerini ve ziyarete gelmeye bile tenezzül etmediklerini biliyordum. Ölürsem veya geniş çapta anılmaktan kaçmaya yetecek kadar uzun süre okuldan veya hayattan uzak kalırsam duvarımın buna benzeyip benzemeyeceğini düşündüm.

Okumaya devam ettim.

Seni şimdiden özlüyorum, dostum.

Seni seviyorum, Augustus. Tanrı seni korusun.

Sonsuza kadar kalbimizde kalacaksın, koca adam.

(Özellikle bu beni delirtiyordu çünkü geride kalanların ölümsüz olduğu gibi bir ima taşıyordu: Hafızamda sonsuza kadar yaşayacaksın çünkü ben sonsuza kadar yaşayacağım! ARTIK SENİN

TANRIN BENİM, ÖLÜ ÇOCUK! SENİN SAHİBİN BENİM! Ölmeyeceğinizi düşünmek de ölmenin yan etkilerinden biriydi.)

> Muhteşem bir dosttun okulu bıraktıktan sonra seninle daha çok vakit geçiremediğimiz için çok üzgünüm. Cennette çoktan top oynamaya başladığına eminim.

Bu yorumun Augustus Waters analizini hayal ettim: Eğer cennette basketbol oynuyorsam, bu maddi basket toplarının bulunduğu fiziki bir cennet mekânı olduğu anlamına mı geliyor? Bu durumda bahsi geçen basket toplarını kim yapıyor? Cennette ben basket oynayabileyim diye göksel bir basketbol topu fabrikasında çalışan daha talihsiz ruhlar mı var? Yoksa her şeye kadir olan Tanrı uzay boşluğundan basket topları mı yaratıyor? Bu cennet, fizik kurallarının geçerli olmadığı, bir tür gözlemlenemeyen evrende mi ve eğer öyleyse niye uçabilecekken veya kitap okuyabilecekken veya güzel insanlara bakabilecekken ya da gerçekten keyif alacağım başka bir şey yapabilecekken basket oynuyorum? Âdeta ölü halimin hayalindeki izdüşümünün, eskiden olduğum kişi veya şu an olduğum şey her neyse ondan daha çok seni betimlediği gibi bir şey anlamına geliyor bu.

Annesi ile babası cenaze töreninin beş gün sonra, cumartesi günü yapılacağını söylemek için öğlen gibi aradı. Basketbol sevdiğini zanneden insanlarla dolu kiliseyi hayalimde canlandırınca kusacak gibi oldum ama konuşma filan yapacağım için gitmek zorunda olduğumu biliyordum. Telefonu kapadıktan sonra duvarını okumaya devam ettim:

> Gus Waters'ın kanserle uzun süre savaştıktan sonra öldüğünü henüz öğrendim. Huzur içinde yat, dostum.

Bu insanların gerçekten üzgün olduğunu biliyordum ve onlara pek kızmıyordum aslında. Ben evrene kızıyordum. Yine de beni delirtiyordu: Tam da artık arkadaşa ihtiyaç duymadığınızda bir sürü arkadaşınız oluyordu. Yazdığı yazıya cevap attım:

> Farkındalığın yaratılışına ve yok edilişine adanmış bir evrende yaşıyoruz. Augustus Waters kanserle uzun süre savaştıktan sonra ölmedi. Kendisi, insan bilinciyle uzun süre savaştıktan sonra öldü, evrenin mümkün olan her şeyi yapma ve yıkma ihtiyacına kurban gitti, tıpkı senin de gelecekte kurban gideceğin gibi.

Yolladıktan sonra birilerinin karşılık vermesi için bekledim, tekrar tekrar sayfayı yeniliyordum. Hiçbir şey olmadı. Yorumum yeni yazılan yazılar seline kapıldı. Herkes onu çok özleyecekti. Herkes ailesi için dua ediyordu. Van Houten'in mektubu aklıma geldi: Yazmak tekrar canlandırmaz. Gömer.

Bir süre sonra bizimkilerle oturup televizyon seyretmek için salona geçtim. Televizyonda ne olduğunu kesinlikle bilmiyordum ama bir ara annem, "Hazel, senin için yapabileceğimiz bir şey var mı?" diye sordu.

Kafamı sallamakla yetindim. Tekrar ağlamaya başladım.

"Yapabileceğimiz bir şey var mı?" diye sordu tekrar.

Omzumu silktim.

Ama sanki yapabileceği bir şey varmış gibi sormaya devam etti, ben de en sonunda kucağına kıvrıldım ve babam yanımıza gelip sıkı sıkı bacaklarımı tuttu ve kollarımı annemin karnına doladım ve su gelgitle yükselirken saatlerce öyle oturduk.

YİRMİ İKİNCİ BÖLÜM

Oraya ilk gittiğimizde İsa'nın Gerçek Anlamıyla Kalbi kilisedeki mihrabın yanındaki çıplak taş duvarlı odanın arka kısmında oturdum. Odada aşağı yukarı seksen sandalye vardı ve üçte ikisi doluydu ama üçte biri boş gibi hissettiriyordu.

Bir süre insanların mor kumaşla örtülmüş bir standın üstündeki tabutun yanına gitmelerini seyrettim. Daha önce görmediğim tüm bu insanlar yanında diz çöküyor ya da tepesinde dikiliyor ve bir süre ona bakıyor, belki ağlıyor, belki bir şeyler mırıldanıyordu ama kimse ölülere dokunmak istemediğinden hepsi ona değil, tabuta dokunuyordu.

Gus'ın annesi ile babası tabutun başında durup yanlarından geçen herkese sarılıyorlardı ama beni fark ettiklerinde gülümseyip yanıma yürüdüler. Ayağa kalktım ve önce Gus'ın babasına sarıldım, sonra da annesine, eskiden Gus'ın yaptığı gibi bana sıkı sıkı sarılıp kürek kemiklerimi sıktı. İkisi de çok yaşlı görünüyordu, göz çukurları derinleşmiş, yorgun suratlarının derisi sarkmıştı. Onlar da bir engelli koşunun sonuna varmıştı.

"Seni çok seviyordu," dedi Gus'ın annesi. "Gerçekten seviyordu. Gençlik aşkı filan değildi," diye ekledi sanki bilmiyormuşum gibi.

"Sizi de çok seviyordu," dedim kısık sesle. Açıklamak zor ama onlarla konuşmak bıçaklayıp bıçaklanmak gibi bir histi. "Üzgünüm," dedim. Sonra onun annesi ile babası benimkilerle konuşmaya başladı, sohbet baş sallamalar ve büzük dudaklardan ibaretti. Tabuta baktım ve başında kimse olmadığını görünce oraya gitmeye karar verdim. Oksijen kanülünü burnumdan çıkarıp babama uzattım. Onunla baş başa kalmak istiyordum. Küçük çantamı alıp sandalye sıralarının arasındaki iğreti koridordan geçtim.

Uzun süredir yürüyormuşum gibi hissediyordum ama ciğerlerime çenelerini kapamalarını, güçlü olduklarını, bunu başarabileceklerini söyleyip durdum. Yanına yaklaştığımda onu da görmeye başlamıştım: Saçları kendisi görse dehşete düşeceği bir şekilde soldan ayrılmıştı ve suratı plastik gibi görünüyordu. Ama hâlâ Gus'tı. Benim uzun boylu, güzel Gus'ım.

On beşinci doğum günü partim için aldığım küçük siyah elbiseyi, ölüm elbisemi giymek istemiştim ama artık içine giremediğim için diz hizama gelen düz bir siyah elbise giymiştim. Augustus Oranjee'de giydiği dar yakalı takımı giyiyordu.

Yanında diz çökerken gözlerini kapadıklarını –doğal olarak– ve mavi gözlerini bir daha asla göremeyeceğimi fark ettim. "Seni seviyorum, şimdiki zaman," diye fısıldayıp elimi göğsüne koyduktan sonra devam ettim: "Sorun yok, Gus. Sorun yok. Gerçekten. Sorun yok, duyuyor musun?" Beni duyabildiğine kesinlikle emin değildim -değilim-. Öne eğilip yanağını öptüm. "Peki," dedim. "Peki."

Bir anda tüm o insanların bizi izlediğinin, bu kadar fazla insanın öpüşmemizi en son Anne Frank Evi'nde gördüğünün farkına vardım. Ama aslını söylemek gerekirse izleyecek biz diye bir şey kalmamıştı. Sadece ben vardım.

Çantamı açıp içinden bir paket Camel Lights çıkardım. Arkamdaki kimsenin fark etmeyeceğini umduğum hızlı hareketlerle paketi tabutun gümüş rengi yumuşak döşemesi ile onun arasına sıkıştırdım. "Bunları içebilirsin," diye fısıldadım. "Benim için sorun değil."

Onunla konuşurken annem ile babam oksijen tüpümle ikinci sıraya kadar gelmişti, bu yüzden çok yürümek zorunda kalmadım. Ben otururken babam bir mendil uzattı. Burnumu sildim, boruları kulaklarımın arkasından geçirdim ve kanülü burnuma taktım.

Gerçek cenaze için kilise mihrabının olduğu yere geçeceğimizi sanmıştım ama her şey o küçük yan odada, İsa'nın Gerçek Anlamıyla Eli denilebilecek yerde, haça çivilendiği kısımda gerçekleşti. Bir rahip gelip sanki vaiz kürsüsü filanmış gibi tabutun arkasında durdu ve Augustus'un nasıl yüreklice savaştığından ve hastalık karşısındaki kahramanlığının nasıl hepimize ilham olduğundan biraz bahsetti ve rahibe çoktan kızmaya başladığım sırada, "Cennette Augustus en sonunda iyileşecek ve bir bütün olacak," dedi ki Augustus'un bacaksızlığı yüzünden diğer insanlardan daha az bütün olduğunu ima ediyordu ve tiksintiyle hıhlamamı engelleyemedim. Babam tam dizimin üstünü tutup ters ters baktı ama arkamdaki sırada oturan birisi kulağımın dibinde, neredeyse duyulamayacak kadar kısık bir sesle, "Ne saçmalık, değil mi?" dedi.

Arkama döndüm.

Peter Van Houten yuvarlaklığı göz önünde bulundurularak dikilmiş beyaz keten bir takım, toz mavisi bir gömlek giymiş, yeşil bir kravat takmıştı. Panama'nın sömürgeleştirilmesine uygun giyinmişti, cenazeye değil. Rahip, "Dua edelim," dedi ama herkes başını eğmesine rağmen ben ağzım açık bir şekilde Peter Van Houten'e bakmaktan başka şey yapamıyordum. Bir saniye sonra, "Dua ediyormuşuz gibi yapmamız lazım," deyip başını eğdi.

Onu unutmaya ve sadece Augustus için dua etmeye çalıştım. Özellikle rahibi dinleyip bir daha arkama bakmadım.

Rahip, Isaac'i çağırdı, ön cenazedekinden çok daha ciddi görünüyordu. "Augustus Waters Gizli Kanseriye Şehri'nin valisiydi ve yeri doldurulamaz," diye başladı Isaac. "Diğer insanlar size Gus hakkında komik öyküler anlatabilir çünkü komik bir çocuktu ama ben size ciddi bir olay anlatacağım: Gözümü kesip aldıklarından bir gün sonra Gus hastaneye geldi. Kördüm, kalbim kırıktı ve hiçbir şey yapmak istemiyordum ki Gus odama dalıp, 'Harika bir haberim var!' diye bağırdı. Ben de, 'Şu an harika haberler duymak istemiyorum,' filan dedim, Gus da, 'Bu, duymak isteyeceğin türden harika bir haber,' dedi, ben de, 'İyi peki, neymiş?' diye sordum, o da, 'Henüz tahmin bile edemeyeceğin kadar mükemmel ve korkunç anlarla dolu güzel ve upuzun bir hayat yaşayacaksın!' dedi."

Isaac konuşmaya devam edemedi, belki de tüm yazdığı buydu.

Bir lise arkadaşı Gus'ın basketbol yeteneğine ve ne kadar iyi bir takım arkadaşı olduğuna dair birkaç hikâye anlattıktan sonra rahip, "Şimdi de Augustus'un özel arkadaşı, Hazel'dan bir şeyler dinleyeceğiz," dedi. *Özel arkadaş mı?* Birkaç kişinin kıkırdadığını duyduğum için konuşmaya, "Ben onun kız arkadaşıydım," diyerek başlamamın sorun olmayacağını düşündüm. Bu söz birkaç kişiyi güldürdü. Sonra da hazırladığım anma yazısını okumaya başladım.

"Gus'ın evinde ikimizin de teselli edici bulduğu çok güzel bir söz var: *Acı olmadan mutluluğun değerini bilemeyiz.*"

Gus'ın annesi ile babası birbirlerine sarılmış, ağzımdan çıkan her kelimede başlarını sallarken boktan Teşvikler'i okumaya devam ettim. Cenazelerin hayatta olanlara özgü olduğuna karar vermiştim.

Kız kardeşi Julie de konuştuktan sonra tören Gus'ın Tanrı'yla tekrar bir araya gelmesine dair bir duayla son buldu ve ben de bana Oranjee'de söylediği, konaklara ve arplara inanmadığına ama büyük harfle yazılan türden Bir Şey'e inandığına dair sözlerini düşündüm ve dua ederken onun büyük harfli Bir Yer'de olduğunu hayal etmeye çalıştım ama buna rağmen onunla tekrar bir araya gelebileceğimize kendimi inandıramadım. Halihazırda çok fazla ölü insan tanıyordum. Zamanın benim için onun için olduğundan daha farklı geçeceğini, yani onun aksine kilisedeki herkes gibi sevgi ve kayıp biriktirmeye devam edeceğimi biliyordum. Ve benim için nihai ve gerçekten kaldırılamaz trajedi buydu: Tüm o sayısız ölü gibi o da sonsuza dek, musallat olunandan musallat olan seviyesine indirgenmişti.

Sonra Gus'ın kız kardeşlerinden birinin eşi CD çalar getirip Gus'ın seçtiği bir şarkı çaldı, The Hectic Glow'dan *The New Partner* isimli hüzünlü ve sakin bir şarkıydı. Dürüst olmam gerekirse tek isteğim eve gitmekti. O insanların hiçbirini doğru dürüst tanımıyordum ve Peter Van Houten'in küçük gözlerinin çıplak kürek kemiklerimi deldiğini hissediyordum ama şarkı bittikten sonra herkes yanıma gelip çok hoş bir konuşma yaptığımı ve çok güzel bir tören olduğunu söyledi ki bu tam bir yalandı: Bu bir cenazeydi. Diğer tüm cenazeler gibiydi.

Tabutunu taşıyanlar -kuzenleri, babası, bir amcası, hiç görmediğim arkadaşları- gelip onu sırtladılar ve cenaze arabasına doğru götürdüler.

Annem ile babam arabaya binince, "Gitmek istemiyorum. Yorgunum," dedim.

"Hazel," dedi annem.

"Anne, oturacak yer olmayacak ve sonsuza kadar sürecek ve yorgunum."

"Hazel, Bay ve Bayan Waters için gitmemiz gerek," dedi annem.

"Sadece..." Nedense arka koltukta kendimi çok küçük hissediyordum. Aslında zaten küçük olmak istiyordum. Altı yaşında filan olmak istiyordum. "İyi," dedim.

Bir süre pencereden dışarıyı seyrettim. Gerçekten gitmek istemiyordum. Onu toprağa, babasıyla seçtikleri mezara indirmelerini görmek istemiyordum, annesi ile babasının çiğle ıslanmış çimlere çökmelerini ve acıyla inlemelerini görmek istemiyordum, Peter Van Houten'in alkolik göbeğinin, keten ceketini gerdiğini görmek istemiyordum, bir dolu insanın önünde ağlamak istemiyordum, mezarına bir avuç toprak atmak istemiyordum, annem ile babamın hafifçe eğik ikindi ışığında, bulutsuz göğün altında dikilirken kendi günlerinin gelişini ve çocuklarını ve benim mezarımı ve benim tabutumu ve benim toprağımı düşünmelerini istemiyordum.

Ama tüm bunlar oldu. Tüm bunlar ve daha beteri, çünkü annem ile babam bunun olması gerektiğini düşünüyordu.

Bittikten sonra Van Houten yanıma gelip şişko elini omzuma atarak, "Beni arabayla bırakır mısın? Kiraladığım araba tepenin aşağısında kaldı," dedi. Omzumu silktim, babam arabanın kilidini açtıktan sonra arka kapıyı tuttum.

Oturduktan sonra ön koltukların arasına eğilip, "Peter Van Houten: Emeritus Yazar ve Yarı Profesyonel Hayal Kırıcı," dedi.

Annem ile babam da kendilerini tanıttı. Van Houten ellerini sıktı. Onun bir cenazeye katılmak için dünyanın diğer ucundan gelmesine hayli şaşırmıştım. "Nasıl oldu da..." diye başladım ama cümlemi yarıda kesti.

"Şu sizin şeytani interneti kullanıp Indianapolis ölüm ilanlarını takip ettim." Keten ceketinin içinden yetmişlik bir viski şişesi çıkardı.

"Sen de bilet alıp..."

Şişenin kapağını açarken yine araya girdi. "Birinci sınıf biletler bin beş yüz dolardı ama böyle heveslere kapılabilecek param hayli hayli var. Hem uçaktaki içkiler bedava. Eğer yeterince iddialıysan denkleştirmen bile mümkün."

Van Houten bir yudum viski içip şişeyi babama uzatınca babam, "Şey, almayayım," dedi. Sonra Van Houten şişeyi bana uzattı. Aldım.

"Hazel," dedi annem ama şişenin kapağını açıp bir yudum aldım. Midemi ciğerlerim gibi hissettirmişti. Şişeyi Van Houten'e uzattım, o da büyük bir yudum alıp, "Pekâlâ. *Omnis cellula e cellula,*" dedi.

"Ne?"

"Senin şu Waters'la biraz yazıştık da kendisinin son..."

"Bir saniye, artık hayran mektuplarını okuyor musun?"

"Hayır, mektubu yayıncım vasıtasıyla değil, doğrudan evime gönderdi. Ayrıca kendisini hayranım olarak adlandıramam. Benden tiksiniyordu. Ama ne olursa olsun cenazesine katılır da sana Anna'nın annesine ne olduğunu söylersem yaptığım terbiyesizliğin affedileceği konusunda ısrarcı oldu. Ben de geldim ve cevap da bu: *Omnis cellula e cellula.*"

"Ne?" dedim tekrar.

"*Omnis cellula e cellula,*" dedi tekrar. "Tüm hücreler başka hücrelerden gelir. Her hücre bir önceki hücreden doğar ki o da bir önceki hücreden doğmuştur. Hayat hayattan gelir. Hayattan peydah olan hayat, hayat peydah eder."

Tepenin aşağısına kadar inmiştik. "Peki, tamam," dedim. Bunu kaldıracak havamda değildim. Peter Van Houten, Gus'ın cenazesini gasbedemeyecekti. Buna izin vermeyecektim. "Teşekkürler," dedim. "Tepenin aşağısına indik."

"Açıklama yapmamı istemiyor musun?" diye sordu.

"Hayır," dedim. "Böyle iyi. Bence sen büyümüş de küçülmüş on bir yaşındaki bir çocuk gibi ilgi çekebilmek için havalı laflar eden acınası bir alkoliksin ve senin adına süper kötü hissediyorum. Ama sen artık *Görkemli Izdırap*'ı yazan kişi değilsin ve bu yüzden istesen bile devamını yazman mümkün değil. Yine de teşekkürler. Sana güzel bir hayat dilerim."

"Ama..."

"İçki için sağ ol," dedim. "Şimdi çık arabadan." Azarlanmış gibi bakıyordu. Babam arabayı durdurdu ve Van Houten kapıyı açıp sonunda sessizce dışarı çıkarken Gus'ın mezarının aşağısında bekledik.

Arabayla uzaklaşırken arka pencereden, içkiden bir yudum alışını ve sanki şerefime içermiş gibi şişeyi bana doğru kaldırışını seyrettim. Bakışları çok hüzünlüydü. Dürüst olmam gerekirse onun için üzülmüştüm.

Sonunda altı gibi eve vardığımızda bitap düşmüştüm. Sadece uyumak istiyordum ama annem beni biraz peynirli makarna yemeye zorladı, en azından yatakta yememe izin vermişti. Birkaç saat BiPAP'la uyudum. Uyanışım korkunçtu çünkü algım yerine gelene kadar geçen bir anlık sürede her şey normal gibiydi ama hemen ardından yeni bir dalgayla boğulmaya başladım. Annem BiPAP'ı çıkardı, kendimi çekçekli tüpe bağladım ve dişlerimi fırçalamak için banyoma doğru sendeledim.

Dişlerimi fırçalayıp aynada kendimi incelerken iki çeşit yetişkin olduğunu düşünüp duruyordum: Öncelikle Peter Van Houten gibileri vardı, acı verecek bir şeyler bulabilmek için dünyayı kateden sefil yaratıklar; bir de annem ile babam gibi insanlar vardı, zombi gibi yürüyen ve yürümeye devam edebilmek için ne yapmaları gerekiyorsa yapanlar.

Bu iki gelecek de pek çekici gelmiyordu. Dünyadaki saf ve iyi olan her şeyi çoktan gördüğümden ve ölüm araya girmese dahi Augustus'la paylaştığımız türde bir sevginin asla sürmeyeceğinden şüphelenmeye başlamıştım. *Sonunda şafak döner güne*, diye yazmıştı şair. *Altın olan kalmaz baki.*

Birisi banyonun kapısını tıklattı.

"Dolu," dedim.

"Hazel," dedi babam. "Gelebilir miyim?" Karşılık vermedim ama bir süre sonra kilidi açtım. Kapalı klozet kapağının üstüne oturdum. Nefes almak neden bu kadar zor olmak zorundaydı ki sanki? Babam yanıma diz çöktü. Başımı tutup köprücük kemiğine bastırdı. "Gus öldüğü için üzgünüm," dedi. Tişörtüyle boğuluyormuşum gibi hissediyordum ama bu kadar sıkı sıkıya tutulmak ve babamın rahatlık veren kokusuna sokulmak iyi gelmişti. Sanki kızgın gibi filandı ve bu hoşuma gitmişti çünkü ben de kızgındım. "Saçma," dedi. "Her şey. Yüzde seksen hayatta kalma şansı var ve o yüzde yirmiye düşüyor, öyle mi? Saçmalık.

Çok zeki çocuktu. Saçmalığın daniskası. Nefret ediyorum. Ama onu sevmek güzeldi, değil mi?"

Tişörtüne başımı salladım.

"Sana karşı neler hissettiğime dair bir fikir versin," dedi.

Benim babam. Her zaman ne diyeceğini biliyordu.

YİRMİ ÜÇÜNCÜ BÖLÜM

Birkaç gün sonra öğlen gibi kalkıp Isaac'in evine gittim. Kapıyı kendi açtı. "Annem, Graham'ı filme götürdü," dedi.

"Gidip bir şeyler yapalım," dedim.

"O bir şeyler kanepede oturup kör tipler için bilgisayar oyunu oynamak olabilir mi?"

"Evet, benim de aklımda tam öyle bir şey vardı."

Bunun üstüne ekranla konuşarak bir iki saat boyunca oturup tek bir lümen ışık bile olmadan gözle görünmez labirente benzeyen mağarada dolandık. Oyunun en eğlenceli kısmı, bilgisayarın bizimle eğlenceli bir sohbete katılmasını sağlamaya çalışmamızdı:

Ben: "Mağara duvarına dokunuyorum."

Bilgisayar: "Mağara duvarına dokunuyorsun. Islak."

Isaac: "Mağara duvarını yalıyorum."

Bilgisayar: "Anlamıyorum. Tekrar et."

Ben: "Islak mağara duvarıyla düzüşüyorum."

Bilgisayar: "Kenara büzüşmeye çalışıyorsun. Kolunu sürttün."

Isaac: "*Büzüşmek* değil, DÜZÜŞMEK."

Bilgisayar: "Anlamıyorum."

Isaac: "Dostum, bu mağarada haftalardır karanlıkta tek başımayım ve biraz rahatlamam lazım, tamam mı? MAĞARA DUVARIYLA DÜZÜŞÜYORUM."

Bilgisayar: "Kenara büzüşmeye..."

Ben: "Mağara duvarına sürtünüyorum."

Bilgisayar: "Anlamı..."

Isaac: "Mağarayla tatlı tatlı sevişiyorum."

Bilgisayar: "Anlamı..."

Ben: "İYİ BE. Soldaki yolu takip ediyorum."

Bilgisayar: "Soldaki yolu takip ediyorsun. Geçit alçalıyor."

Ben: "Çömelerek yürü."

Bilgisayar: "Yüz metre boyunca çömelerek yürüdün. Geçit alçalıyor."

Ben: "Sürün."

Bilgisayar: "Otuz metre boyunca süründün. Vücudunun altından su süzülüyor. Geçidi kapatan ufak kayalar var."

Ben: "Artık mağarayla düzüşebilir miyim?"

Bilgisayar: "Büzüşecek yer yok."

Isaac: "Augustus Waters'ın olmadığı bir dünyada yaşamaktan hoşlanmıyorum."

Bilgisayar: "Anlamıyorum..."

Isaac: "Ben de. Duraklat."

Kumandayı kanepede aramıza atıp, "Canı filan acımış mı biliyor musun?" diye sordu.

"Sanırım bir süre nefes almak için çabalamış," dedim. "Sonunda bilinci kapanmış ama yani, hani harika bir durum filan değil tabii. Ölmek fena."

"Evet," dedi Isaac. Uzun bir süre sonra tekrar konuştu. "O kadar imkânsızmış gibi geliyor ki."

"Hep olan şey," dedim.

"Kızgın gibisin."

"Evet," dedim. Uzun süre hiç konuşmadan oturduk ki benim için sorun değildi, ta ilk başta İsa'nın Gerçek Anlamıyla Kalbi'nde Gus'ın bize unutulmaktan korktuğunu söylediğini, benim de evrensel ve kaçınılmaz bir şeyden korktuğunu söylediğimi ve esas problemin acı çekmenin veya unutulmanın kendisinde değil, tüm bunların yozlaşmış anlamsızlığında yattığını, acı çekmenin mutlak, insanlık dışı nihilizminde olduğunu düşünüyordum. Babamın bana evrenin fark edilmek istediğini söylediğini düşündüm. Ama bizim istediğimizse evren tarafından fark edilmek, evrenin başımıza gelenleri, kolektif bir bilinçli hayat nosyonu olarak değil de her birimize, birer birey olarak neler olduğunu umursamasıydı.

"Gus seni gerçekten seviyordu, biliyorsun değil mi?" dedi.

"Biliyorum."

"Susmak bilmiyordu."

"Biliyorum," dedim.

"Sinir bozucuydu."

"Ben o kadar sinir bozucu bulmuyordum," dedim.

"Yazdığı şu şeyi sana verebildi mi?"

"Ne şeyi?"

"Şu sevdiğin kitap mı her neyse, onun devamını."

Isaac'e döndüm. "Ne?"

"Senin için bir şeyler yazdığını ama o kadar iyi bir yazar olmadığını söylemişti."

"Bunu ne zaman dedi?"

"Bilmem. Amsterdam'dan döndükten sonra filan bir ara."

"Hangi ara?" diye ısrar ettim. Bitirme fırsatı bulamamış mıydı? Bitirmiş de bilgisayarına filan mı kaydetmişti?

"Eee..." Isaac iç geçirdi. "Ya bilmiyorum. Bir kere buraya geldiğinde konuşmuştuk. Bizim eve gelmişti de şey... yani galiba benim e-mail makinesiyle oynamıştık, o sıra büyükannemden bir e-mail gelmişti. Gidip bakabilirim ister misi..."

"Evet, evet, nerede?"

Bundan bir ay önce bahsetmişti. Bir ay. İyi geçen bir ay değildi belki ama yine de bir ay olmuştu. En azından *bir şeyler* yazabilmesi için yeterince vakti olmuş olmalıydı. Orada bir yerde onun parçası olan ya da en azından ondan kalan bir şey hâlâ süzülüp duruyordu. Ona ihtiyacım vardı.

"Evine gideceğim," dedim Isaac'e.

Hızla arabaya dönüp oksijen tüpünü yan koltuğa çıkardım. Arabayı çalıştırdım. Radyoda son ses bir *hip-hop* çalıyordu, kanalı değiştirmek için uzandığım anda birisi *rap* yapmaya başladı. İsveççe.

Dönüp Peter Van Houten'in arka koltukta oturduğunu görünce çığlık attım.

"Seni korkuttuğum için özür dilerim," dedi Peter Van Houten *rap* sesini bastırmaya çalışarak. Aradan neredeyse bir hafta geçmiş olmasına rağmen üstünde hâlâ, cenazede giydiği takım vardı. Alkol terliyormuş gibi kokuyordu. "İstersen CD sende kalabilir," dedi. "Bu Snook, en büyük İsveç..."

"Hayır hayır hayır ARABAMDAN İN." Radyoyu kapattım.

"Anlayabildiğim kadarıyla araba annenin," dedi. "Ayrıca kilitli de değildi."

"Tanrım, inanamıyorum! Arabadan in yoksa polis çağıracağım. Senin *derdin* ne?"

"Keşke tek derdim olsa," dedi düşünceli bir ses tonuyla. "Buraya sadece özür dilemek için geldim. Daha önce benim alkole bağımlı, acınası bir adam müsveddesi olduğumu söylerken haklıydın. Benimle vakit geçiren tek bir tanıdığım vardı ki ona da bu iş için para veriyordum ve daha da beteri, istifa ettiğinden bu yana rüşvetle bile kendisine bir refakatçi bulamayan nadir ruhlardan biri haline geldim. Tüm dediklerin doğru, Hazel. Hatta daha da fazlası..."

"Peki," dedim. Sözcükleri alkolün etkisiyle geveliyor olmasa daha dokunaklı bir konuşma olabilirdi.

"Bana Anna'yı hatırlatıyorsun."

"Pek çok insana pek çok insanı hatırlatıyorum," diye karşılık verdim. "Gerçekten gitmem lazım."

"O zaman git," dedi.

"Çık dışarı."

"Hayır. Bana Anna'yı hatırlatıyorsun," dedi tekrar. Bir saniye sonra arabayı geri vitese takıp geri gitmeye başladım. Onu dışarı çıkaramıyordum ama buna gerek de yoktu. Gus'ların evine kadar gidip Gus'ın annesi ile babasının onu dışarı atmasını sağlayabilirdim.

"Eminim Antonietta Meo'yu tanıyorsundur," dedi Van Houten.

"Hı hı, hayır," dedim. Radyonun sesini açtım ve İsveççe *hip-hop* bangır bangır çalmaya başladı ama Van Houten sesi bastırarak bağırıyordu.

"Yakında Katolik Kilisesi'nin şimdiye kadar kutsadığı, şehit olmayan ve en genç azize haline gelme ihtimali var. Bay Waters'ın kanserinden onda da varmış. Sağ bacağını kesmişler. Acı korkunçmuş. Antonietta Meo altı gibi olgun bir yaşta ızdırap çektiren kanseriyle yatmış ölümü beklerken babasına, 'Ağrı tıpkı kumaş gibi: Ne kadar güçlü olursa o kadar değer kazanıyor,' demiş. Bu doğru mu Hazel?"

Direkt olarak ona değil, aynadaki yansımasına bakıyordum. "Hayır," diye haykırdım müziği bastırmaya çalışarak. "Bu boktan bir yalan!"

"Ama doğru olsun istemez miydin!" diye bağırdı o da. Müziği kapadım. "Seyahatinizi mahvettiğim için özür dilerim. Çok gençtiniz. Çok..." Kendini tutamayıp ağlamaya başladı.

Sanki Gus için ağlamaya hakkı varmış gibi. Van Houten de onu tanımayan sonsuz yaslı insandan biriydi, duvarına çok geç yazılan bir matem...

"Kendini beğenmiş göt! Seyahatimizi mahvetmedin. Muhteşem bir seyahatti."

"*Deniyorum*," dedi. "*Deniyorum, yemin ederim.*" Tam o sırada Peter Van Houten'in ailesinde ölen birisi olabileceği fikri kafama dank etti. Kanserli çocuklar hakkında ne kadar samimi yazdığını düşündüm; Amsterdam'da bilerek mi onun gibi giyindiğimi sormak dışında benimle konuşamamasını; Augustus ile benim etrafımdayken takındığı boktan tavırları; ağrının hudutları ile değeri arasındaki ilişkiye dair acı dolu sorusu. Senelerdir sarhoş olan yaşlı bir adam arkada oturmuş içki içiyordu. Hiç öğrenmemiş olmayı dilediğim bir istatistiği düşündüm: Çocuğun ölümünden sonraki bir sene içinde evliliklerin yarısı sonlanıyor. Tekrar Van Houten'e baktım. Üniversitenin önünden geçiyordum, park etmiş bir dizi arabanın arkasına çekip, "Çocuğun mu öldü?" diye sordum.

"Kızım," dedi. "Sekiz yaşındaydı. Çektiği çile kutsaldı. Fakat asla kutsanmayacak."

"Lösemi miydi?" diye sordum. Başıyla onayladı. "Anna gibi," dedim.

"Neredeyse onun gibi, evet."

"Evli miydin?"

"Hayır. En azından o öldüğü sırada değildim. Onu kaybetmeden önce de çekilmez bir adamdım. Keder seni değiştirmiyor, Hazel. Açığa çıkarıyor."

"Kızınla mı yaşıyordun?"

"Hayır, pek sayılmaz fakat en sonunda onu New York'a, günlerinin sefaletini artırıp sayısını artırmayan bir dizi deneysel işkenceye maruz kalabilmesi için yaşadığım yere getirdik."

Bir saniye sonra karşılık verdim. "Yani ona böylelikle, ergen olabileceği ikinci bir hayat verdin."

"Bu doğru bir değerlendirme diyebilirim," dedi ve hızla ekledi: "Philippa Foot'un Vagon Problemi denilen düşünce deneyinden haberdarsındır herhalde, değil mi?"

"Sonra ben evine çıkageliyorum ve yaşasaydı olmasını dileyeceğin kız gibi kıyafetlerim var ve sen de afallıyorsun filan."

"Bir vagon rayların üstünde kontrolden çıkmış bir şekilde yol alıyor," dedi.

"Senin şu aptal düşünce deneyin umurumda bile değil."

"Philippa Foot'un aslında."

"Onunki de umurumda değil."

"Neden böyle bir şey olduğunu anlamıyordu," dedi. "Ona öleceğini söylemek zorundaydım. Sosyal hizmet görevlisi söylemem gerektiğini söyledi. Ona öleceğini söylemek zorundaydım, bu yüzden ben de cennete gideceğini söyledim. Orada olup olmayacağımı sordu, ben de olmayacağımı, henüz olmayacağımı söyledim. Ama sonunda geleceksin, dedi, ben de evet, tabii, çok kısa zamanda, diye söz verdim. Zaten yukarıda çok güzel bir ailemiz olduğunu ve ona kol kanat gereceklerini söyledim. Ne zaman geleceğimi sordu, ben de yakında dedim. Yirmi iki sene önce."

"Üzgünüm."

"Ben de."

Bir süre sonra, "Annesine ne oldu?" diye sordum.

Gülümsedi. "Hâlâ bir son bölüm peşindesin seni sıçan."

Ben de gülümsedim. "Eve git," dedim. "Ayıl. Bir başka roman yaz. İyi olduğun işi yap. Çoğu insan bir şey konusunda çok başarılı olabilecek kadar şanslı değil."

Uzun süre aynadan bana baktı. "Peki," dedi. "Evet. Haklısın. Haklısın." Ama bunu söylerken bile artık çoğu bitmiş yetmişlik viski şişesini bulmaya çalışıyordu. İçti, kapağı kapadı ve kapıyı açtı. "Hoşça kal, Hazel."

"Görüşürüz, Van Houten."

Arabanın arkasına geçip kaldırıma oturdu. Dikiz aynasında giderek küçülmesini seyrederken şişeyi eline aldı ve bir saniyeliğine sanki kaldırıma koyacakmış gibi oldu. Sonra bir yudum aldı.

Indianapolis'te sıcak bir ikindi vaktiydi, hava basık ve sanki bir bulutun içindeymişiz gibiydi. Benim için olabilecek en kötü hava buydu ve Gus'ların garaj yolundan ön kapılarına giden patika sonsuz gibi geldiği sırada kendime bunun altı üstü hava olduğunu söyleyip durdum. Kapıyı çaldım, Gus'ın annesi açtı.

"Ah, Hazel," dedi ve bir yandan ağlarken sarılarak üstüme kapandı.

Onlarla birlikte patlıcanlı lazanya yemem için ısrar etti, sanırım çok sayıda insan onlara yemek filan getirmişti. "Nasılsınız?"

"Onu özlüyorum."

"Evet."

Ne diyeceğimi pek bilmiyordum. Aşağı kata inip benim için yazdığı şey her neyse onu bulmak istiyordum. Ayrıca odadaki sessizlik sinirimi bozuyordu. Konuşmalarını, birbirlerini teselli etmelerini, el ele tutuşmalarını filan istiyordum. Ama orada oturup lazanyadan minik lokmalar yiyor ve birbirlerine bile bakmıyorlardı. "Cennete bir melek lazımmış," dedi babası bir süre sonra.

"Öyle," dedim. Sonra kız kardeşleri ile çocuk şamatası ortaya çıktı ve hepsi birden mutfağa doluştu. Ayağa kalkıp iki kız kardeşe sarıldım ve mutfakta feci şekilde ihtiyaç duyulan gürültü ve hareket fazlalıklarıyla, birbirlerine çarpıp duran heyecanlı moleküller gibi oradan oraya koşuşturan çocukları seyretmeye başladım. Bağırıp duruyorlardı: "Sensin ebe hayır sensin ebe hayır ebe bendim ama sonra seni ebeledim sonra sen beni ebeleyemedin kaçırdın o zaman şimdi seni ebeliyorum hayır götlek beklesene DANIEL KARDEŞİNE GÖTLEK DEME anne o kelimeyi söyleyemiyorsam sen neden söylüyorsun götlek götlek." Sonra koro halinde, *götlek götlek götlek götlek götlek,* diye tutturdular ve masada Gus'ın annesi ile babası el ele tutuşmaya başlamıştı ki bu kendimi daha iyi hissetmemi sağladı.

"Isaac bana Gus'ın bir şey yazdığını, benim için bir şey yazdığını söyledi," dedim. Çocuklar hâlâ götlek şarkısını söylüyordu.

"Bilgisayarına bakabiliriz," dedi annesi.

"Son haftalarda pek kullanmamıştı," dedim.

"Öyle. Üst kata çıkarıp çıkarmadığımızdan bile emin değilim. Hâlâ bodrumda mı yoksa Mark?"

"Hiçbir fikrim yok."

"Şey," dedim, "acaba ben..." Başımla bodrum kapısını gösterdim.

"Biz hazır değiliz," dedi babası. "Ama sen gidip bakabilirsin tabii ki."

Aşağı kata indim, dağınık yatağının ve televizyonun önünde duran oyun koltuklarının yanından geçtim. Bilgisayarı hâlâ açıktı. Uyku modundan çıkarmak için fareye tıkladım, ardından son düzenlenen belgeleri arattım. Son ayda hiçbir şey yoktu. En son, Toni Morrison'ın *En Mavi Göz*'üne dair bir değerlendirme yazılmıştı.

Belki de elle bir şeyler yazmıştı. Kitaplığına doğru yürüyüp bir ajanda veya defter aramaya koyuldum. Hiçbir şey yoktu. Ondaki *Görkemli Izdırap*'ın sayfalarını karıştırdım. Tek bir işaret dahi koymamıştı.

Ardından komodinine gittim. *Şafağın Bedeli*'nin dokuzuncu kitabı *Sonsuz Mayhem* okuma lambasının yanında, komodinin üstünde duruyordu, 138. sayfanın kenarı katlanmıştı. Kitabın sonuna gelememişti. "Spoiler uyarısı: Mayhem hayatta kalıyor," dedim belki beni duyar diye yüksek sesle.

Sonra dağınık yatağına yattım, yorganına koza gibi sarınıp kendimi kokusuyla sarmaladım. Daha iyi koklayabilmek için kanülü çıkardım, tekrar tekrar onu soludum, koku çoktan azalmaya başlamıştı ve acıdan ayırdına varamayacağım ana kadar göğsüm yana yana yattım.

Sonra yatakta oturdum, kanülü tekrar takıp yukarı çıkmadan önce bir süre nefes aldım. Annesi ile babasının beklenti dolu bakışlarına karşılık olarak başımı iki yana salladım. Çocuklar yanımdan ok gibi fırlayıp geçti. Gus'ın birbirinden ayıramadığım kardeşlerinden biri, "Anne, onları parka filan götürmemi ister misin?" diye sordu.

"Yok hayır, sorun değil."

"Bir yere defter bırakmış olabilir mi? Mesela hastane yatağının yanına filan?" diye sordum.

Yatak çoktan gitmişti, hastane geri almıştı.

"Hazel," dedi babası, "sen de her gün bizimle birlikteydin. Sen... O pek yalnız kalmadı, tatlım. Bir şey yazmaya vakti olmadı. Ne istediğini biliyorum... aynı şeyi ben de istiyorum ama artık bize bıraktığı notlar yukarıdan gelecek, Hazel." Sanki Gus evin üstünde süzülüyormuş gibi tavanı işaret etti. Belki de oradaydı. Bilmiyorum. Varlığını hissetmedim ama.

"Öyle," dedim. Birkaç güne onları tekrar ziyaret edeceğimi söyledim.

Bir daha hiç kokusunu duymadım.

YİRMİ DÖRDÜNCÜ BÖLÜM

Üç gün sonra, Gus'tan Sonra on birinci günde, Gus'ın babası sabah saatlerinde beni aradı. Hâlâ BiPAP'a bağlı olduğum için telefonu açmadım ama telefonun bip sesinden sonra bıraktığı mesajı dinledim. "Hazel, selam, ben Gus'ın babası. Ben bir şey buldum, siyah bir Moleskine defter, hastane yatağının yanındaki dergilikte duruyordu, sanırım ulaşabileceği kadar yakındaymış. Ne yazık ki defterde hiçbir yazı yok. Tüm sayfalar boş. Ama baştaki, sanırım ilk üç dört sayfa yırtılmış. Eve bakındık ama bir türlü bulamadık. Yani aslında bunun bir anlamı olup olmadığını bilmiyorum ama belki de Isaac'in bahsettiği sayfalar onlardır. Her neyse, umarım iyisindir. Her gün senin için dua ediyoruz, Hazel. Peki, görüşürüz."

Artık Augustus Waters'ın evinde olmayan, bir Moleskine defterden yırtılmış üç dört sayfa. Onları bulabilmem için nereye koymuş olabilirdi ki? *Funky Bones*'a mı yapıştırmıştı? Hayır, oraya gidebilecek kadar iyi değildi.

İsa'nın Gerçek Anlamıyla Kalbi. Belki de Son İyi Günü'nde oraya bırakmıştı.

Böylece ertesi gün Destek Grubu'na gitmek için yirmi dakika erken çıktım. Isaac'in evine gittim, onu aldıktan sonra arabanın camlarını açıp The Hectic Glow'un internete sızan ve Gus'ın asla dinleyemeyeceği yeni albümünü dinleyerek İsa'nın Gerçek Anlamıyla Kalbi'ne doğru yol aldık.

Asansöre bindik. Isaac'i dairedeki bir sandalyeye oturttuktan sonra Kalp'te dolanmaya başladım. Her yere baktım: sandalyelerin altına, konuşma yaparken ardında durduğum kürsünün çevresine, atıştırmalıkların konduğu masanın altına, *İncil* dersleri alan çocukların Tanrı'nın sevgisine dair yaptığı resimlerle dolu panoya. Hiçbir şey bulamadım. Evi dışında o son günlerde birlikte olduğumuz tek yer burasıydı ve ya kâğıtlar burada değildi ya da bir şeyi gözden kaçırıyordum. Belki de hastanede bırakmıştı ama durum böyleyse ölümünden sonra atılmış olmalıydı.

Isaac'in yanındaki sandalyeye oturduğumda nefes nefese kalmıştım ve Patrick'in testissizliğine dair konuşmasının tamamını ciğerlerime sorun olmadığını, nefes alabileceklerini, yeterince oksijen olduğunu anlatmaya adadım. Gus ölmeden bir hafta önce su çekilmişti -kehribar renkli kanser suyunun borudan damla damla akışını seyretmiştim- ama yine beni boğacaklarmış gibi hissediyordum. Kendime, nefes almayı telkin etmeye o kadar odaklanmıştım ki ilk başta Patrick'in ismimi söylediğini fark edemedim.

Hemen ilgimi ona yönlendirdim. "Ne oldu?" diye sordum.

"Nasılsın?"

"İyiyim, Patrick. Biraz nefes nefesim tıkandı, o kadar."

"Augustus'la ilgili bir hatıranı grupla paylaşmak ister misin?"

"Keşke ölsem, Patrick. Senin hiç böyle ölesin geliyor mu?"

"Evet," dedi Patrick her zamankinin aksine hiç duraksamadan. "Tabii ki. Peki neden ölmüyorsun?"

Bir an düşündüm. Hazırdaki cevabım annem ile babam için hayatta kalmak istediğime dairdi çünkü benim ardımdan paramparça olacak ve çocuksuz kalacaklardı ve bu durum geçerliliğini korumasına rağmen mesele tam da bu değildi aslında. "Bilmiyorum."

"İyileşeceğine dair umut beslediğin için mi?"

"Hayır," dedim. "Hayır, o yüzden değil. Gerçekten bilmiyorum. Isaac?" diye seslendim. Konuşmaktan yorulmuştum.

Isaac gerçek aşktan bahsetmeye başladı. Onlara ne düşündüğümü söyleyemezdim çünkü bana bile dandikmiş gibi geliyordu ama evrenin fark edilmek istediğini ve onu nasıl elimden geldiğince fark etmem gerektiğini düşünüyordum. Evrene, sadece benim ilgimin ödeyebileceği bir borcum varmış gibi hissediyordum, ayrıca artık insan olmayan ve henüz insan olamamış herkese karşı da borçluydum sanki. Yani temelde babamın bana söylediği şeyler işte.

Toplantının geri kalanında konuşmadım ve Patrick benim için özel bir dua okudu ve Gus'ın ismi uzun ölüler listesine eklendi –her birimiz için on dört isim vardı– ve bugün hayatımızı en iyi şekilde yaşayacağımıza söz verdik ve sonra Isaac'i arabaya götürdüm.

Eve döndüğümde annem ile babam kendi dizüstü bilgisayarlarının başına geçmiş oturuyorlardı, kapıdan içeri girdiğim anda annem hızla kendi bilgisayarını kapadı. "Neye bakıyordun?"

"Antioksidan yemek tariflerine. BiPAP'a ve *America's Next Top Model*'a hazır mısın?" diye sordu.

"Gidip biraz uzanacağım."

"İyi misin?"

"Evet, yorgunum sadece."

"Ama önce yemek yemen..."

"Anne, hunharca iştahsızım." Kapıya doğru bir adım atmıştım ki önüme geçti.

"Hazel, yemek yemen lazım. Azıcık pey..."

"Hayır. Yatacağım."

"Hayır," dedi annem. "Gitmeyeceksin." Babama baktım, omzunu silkti.

"Hayat benim," dedim.

"Augustus öldü diye kendini açlıktan ölmeye mahkûm edemezsin. Akşam yemeği yiyeceksin."

Nedense çok kızmıştım. "Yemek yiyecek halim yok, anne. Yok. Tamam mı?"

Onu itip geçmeye çalıştım ama omuzlarımı tutup, "Hazel, yemek yiyeceksin," dedi. "Sağlıklı kalman lazım."

"HAYIR!" diye haykırdım. "Yemek yemeyeceğim ve sağlıklı da kalmayacağım çünkü sağlıklı değilim. Ben ölüyorum, anne. Öleceğim ve seni burada tek başına bırakacağım ve artık etrafında pervane olabileceğin birisi olmayacak ve artık anne olamayacaksın ve özür dilerim ama bu konuda yapabileceğim hiçbir şey yok, tamam mı?!"

Söylediğim anda pişman olmuştum.

"Beni duymuşsun."

"Ne?"

"Babana bunu dediğimi duymuş muydun?" Gözleri dolmuştu. "Söylesene." Başımla onayladım. "Ah, Tanrım, Hazel. Özür dilerim. Yanlış düşünmüşüm, tatlım. Bu doğru değil. O sözü çok umutsuz olduğum bir anda söylemiştim. İnandığımdan değil." Oturdu, ben de yanına oturdum. Öfkeleneceğime, onun için biraz makarna kussaydım keşke diye düşünüyordum.

"Neye inanıyorsun öyleyse?" diye sordum.

"İkimiz de hayatta olduğumuz sürece senin annen olacağım," dedi. "Sen ölsen bile..."

"Öldüğümde," dedim.

Başını salladı. "Sen öldüğünde bile annen olacağım, Hazel. Annen olmaktan vazgeçmeyeceğim. Sen Gus'ı sevmekten vazgeçtin mi?" Başımı iki yana salladım. "Peki ben seni sevmekten nasıl vazgeçebilirim?"

"Peki," dedim. Babam çoktan ağlamaya başlamıştı.

"Hayatınızı yaşayın istiyorum," dedim. "Hayatınızı yaşayamayacağınızdan, bakacak bir ben olmadan tüm gün burada oturup duvarlara bakacağınızdan ve kendinizi öldüreceğinizden endişeleniyorum."

Bir dakika sonra annem tekrar konuşmaya başladı. "Ben bazı dersler almaya başladım. İnternet üstünden, Indiana Üniversitesi'nden. Sosyal hizmetler alanında yüksek lisansımı tamamlayabilmek için. Aslına bakarsan antioksidan tarifler aramıyordum; ödev yapıyordum."

"Ciddi misin?"

"Sensiz bir dünya hayal ettiğimi düşünmeni istemedim. Ama yüksek lisans diplomamı alabilirsem sorunlu ailelere danışmanlık yapabilirim veya ailelerinde hastalıkla mücadele eden insanların katıldığı grupları yönetebilirim ya da..."

"Bir saniye, yani Patrick mi olacaksın?"

"Tam olarak değil. Çok fazla sosyal hizmet dalı var."

Babam araya girdi. "Senin unutulduğunu düşüneceğinden korkmuştuk. *Her zaman* senin yanında olacağımızı bilmen çok önemli, Hazel. Annen hiçbir yere gitmiyor."

"Hayır, hayır bu harika. Bu mükemmel!" Gerçekten gülümsüyordum. "Annem Patrick olacak. Harika bir Patrick olacak! Patrick'ten çok daha iyi olacak."

"Teşekkürler, Hazel. Bunu söylemen benim için çok önemli."

Başımı salladım. Ağlıyordum. O kadar mutluydum ki bu hissin üstesinden bir türlü gelemiyordum, annemi Patrick olarak hayal edip belki de hayatımda ilk kez gerçek mutluluk gözyaşları döküyordum. Anna'nın annesini düşünmeme sebep olmuştu. O da harika bir sosyal hizmetler görevlisi olurdu.

Bir süre sonra televizyonu açıp *ANTM* izledik. Fakat beş saniye sonra kaydı durdurdum çünkü anneme sormam gereken bir sürü soru vardı. "Peki, ne zaman bitireceksin?"

"Eğer bu yaz Bloomington'a gidebilirsem aralık ayında bitirmiş olurum."

"Bunu benden tam olarak ne zamandır saklıyordun?"

"Bir yıldır."

"*Anne.*"

"Seni incitmek istemedim, Hazel."

Harikaydı gerçekten. "Yani beni MCC'nin önünde veya Destek Grubu'nun orada filan beklerken aslında sen..."

"Evet, ya çalışıyor ya okuyor oluyordum."

"Bu harika. Ölürsem bil ki birinden duygularını paylaşmasını her istediğinde gökyüzünden bakıp iç geçiriyor olacağım."

Babam güldü. "Al benden de o kadar, fıstık."

Sonunda *ANTM* izledik. Babam sıkıntıdan ölmemek için gerçekten insanüstü bir çaba gösterdi ve hangi kızın hangisi olduğunu karıştırıp dururken, "Onu seviyor muyuz şimdi?" gibi sorular sordu.

"Hayır, hayır. Anastasia'dan tiksiniyoruz. Antonia'yı seviyoruz, şu diğer sarışın," diye açıklama yaptı annem.

"Hepsi sırık gibi ve korkunç," diye karşılık verdi babam. "Aralarındaki farkı bilmiyorum diye beni suçlayamazsınız." Üstümden uzanıp annemin elini tuttu.

"Ölürsem boşanır mısınız sizce?" diye sordum.

"Nasıl yani, Hazel? Tatlım..." Kumandayı alıp kaydı tekrar durdurdu. "Bunu niye sordun?"

"Boşanır mısınız boşanmaz mısınız?"

"Tabii ki boşanmayız," dedi babam. "Birbirimizi seviyoruz ve seni kaybedersek bunu birbirimize destek olarak atlatırız."

"Yemin edin," dedim.

"Yemin ederim," dedi babam.

Anneme baktım. "Yemin ederim," dedi o da. "Neden böyle bir şeye endişeleniyorsun ki?"

"Hayatınızı filan mahvetmek istemiyorum işte."

Annem eğilip yüzünü karman çorman saçlarımın arasına gömdü ve kafamın tam tepesini öptü. Babama, "İşsiz ve sefil bir alkolik olmanı filan istemiyorum," dedim.

Annem gülümsedi. "Baban Peter Van Houten değil, Hazel. Acıyla yaşamanın mümkün olduğunu sen herkesten daha iyi bilirsin."

"Evet, öyle," dedim. Annem bana sarıldı, kucaklanmak istemiyor olmama rağmen sarılmasına izin verdim. "Tamam, hadi izlemeye devam edelim," dedim. Anastasia elendi. Çileden çıktı. Harikaydı.

Birkaç lokma –pestolu kurdele makarna– yemek yedim ve midemde tutmayı başardım.

YİRMİ BEŞİNCİ BÖLÜM

Ertesi sabah panik halinde uyandım çünkü rüyamda bir sandalım bile yokken, devasa bir gölde tek başıma olduğumu görmüştüm. Yattığım yerde doğrulunca BiPAP'ın borusu gerildi ve annemin bana dokunduğunu hissettim.

"Günaydın, iyi misin?"

Kalbim küt küt atıyordu ama başımla onayladım. Annem, "Kaitlyn telefonda," dedi. BiPAP'ı gösterdim. Çıkarmama yardım etti, beni Philip'e bağladı ve en sonunda telefonu annemden alıp, "Selam, Kaitlyn," demeyi başardım.

"Ne var ne yok diye arıyorum," dedi. "Nasılsın?"

"Sağ ol," dedim. "Fena değilim."

"Başından geçen olay gerçekten talihsiz, hayatım. *Gayrivicdani.*"

"Öyle," dedim. Artık öyle veya böyle talihimi kafaya takmıyordum. Dürüst olmam gerekirse Kaitlyn'le herhangi bir konuda konuşmak da istemiyordum ama sohbeti uzattıkça uzatıyordu.

"Ee, nasıldı peki?" diye sordu.

"Erkek arkadaşının ölmesi mi? Şey, fena."

"Hayır," dedi. "Âşık olmak."

"Hıı," dedim. "Şey. O kadar... o kadar ilginç biriyle vakit geçirmek hoştu. Çok farklıydık, çoğu konuda hemfikir olamıyorduk ama gerçekten ilginç biriydi. Bilirsin işte."

"Heyhat, bilmiyorum. Benim muhatap olduğum çocuklar hakikaten yavan."

"Mükemmel filan değildi. Masallardan fırlayan Beyaz Atlı Prens filan da değildi. Bazen öyle olmaya çalışıyordu ama onu en çok tüm o takındığı tavırlar yüzünden silindiğinde seviyordum."

"Fotoğraflarından ve yazdığı mektuplardan defter gibi bir şey yaptın mı?"

"Birkaç fotoğrafı var ama bana hiç mektup yazmamıştı. Gerçi benim için yazmış olabileceği birkaç kayıp defter sayfası var fakat ya atmış ya da bir şekilde kaybolmuşlar vesaire."

"Belki de sana postayla yollamıştır," dedi.

"Sanmam, çoktan gelirdi."

"Belki de sana yazmamıştı," dedi. "Belki... Yani canını sıkmak filan istediğimden değil de, yazıyı başkasına yazdı ve ona gönderdi..."

"VAN HOUTEN!" diye haykırdım.

"İyi misin? Öksürdün mü?"

"Kaitlyn, seni seviyorum. Çok zekisin. Kapatmam lazım."

Telefonu kapatıp yan döndüm, dizüstü bilgisayarıma uzandıktan sonra lidewij.vliegenthart'a e-mail attım.

Lidewij,

Augustus Waters ölmeden kısa süre önce birkaç defter sayfasını galiba Peter Van Houten'e yollamış. O sayfaları birilerinin okuması benim için çok önemli. Ben de okumak istiyorum elbette ama benim için yazmamış olma ihtimali de var. Her ne olursa olsun, o yazının kesinkes okunması gerekiyor.

Yardım edebilir misin?

Arkadaşın,
Hazel Grace Lancaster

İkindi vakti yanıt geldi.

Sevgili Hazel,

Augustus'un öldüğünü bilmiyordum. Bunu duyduğuma çok üzüldüm. Çok karizmatik bir gençti. Çok üzüldüm ve hüzünlendim.

Tanıştığımız gün istifamı verdiğimden bu yana Peter'la konuşmadım. Şu an burada gecenin oldukça geç bir saati fakat mektubu bulmak ve onu okumaya zorlamak için sabah ilk iş evine gideceğim. Sabah saatleri en iyi olduğu zamanlar oluyor genelde.

Arkadaşın,

Lidewij Vliegenthart

Not: Olur da Peter'ı zapt etmemiz gerekir diye erkek arkadaşımı da götüreceğim.

Gus'ın neden o son günlerde benim yerime Van Houten'e yazdığını, ona son bölümü bana anlatırsa affedileceğini söylediğini merak ediyordum. Belki de yazdığı şeyde Van Houten'e isteğini tekrar etmişti. Gus'ın, benim hayalimi gerçekleştirebilmek için hastalığının ölümcüllüğünü koz olarak kullanması mantıklıydı aslında: Son bölüm, uğruna ölünecek ufak bir şey olabilirdi fakat elinde kalan en büyük şey de oydu.

O gece e-mail sayfamı sürekli yeniledim, sadece birkaç saat uyudum ve sabahın beşinde tekrar sayfayı yenilemeye başladım. Ama hiçbir şey gelmedi. Zihnimi dağıtmak için televizyon izlemeye çalıştım ama aklım sürekli Amsterdam'a kayıyor, Lidewij Vliegenthart ile erkek arkadaşının ölü bir çocuğun son mektubunu bulmak için delice bir görevle şehrin sokaklarında bisikletle dolaştığını hayal edip duruyordum. Ne güzel olurdu Arnavut kaldırımlı sokaklarda Lidewij Vliegenthart'ın bisikletinin arkasında sıçraya sıçraya gitmek, dalgalı kızıl saçlarının yüzüme çarpması, kanalların ve sigara dumanının kokusu, kafelerin önünde bira içerek oturan tüm o insanlar, asla öğrenemeyeceğim bir şekilde *r*'leri ve *g*'leri telaffuz edişleri...

Geleceği özlüyordum. Kanseri nüksetmeden önce de Augustus Waters'la yaşlanamayacağımı gayet iyi biliyordum. Fakat Lidewij ve erkek arkadaşını düşünürken kendimi soyulmuş gibi hissediyordum. Muhtemelen okyanusu bir daha asla otuz bin fit yükseklikten göremeyecektim, o kadar yüksekti ki ne dalgaları ne de gemileri görmek mümkündü ve okyanus devasa ve sonsuz, yekpare bir parçaya benziyordu. Hayal edebiliyordum. Hatırlayabiliyordum. Ama bir daha göremeyecektim ve insanların tamahkâr hırslarının rüyaların gerçekleşmesiyle asla doymadığını çünkü her şeyin daha iyi ve yeniden yapılabileceğine dair bir düşüncenin hep var olacağını fark ettim.

Belki doksan yaşında bile durum farklılaşmıyordur ancak bunu tecrübe edebilecek insanları kıskandığım gerçeği de değişmiyor tabii. Fakat öte yandan Van Houten'in kızından çoktan iki kat uzun yaşamıştım. On altı yaşında ölecek bir çocuğu olması için neler vermezdi ki.

Bir anda ellerini arkasında kavuşturan annem televizyonla arama girdi. "Hazel," dedi. Sesi o kadar ciddiydi ki bir sorun olduğunu sandım.

"Evet?"

"Bugün günlerden ne?"

"Doğum günüm değildir herhalde, değil mi?"

Güldü. "Henüz değil. Bugün 14 Temmuz, Hazel."

"*Senin* doğum günün mü?"

"Hayır..."

"Harry Houdini'nin doğum günü mü?"

"Hayır..."

"Tahmin yürütmekten sıkılmaya başladım."

"BUGÜN BASTİLLE GÜNÜ!" Ellerini arkasından çıkardı, iki tane naylon Fransa bayrağı tutuyordu ve heyecanla sallamaya başladı.

"Çok yapmacık bir şeymiş gibi geldi. Kolera Farkındalığı Günü filan gibi."

"Bastille Günü'nün yapmacık olmadığından kesinlikle emin olabilirsin, Hazel. İki yüz yirmi üç yıl önce bugün Fransa vatandaşlarının Bastille Hapishanesi'ni basıp özgürlükleri için savaştıklarını biliyor muydun?"

"Vay canına," dedim. "Bu mühim yıldönümünü kutlamamız gerek."

"Ayrıca tesadüfe bak ki babanla Holliday Park'ta bir piknik ayarladık."

Annem işte, çabalamaktan hiç vazgeçmiyordu. Koltuktan destek alarak kalktım. Birlikte sandviç yapmaya giriştik ve koridordaki yüklükten tozlu bir piknik sepeti çıkardık.

Güzel bir gündü, sonunda Indianapolis'e sıcak ve nemli gerçek yaz gelmişti, uzun süren kış aylarının ardından insana, dünya her ne kadar insanlar için yaratılmamış olsa da bizim dünya için yaratıldığımızı hatırlatan türde bir havaydı. Babam taba rengi bir takım giymiş, cep bilgisayarına bir şeyler yazarak engelli park yerinde duruyordu. Biz park ederken el salladı, sonra gelip bana sarıldı. "Ne güzel gün," dedi. "Kaliforniya'da yaşasaydık her gün böyle olurdu."

"Ama o zaman keyfini çıkarmazdık," dedi annem. Haksızdı ama karşı çıkmadım.

Sonunda örtümüzü, Indianapolis'teki bu çayırlığın ortasında birdenbire ortaya çıkmış gibi duran, tuhaf dörtgen şekilli bir Roma harabesi olan Harabe'nin yanına serdik. Gerçi bu gerçek bir harabe değildi: Bir harabenin, seksen yıl önce heykellerle birlikte yeniden yaratılmış haliydi ama sahte Harabe fazla ihmal edildiği için tesadüf eseri bir harabe haline gelmişti. Van Houten Harabe'yi severdi. Gus da.

Sonuçta Harabe'nin gölgesine oturduk ve biraz öğlen yemeği yedik. "Güneş kremi ister misin?" diye sordu annem.

"Gerek yok," dedim.

Yaprakların arasında esen rüzgârın sesi duyuluyordu ve aynı rüzgâr ilerideki oyun parkından, nasıl hayatta kalınacağını ve onlar için yaratılmamış bir dünyada yönlerini nasıl bulacaklarını, onlar için yaratılmış bir oyun parkında yön bulmaya çalışarak çözmeye çalışan çocukların çığlıklarını taşıyordu. Babam çocukları seyrettiğimi gördü. "Öyle koşmayı özlüyor musun?"

"Bazı bazı." Fakat aslında düşündüğüm şey bu değildi. Sadece her şeyi fark etmeye çalışıyordum: harabeye dönmüş Harabe'nin üstüne vuran ışığı, henüz doğru dürüst yürüyememesine rağmen oyun parkının kenarındaki bir dalı keşfeden çocuğu, yorulmak bilmez annemin hindili sandvicine hardal sıkışını, babamın cebindeki telefona elini atıp durduğunu ama bakma isteğine direndiğini, bir adamın frizbi attığını ve altında koşup duran köpeğinin frizbiyi yakalayıp ona getirdiğini...

Ben kim oluyorum da tüm bunlar sonsuza kadar sürmez deme hakkını kendimde görebiliyorum? Peter Van Houten kim oluyor da çabamızın beyhude olduğu hipotezini gerçekmiş gibi iddia edebiliyor? Cennete ve ölüme dair bildiğim her şey bu parkta: fasılasız hareket eden zarif bir evren, harabeye dönmüş harabeler ve çığlık atan çocuklarla kaynıyor.

Babam elini yüzümün önünde sallıyordu. "Dünyaya dön, Hazel. Orada mısın?"

"Pardon, evet, ne oldu?"

"Annen gidip Gus'ın mezarını ziyaret edelim diyor ama?.."

"Hıı, tabii," dedim.

Öğlen yemeğinden sonra üç başkan yardımcısı, bir başkan ve Augustus Waters'ın son istirahat yeri olan Crown Hill Mezarlığı'na gittik. Arabayla tepeyi tırmanıp park ettik. Ardımızdaki 38. Cadde'den gürültüyle arabalar geçiyordu. Mezarını bulmak kolaydı: En yenisi onunkiydi. Tabutunun üstüne örtülen toprak hâlâ kabarıktı. Henüz taş konmamıştı.

Orada olduğunu filan hissettiğimden değil ama yine de annemin o aptal, ufak Fransız bayraklarından birini alıp mezarının ucuna soktum. Belki geçen biri Fransız Yabancı Lejyonu'ndan veya kahraman bir asker olduğunu filan zannederdi.

Lidewij en sonunda saat akşam altıyı biraz geçe, ben kanepede oturmuş bir yandan televizyon, bir yandan da dizüstü bilgisayarımdan video izlerken e-mail attı. E-mailde dört tane ek olduğunu anında gördüm ve ilk olarak onları açmak istememe rağmen kendime hâkim olup e-maili okudum.

Sevgili Hazel,

Bu sabah evine gittiğimizde Peter neredeyse kendinden geçmiş haldeydi ama bu bizim işimizi kolaylaştırdı. Ben Peter'ın hayran mektuplarını sakladığı çöp torbasının içine bakarken Bas (erkek arkadaşım) onu oyaladı fakat sonra Augustus'un, Peter'ın adresini bildiğini hatırladım. Yemek masasının üstüne yığılmış mektuplar vardı, mektubu da orada buldum. Açtığımda mektubun Peter'a yollandığını gördüm, bu yüzden Peter'dan okumasını istedim.

Reddetti.

Bunun üstüne çok kızdım, Hazel fakat ona bağırmadım. Ona bağırmak yerine, ölen bir çocuktan gelen bu mektubu okumayı ölen kızına borçlu olduğunu söyledim ve mektubu ona uzattım, o da tüm yazıyı okudu ve –ondan alıntı yapıyorum–, "Kıza yolla ve ekleyecek bir şeyim olmadığını söyle," dedi.

Mektubu okumadım fakat sayfaları tararken bazı cümlelere gözüm takıldı. Sayfaları e-maile ekliyorum ama evine de yollayacağım; adresin hâlâ aynı mı?

Tanrı seni korusun, Hazel.

Arkadaşın,

Lidewij Vliegenthart

Ekli dosyalara tıkladım. El yazısı karmakarışıktı, sayfanın ucuna doğru eğim kazanıyordu, harfleri farklı boylardaydı ve kalemin rengi değişiyordu. Pek çok günde, farklı bilinç seviyelerinde yazmıştı.

Van Houten,

> Ben iyi bir adamım ama boktan bir yazarım. Sen boktan bir adamsın ama iyi bir yazarsın. İyi takım olurduk. Senden bana bir iyilik yapmanı rica etmek istemiyorum ama vaktin varsa -ki görebildiğim kadarıyla vaktin bol- Hazel için bir anma yazısı yazar mısın diye soracaktım. Benim tuttuğum not gibi şeyler var ama tüm bunları anlamlı bir bütün haline filan getirebilir misin? Ya da neyi farklı yazmam gerektiğini söylesen de olur.

Hazel'la ilgili şöyle bir şey var: Neredeyse herkes dünyada bir iz bırakabilmekle kafayı bozmuş. Bir miras bırakmakla. Ölümü alt etmekle. Hepimiz hatırlanmak istiyoruz. Ben de istiyorum. Canımı en çok sıkan şey, hastalığa karşı sürdürülen kadim ve haysiyetsiz savaşta hatırlanmayan bir zayi olmak.

İz bırakmak istiyorum.

Ama Van Houten, insanların bıraktığı izler genellikle yara oluyor. Berbat bir alışveriş merkezi inşa ediyorsun veya askerî darbe yapıyorsun ya da *rock* yıldızı olmaya çalışıyorsun ve kendine, "Artık beni hatırlayacaklar," diyorsun fakat (a) seni hatırlamıyorlar ve (b) arkanda bıraktığın tek şey daha fazla yara oluyor. Darben diktatörlüğe dönüşüyor. Alışveriş merkezin lezyon haline geliyor.

(Peki, belki de o kadar boktan bir yazar değilimdir. Ama fikirlerimi bir araya getiremiyorum, Van Houten. Düşüncelerim takımyıldızlara dönüştüremediğim yıldızlar gibi.)

Yangın musluklarına işeyen köpekler gibiyiz. Zehirli çişimizle yer altı suyunu kirletiyor, ölümlerimizden sağ kurtulmaya çalışırkenki saçma sapan çabamızla her şeye BENİM diye işaret koyuyoruz. Yangın musluklarına işemeden duramıyorum. Saçma olduğunu ve işe yaramadığını –şu anki halimi göz önünde bulundurursak destansı boyutlarda işe yaramadığını– biliyorum ama ben de en az diğerleri kadar hayvanım.

Hazel farklı. O hafif adımlarla yürüyor, ihtiyar. Dünyadaki adımlarını hafif atıyor. Hazel gerçeği biliyor:

Evreni, ona yardımcı olabileceğimiz kadar incitmemiz de mümkün ve büyük ihtimalle ikisini de yapmayacağız.

İnsanlar onun daha az yara bırakmış olmasının, çok az insanın onu hatırlayacağının üzücü olduğunu, çok sevilmesine rağmen geniş çapta sevilmediğini söyleyecek. Ama bu üzücü değil, Van Houten. Bu muzafferane. Kahramanca. Gerçek kahramanlık da bu değil mi zaten? Doktorların dediği gibi: Önce zarar verme.

Zaten gerçek kahramanlar bir şeyler yapan insanlar değil, gerçek kahramanlar bir şeyleri FARK EDEN, dikkat gösteren insanlar. Çiçek aşısını bulan kişi aslında bir şey bulmadı. Sadece inek çiçeğine yakalananların, çiçeğe yakalanmadığını fark etti.

PET taramam ışıl ışıl olduktan sonra gizlice yoğun bakıma girip kendinden geçmiş bir halde yatarken onu seyrettim. Yaka kartlı bir hemşirenin ardından içeri girdim ve yakalanmadan önce on dakika kadar yanında oturabildim. Ona benim de öleceğimi söyleyemeden önce öleceğini düşünüyordum gerçekten. Korkunçtu: Yoğun bakımın ardı arkası kesilmeyen mekanik söylevleri... Göğsünden koyu renkli kanser sıvısı damlayıp duruyordu. Gözleri kapalıydı. Borulara bağlıydı. Ama eli hâlâ onun eliydi, hâlâ sıcaktı ve tırnaklarında neredeyse siyah gibi görünen lacivert ojeleri vardı ve öylece elini tuttum ve ikimiz olmadan dünyayı hayal etmeye çalıştım ve sadece bir saniyeliğine, benim de gidici olduğumu asla bilmeden ölmesini dileyebilecek kadar iyi bir insan oldum. Ama sonra daha çok vaktimiz olsun istedim ki birbirimize âşık olabilelim. Sanırım benim dileğim gerçekleşti. Ben yaramı bıraktım.

Bir hemşire gelip dışarı çıkmam gerektiğini, ziyaretçilerin içeri alınmadığını söyledi ve ben de onun iyi olup olmadığını sordum, hemşire de, "Suya gömülmeye devam ediyor," dedi. Çölde bir lütuf, okyanusta bir lanet.

Başka ne diyebilirim? O çok güzel. Ona bakmaktan sıkılmıyorsun. Senden daha zeki olup olmadığını düşünmüyorsun, öyle olduğunu biliyorsun. Kimseyi incitmeden komik olabiliyor. Onu seviyorum. Onu sevdiğim için çok şanslıyım, Van Houten. Bu dünyada incinip incinmeyeceğine dair tercih yapma şansın yok ancak seni kimin inciteceğini seçebilirsin, ihtiyar. Ben kendi tercihlerimden memnunum. Umarım o da tercihlerini sever.

Seviyorum, Augustus.

Seviyorum.

TEŞEKKÜRLER

Yazarın teşekkür etmek istedikleri:

Bu hastalık ve tedavisi romanda kurgusal olarak ele alınmıştır. Örneğin Palanksifor diye bir şey yok. Bunu ben uydurdum çünkü var olmasını isterdim. Gerçek bir kanser tarihi okumak isteyenler Siddhartha Mukherjee'nin *Tüm Hastalıkların Şahı*'nı okumalı. Ayrıca Robert A. Weinberg'in *The Biology of Cancer*'ına, Josh Sundquist'e, Marshall Urist'e ve Jonneke Hollanders'a minnettarım, kendileri tıbbi konularda bana hem zamanlarını ayırdılar hem de uzman görüşlerini sundular, ben de canım istediğinde bunları keyifle hiçe saydım.

Hayatı bana ve pek çok insana bir armağan olan Esther Earl'e. Ayrıca cömertlikleri ve dostlukları için Earl ailesine –Lori, Wayne, Abby, Angie, Grant ve Abe– müteşekkirim. Esther'dan ilham alarak Earl ailesi kâr amacı gütmeyen This Star Won't Go Out vakfını kurdu. Bu konuda tswgo.org adresinden daha fazla bilgi alabilirsiniz.

Yazabilmem için bana Amsterdam'da iki ay veren Hollanda Edebiyat Vakfı'na. Özellikle Fleur van Koppen, Jean Cristophe Boele van Hensbroek, Janetta de With, Carlijn van Ravenstein, Margje Scheepsma ve Hollandalı nerdfighter'lara gerçekten minnettarım.

Yıllar boyunca değişip duran bu öyküye bağlı kaldığı için editörüm ve yayımcım Julie Strauss-Gabel ile Penguin'deki muhteşem takıma. Özel olarak Rosanne Lauer, Deborah Kaplan, Liza Kaplan, Steve Meltzer, Nova Ren Suma ve Irene Vandervoort'a.

Akıl danışmanım ve iyilik meleğim Ilene Cooper'a.

Bilgece tavsiyeleriyle beni sayısız felaketten kurtaran yayın hakları temsilcim Jodi Reamer'a.

Fevkalade oldukları için nerdfighter'lara.

Dünyanın daha az fena olmasından başka şey istemeyen Catitude'a.

En iyi arkadaşım ve en yakın işbirlikçim olan kardeşim Hank'e.

Sadece hayatımın aşkı değil, aynı zamanda ilk ve en güvenilir okurum olan eşim Sarah'ya. Ayrıca doğurduğu bebek Henry'ye. Kendi anne babam Mike ve Sydney Green ile kayınvalidem ve kayınpederim Connie ve Marshall Urist'e.

Hayati noktalarda bu öyküye yardımcı olan arkadaşlarım Chris ve Marina Waters'a ve Joellen Hosler, Shannon James, Vi Hart ile Venn diyagramı gibi mükemmel olan Karen Kavett, Valerie Barr, Rosianna Halse Rojas ve John Darnielle'e.

"Bu harika öyküyü okuyan kızlar hüzünlenecek, erkekler Alaska'nın vanilya ve sigara kokusunda aşkı, tutkuyu ve özlemi bulacak."
Kirkus

"John Green çok etkileyici bir roman yazmış. Hayat, sevgi ve insan olmanın gizemleriyle dolu labirente balıklama dalıyor. Bu kitap hayatınıza dokunacak o yüzden sakın oturarak okumayın! Ayağa kalkın ve 'Büyük Belki'ye doğru bir adım atın."
K. L. Going